JOSIE LLOYD-EMELYN REES

Anglaise, Josie Lloyd a étudié la littérature et l'art dramatique. Elle a publié un premier roman désenchanté sur
le célibat passé trente ans. Avec Emelyn Rees, son agent
littéraire, ils ont décidé d'écrire *Jamais deux sans toi*,
roman d'amour moderne à deux voix qui a connu un
très grand succès en Angleterre et dans treize pays.
Josie Lloyd et Emelyn Rees se sont mariées en 1999 et
vivent à Londres.

JAMAIS DEUX SANS TOI

JOSIE LLOYD & EMLYN REES

JAMAIS DEUX SANS TOI

PLON

Titre original
Come together

Traduit de l'anglais
par Christophe Claro

ISBN Édition originale : Arrows Books Ltd 0 09 927927 4
ISBN : 2-266-10716-X

*Pour nos sœurs, Catherine et Kirsti,
avec tout notre amour.*

1

Jack

L'Idéal

Imaginons, vous êtes une fille. Vous êtes une fille, vous êtes à une fête, ou dans un pub, ou en boîte. Bon, vous êtes une fille, vous êtes à une fête, ou dans un pub, ou en boîte, et je vous aborde.

Imaginons que vous ne m'avez pas encore accordé un seul regard.

Il y a certains trucs que vous saurez immédiatement. Vous verrez que je mesure un peu moins d'un mètre quatre-vingts et que je suis de corpulence moyenne. Si on se serre la main, vous remarquerez que ma poigne est ferme et mes ongles propres. Vous verrez que j'ai deux yeux marron assortis à mes cheveux châtains. Et vous verrez que j'ai une cicatrice en travers de mon sourcil gauche. Vous supposerez que j'ai entre vingt-cinq et trente ans.

Imaginons que ce que vous voyez vous

plaise suffisamment pour que vous ayez envie de me parler.

On va discuter, et si tout se passe bien entre nous, vous en saurez davantage. Je me présenterai, bonjour, Jack Rossiter. Si vous m'interrogez sur ma cicatrice, je vous révélerai que mon meilleur ami, Matt Davies, m'a tiré dessus avec un pistolet à air comprimé quand j'avais douze ans. Je vous dirai que j'ai eu de la chance de ne pas perdre un œil et que ma mère a refusé que Matt vienne chez nous pendant un an. Je vous dirai que Matt est moins imprévisible à l'heure actuelle et que je m'accommode très bien de la situation au point de considérer qu'habiter sous le même toit que lui ne présente aucun danger. Je vous dirai qu'il travaille pour un cabinet juridique de Londres, mais je ne vous dirai pas qu'il est mon propriétaire et que je lui verse un loyer. Vous me demanderez à quoi ressemble la maison où j'habite et je vous dirai qu'il s'agit d'un ancien pub reconverti situé dans l'ouest et que, oui, nous avons conservé la table de billard et le jeu de fléchettes, mais, non, nous n'avons pas accordé le droit de visite à l'alcoolo violent qui avait l'habitude de ruminer dans un coin. Je vous dirai également que le jardin est vaste et luxuriant.

Vous me demanderez ce que je fais comme métier et je vous répondrai que je suis artiste, ce qui est la vérité, et que j'en vis très bien, ce qui est faux. Je ne vous dirai pas que je travaille dans une petite galerie d'art de Mayfair trois jours par semaine pour joindre les deux bouts. Vous examinerez ma tenue — les

fringues de Matt, à tous les coups — et supposerez à tort que je suis riche. Comme je ne
mentionnerai à aucun moment l'existence
d'une petite amie, vous en déduirez sans doute
avec raison que je suis célibataire. Je ne vous
demanderai pas si vous avez un petit copain,
mais je jetterai un œil à votre annulaire pour
savoir si vous êtes fiancée ou mariée.

Imaginons que nous terminions la soirée
chez vous ou chez moi.

Nous ferons l'amour. Avec un peu de
chance, nous y prendrons peut-être du plaisir.
Si nous y prenons du plaisir, il se peut même
que nous recommencions. Puis nous dormi-
rons. Au matin, si c'est chez vous, je m'éclip-
serai sans doute avant votre réveil. Je ne
laisserai pas mon numéro de téléphone. Et si
on est chez moi, vous agirez de même. Pas de
petit baiser avant de partir. Celui qui restera
au lit finira bien par se réveiller. Et s'aperce-
vra qu'il est tout seul. Mais ça sera parfait,
parce que c'était voulu.

*

Confession n° 1. Contraception
Lieu : les toilettes entre les comparti-
ments B et C dans le train de 14 h 45 qui relie
Parkway (Bristol) à Paddington (Londres).
Heure : 15 h 45.
Date : 15 mai 1988.
Dans les toilettes, un jeune homme, dix-sept
ans, se tenait face au miroir, son pantalon et
son caleçon sur les chevilles, un préservatif

11

parfumé au curry dans une main et un pénis en érection — le sien — dans l'autre.

Je puis l'affirmer avec exactitude. Non parce que je me trouvais dans le compartiment C, en train de fixer le panneau WC OCCUPÉ, ma vessie menaçant d'exploser, et que je me demandais quel genre de personne pouvait être assez égoïste pour squatter les chiottes pendant vingt bonnes minutes. Et non plus parce que les vibrations du wagon à l'approche de la station de Reading étaient si intenses que je finis par défoncer la porte d'un coup de pied pour voir ce qui se passait là-dedans. Mais parce que le jeune homme en question, c'était moi.

Bon, vu comme ça il est normal de supposer que je corresponds à un des trois types d'individus suivants, sinon aux trois :

a) un pervers ;
b) un amateur de curry ;
c) un fou.

Eu égard à l'information révélée un peu plus haut, ce sont là des suppositions tout à fait légitimes. N'importe quel jury m'aurait condamné sur ces trois chefs d'accusation. Même si, en ce qui concerne le délit d'amateur de curry, le fait que je pouvais à peine toucher mes genoux avec ma bouche, et encore moins n'importe quelle autre partie de mon anatomie, rend la chose hautement improbable.

Donc, passons la parole à la défense.

Les hommes de dix-sept ans, ainsi que tout homme qui a, avec succès et, certainement, soulagement, dépassé cet âge peut en témoigner, sont d'étranges créatures. Tiraillés entre l'adolescence et la maturité, soumis à un raz de marée hormonal, ils traversent une période de découverte de soi, où l'on se pose des questions, où l'on cherche des réponses, et où, qui plus est, on s'adonne fréquemment à la masturbation. Il en allait de même pour moi. Je me posais les questions habituelles. Dieu existe-t-il ? La paix mondiale est-elle possible ? Pourquoi les poils pubiens sont-ils aussi courts, interdisant du coup tout espoir de coupe fantaisie ? Et pourquoi l'expression « ouverture facile » ne recouvrait-elle aucune réalité concrète ? J'attendais en vain des réponses. Et, tout en attendant, je me branlais.

Beaucoup.

Il existait sans doute des vaches laitières de concours agricole dont la demande était moins forte que la mienne (mais, vu qu'on ne les traie que deux fois par jour, ce n'est pas si étonnant). En temps normal — c'est-à-dire sans compter les incendies, les inondations, les tremblements de terre et autres interventions divines —, je me branlais trois fois par jour. Et c'était la diversité qui faisait tout le piment de la chose. Je m'astiquais le chinois au-dessus du lavabo de la salle de bains. Je me secouais le haricot à l'arrière du bus. Je brusquais popol dans mon sac de couchage. Je faisais gémir l'indien en écoutant *Songs of Praise*. Je me branlais, me collais un rassis, me polissais la colonne et me finissais à la main. Mais tout au long de cette période d'expérimentation onaniste, il y avait une seule chose que je n'avais pas encore essayée, et c'était la Branlette du Riche.

Pour ceux qui ignoreraient cette expression,

la BdR consiste simplement à accomplir l'acte masturbatoire en portant une capote. Quel rapport cela a précisément avec le fait d'être riche, je l'ignore. Je suppose que c'est là une pratique acquise par les riches à force d'avoir trop de temps libre. (Trop de quelque chose, en tout cas.) En ce qui me concerne, en ce 15 mai 1988, dans le décor tout sauf exotique des chemins de fer britanniques entre les compartiments B et C, elle servait un tout autre dessein. C'était le préservatif lui-même, et non ce pour quoi il avait été conçu, qui m'intéressait.

Le fond de la chose, c'est que je n'en avais encore jamais mis. Mon rapport à ces machins se résumait alors à admirer mon camarade d'école Keith Rawlings, lequel se livrait au cours d'une fête à son tour de force légendaire, à savoir s'enfiler à moitié un préservatif sur la tête, puis respirer énergiquement par le nez jusqu'à ce qu'il soit gonflé comme un zeppelin et connaisse le même sort que le *Hindenburg,* en explosant sous les applaudissements. L'exploit n'était pas dépourvu d'une certaine dimension théâtrale, certes, mais ce n'était pas une assemblée de fêtards que je comptais impressionner ce jour-là. C'était Mary Rayner, une fille que j'avais rencontrée au cours d'une fête donnée dans la maison des parents de Matt le week-end précédent, une fille qui m'avait invité à venir chez elle pendant que ses parents étaient à Majorque. En d'autres mots, une fille qui — je l'espérais de tout mon cœur — serait assez charitable pour me débarrasser de mon pucelage. De là le préservatif parfumé au curry. Dans les toilettes. D'un train.

Il était fort possible qu'on me prie d'en utiliser un pour de bon dans moins de deux heures. L'instant pour lequel je m'étais préparé mentalement et physiquement, allant jusqu'à me faire des ampoules à la main droite, était imminent. Aussi qu'ai-je fait ? J'ai fait ce que fait tout adolescent de dix-sept ans vigoureux et sûr de soi : j'ai paniqué. Dans les grandes largeurs. J'étais assis là, dans le compartiment C, à tambouriner des doigts sur mon portefeuille, en train de réfléchir aux trois préservatifs que j'avais achetés à la va-vite au distributeur d'un pub. Et s'ils ne m'allaient pas ? Et s'ils étaient trop petits, ou, horreur, trop grands ? S'ils glissaient ou se perçaient ? Je me retrouverais allongé près de Mary, à me répandre en excuses, voilà ce qui se passerait. Auquel cas, il était fort probable que Mary ne me donnerait jamais une deuxième chance. Je resterais puceau. Bon sang, je mourrais même peut-être puceau. Je me tortillais sur ma banquette, et imaginais mon épitaphe : IL EST MORT CENTENAIRE SANS JAMAIS AVOIR TIRÉ SON COUP. QUE SON PRÉPUCE REPOSE EN PAIX. Donc, muni de mon portefeuille, je me dirigeai d'un bon pas vers les toilettes pour roder mon piston avant le virage final.

La défense, ici, marque une pause.

Je suis heureux de vous annoncer que ce ne fut pas le cas de Mary. De marquer une pause, je veux dire. Dès l'instant où nous avons atteint sa chambre à coucher et basculé par terre et chaviré dans le lit, toute idée de pause fut absente de son esprit. Je connus là ma première expérience de ce sentiment que j'ai par la suite

appelé « En ». J'étais En phase avec elle.
J'étais En-fin dans son lit. Et bientôt je fus En
elle. Le sentiment d'En me submergea jusqu'à
l'inondation finale.

*

Le Commencement

Nous sommes en juin 1998, un vendredi
matin, et j'ai un problème.

Pire, je ne me souviens plus de son nom.

Elle soupire et marmonne quelque chose
d'incompréhensible dans son sommeil, se
retourne pour me faire face, passe un bras
autour de ma taille et l'y laisse, moite de trans-
piration. Je jette un regard à l'affichage digi-
tal de mon réveille-matin sur la table de
chevet : 07 h 31. Puis je la regarde, elle ; une
tapisserie de cheveux châtains qui obscurcit
tout sauf le nez. Pour un nez, il n'est pas mal.
Je regarde ensuite le plafond, pris dans les feux
croisés de pensées conflictuelles.

D'un côté, la situation n'a rien d'épouvantable. Je suis là, hétérosexuel et célibataire,
couché avec une fille nue qui, bien que les
informations à ma disposition se résument à
la forme de son nez et à une série de souvenirs avinés, est plutôt agréable, et plutôt bonne
au lit. Autant que je sache, il ne s'est pas produit quoi que ce soit de particulièrement
bizarre, cette nuit : ni menottes ni fouet, ni
déprimes ni déclarations d'amour intempes-
tives. On s'est rencontrés en boîte, on a dansé,

16

on a flirté, et on est rentrés ici en taxi au petit matin.

Rien à redire côté sexe. Ce qu'il faut de sudation, de roulements d'yeux et de soupirs appuyés. On a bien bougé ensemble, pour une première fois. Aucune parole échangée. Parfois j'aime quand ça se passe comme ça. Sans la voix. Sans la tête. Le strict minimum, comme ce qu'on portait sur nous. Personne ne faisait comme si ce qu'il faisait outrepassait le domaine physique. Et après, comme on se remettait péniblement, en sifflant les deux grands verres d'eau que j'avais remplis au robinet de la salle de bains, l'Idéal tenait bon.

J'en veux pour preuve le fait qu'elle :

a) ne me serra pas la main ;

b) ne me regarda pas d'un air énamouré dans les yeux ;

c) ne me demanda pas si je me sentais seul sans petite amie ;

d) ne me fit pas le coup de la cigarette qu'on partage comme un joint ;

e) ne me proposa pas qu'on se revoie bientôt.

Au lieu de ça, elle :

a) garda ses mains pour elle ;

b) contempla le plafond ;

c) me dit que le plus chouette quand on couchait à droite et à gauche c'était que le mec était chaque fois différent ;

d) alluma une cigarette de son propre paquet ;

e) me dit qu'elle partait en Australie pour une durée de trois mois.

Puis nous avons écrasé nos cigarettes respectives, j'ai éteint la lumière et nous avons dormi.

Jusque-là, parfait. Le super plan d'une nuit. Il y a quelques minutes, en me réveillant, je me sentais bien dans ma peau. Voire carrément béat. Les habituelles Peurs du Célibataire avaient été balayées. Oui, j'étais encore capable de lever une fille. Oui, j'étais encore capable de baiser avec une inconnue. En d'autres termes, oui, j'avais encore ce qu'il fallait.

D'un autre côté, la situation n'est pas non plus particulièrement reluisante. On est vendredi matin et — je regarde une fois de plus le réveil et m'aperçois que deux autres minutes viennent de s'écouler — j'ai des trucs à faire. Il serait certes plaisant de rester là à goûter un confort postcoïtal, voire d'ôter sa main de mon ventre pour la serrer, afin de prolonger un peu plus l'illusion d'intimité, mais malheureusement l'heure est venue de se lever et de passer à autre chose.

Je me redresse en prenant soin de ne pas la déranger, soulève son bras inerte de mon corps et le repose sur les draps. Dans cette nouvelle position, je peux voir ses vêtements entassés à côté du lit. J'attends encore deux secondes, vérifie qu'elle dort toujours, puis m'extrais de sous la couette et farfouille sans faire de bruit dans ses vêtements jusqu'à ce que je trouve son portefeuille dans la poche de son blouson. J'enfile un caleçon, sors de la chambre et me rends dans la cuisine

Matt est là, déjà habillé de pied en cap, ses cheveux noirs encore mouillés suite à la douche, devant un bol de céréales et une tasse de café fumant. Il ouvre la bouche pour parler mais je pose un doigt sur mes lèvres. Je m'assois en face de lui et prends une gorgée de son café.

— Elle est encore là ? murmure-t-il.

— Ouais.

— Machinchose. La voisine de Chloé ?

Chloé est une copine d'école qui a su rester une copine d'école. Du coup, elle est passée avec succès de l'état de petite amie potentielle à celui de grande amie véritable.

— Ouais, Machinchose. C'est bien elle.

Il hoche la tête, digère l'info, puis demande :

— Elle est bonne ?

— Pas mal.

Il sourit.

— Bruyante.

Je lui rends son sourire.

— Si tu le dis.

Je porte un toast avec sa tasse de café.

— Ah, au fait, bon anniversaire.

— T'as pas oublié ? T'es un chef, mon pote.

— J'ai même un cadeau pour toi.

— C'est quoi ?

— Faudra que t'attendes ce soir.

— Autrement dit, tu l'as pas encore acheté.

— Autrement dit, attends et va te faire. (Je lui rends sa tasse.) Bon, y aura qui ce soir ?

Il allume une cigarette, avale la fumée.

— Les mêmes que d'habitude, quelques extras.

— Des extras filles et célibataires ?

— Ça se peut.

— Plus d'info, svp.

— Attends et va te faire, toi aussi.

— Des cinglés et nymphos, donc...

Il ne lâchera pas le morceau.

— Qui t'enverront balader... ou pas. (Il montre le portefeuille du doigt.) Un trou de mémoire ?

Je l'ouvre et cherche sa carte d'identité.

— Non, c'est bon.

— Alors ?

— Alors quoi ?

— Alors elle s'appelle comment, Machin-chose ?

— Catherine Bradshaw. Née à Oxford, le 16 octobre 1969. (Je sors sa carte de métro et examine la photo, puis la montre à Matt.) Quelle note ?

— Sept. (Il y regarde à deux fois, se ravise.) Disons six. Elle était mieux hier soir.

— C'est toujours comme ça, mais...

— On ne triche pas devant l'objectif, dit-il, achevant ma phrase.

— Exactement.

— Reprends-moi si je me trompe, mais est-ce que S&M ne vient pas aujourd'hui ?

S&M est le surnom que Matt a donné à Sally McCullen, parce qu'il s'est aperçu que j'avais des bleus partout rien qu'en entendant son nom.

— Ouais, à 10 heures.

Il consulte sa montre, siffle tout bas.

— Va falloir la jouer serré, non ?

Je m'approche du bouton du thermostat et le règle au maximum.

— Plan A, dis-je en me versant un grand verre d'eau glacée. La faire suer.

— Et si ça marche pas ?

Je finis mon verre, m'essuie la bouche.

— Ça marche toujours.

Mais il y a toujours une première fois.

L'horloge qui affichait 08 h 40 affiche à présent 08 h 46. Ça fait plus d'une heure que le chauffage est à fond à présent, d'où j'en conclus que la carte d'identité de Catherine Bradshaw a été falsifiée et qu'au lieu d'être née à Oxford elle est en fait née à Bombay. L'été. Pendant une vague de chaleur. À côté d'une fournaise. En plein midi. L'eau glacée que j'ai bue n'a servi à rien. Avec le soleil d'été qui cogne aux fenêtres et les radiateurs en ébullition, je pourrais tout aussi bien être enfermé dans un sauna. La sueur dégouline de mon front. L'oreiller sous ma tête s'est changé en bouillotte, la couette en couverture chauffante. Bradshaw, elle, la joue littéralement et métaphoriquement *cool*. Elle ne grogne pas, ne me demande pas d'ouvrir la fenêtre ou de lui apporter de l'eau. Rien dc tout cela. Une respiration égale, avcc sur le visage l'expression détendue d'un sommeil profond. La vierge de glace.

Plan B.

— Catherine, dis-je, en me redressant. Cath ? (J'insiste, un peu plus fort, en la secouant par l'épaule.) Cathy ?

— Mmmmm ? répond-elle enfin, les yeux toujours fermés.

— Faut que tu te lèves. Je dois partir. Je vais être en retard.

Elle se frotte les yeux comme si elle creusait des trous avec ses jointures puis consulte sa montre.

— Il est même pas 9 heures, se plaint-elle en tirant la couette sur ses épaules et en fermant à nouveau les yeux. Je croyais que t'avais dit que tu bossais pas aujourd'hui... Je croyais qu'on prenait tous les deux notre journée... Un pacte, tu sais ? On a conclu un pacte.

C'est la vérité. Voilà pourquoi on a joué les prolongations après la boîte.

— Je sais, dis-je, mais la galerie vient de m'appeler. Il y a un collectionneur américain qui s'intéresse à certaines de mes toiles. (Je mens.) Il veut me rencontrer. Ce matin. Il rentre à L.A. dans l'après-midi, alors j'ai pas le choix.

— D'accord, d'accord, dit-elle en se redressant. J'ai pigé.

Le temps qu'elle se douche et s'habille, il est 9 heures et quart. Elle me rejoint dans la cuisine, où je suis en train de contempler le plateau de la table d'un air absent. C'est un plateau de table très correct, qui mérite bien qu'on fasse semblant de s'y intéresser. C'était une idée de Matt, piquer l'enseigne du pub qui était suspendue au-dessus de l'entrée. Dommage qu'on n'ait pas pu la laisser là, mais certains habitués du Churchill Arms n'étaient guère reluisants, ils revenaient sans cesse et essayaient de s'introduire chez nous au beau milieu de la nuit. Je continue de le fixer bêtement. Winston Churchill me dévisage d'un air désapprobateur. *Jamais, dans le spectre des relations humaines...* D'accord, d'accord, passons aux choses sérieuses.

Je ne lui propose pas :
a) un café ;
b) de la raccompagner chez elle ;
c) de bavarder.

Au lieu de ça, je repousse ma tasse, me lève et déclare :

— Bon, allons-y.

Je repense à son portefeuille en me dirigeant vers la porte d'entrée, tandis que le bruit de ses pas résonne sur les carreaux derrière moi. Elle habite à Fulham, donc elle peut prendre le métro.

— La bouche de métro n'est qu'à deux minutes à pied, lui dis-je comme nous sortons.

Je referme la porte derrière nous. Nous parcourons une trentaine de mètres dans la rue jusqu'à ce que nous parvenions devant la Spitfire de Matt.

— C'est à toi ? demande-t-elle comme je pose ma main sur le toit.

— Ouais, dis-je en enchaînant rapidement. Tu continues jusqu'au bout de la rue puis tu tournes à gauche. La station est à environ quatre cents mètres.

Au lieu de me dire au revoir et de quitter ma vie pour retourner à la sienne, elle scrute l'autre trottoir. Ses yeux finissent par se poser sur l'arrêt de bus.

— C'est bon, dit-elle. Je prendrai le bus, ça sera plus rapide.

— Parfait, dis-je sans le penser une seconde. À un de ces quatre, alors.

— Ouais ? (Elle me regarde avec hésitation.) Je t'ai laissé mon numéro dans ta chambre. Sur un paquet de clopes. Sur la table de chevet.

— Je croyais que tu partais en Australie.

— Oui, mais pas avant six semaines.

— Oh.

Gênés, nous regardons autour de nous pendant quelques secondes.

— Tu y vas, alors ? demande-t-elle.

— Oui. Je file. (J'abaisse vainement la poignée de la portière. Je grimace.) Mes clefs. J'ai oublié mes clefs. (Je lui adresse un vague signe, évite de croiser son regard.) À un de ces quatre.

— Ouais, tu l'as déjà dit.

Je me hâte vers la maison et referme la porte derrière moi. Je jette un œil à ma montre : 9 h 20. Lentement, je contourne la porte du salon. M'abritant derrière le comptoir qui court le long du mur du fond, je regarde par la fenêtre la rue. Catherine Bradshaw se tient à l'arrêt de bus, juste en face de la maison. Eh merde. Je suis crevé. Sally McCullen, une fille sur laquelle j'ai fantasmé ces deux dernières semaines, va se pointer ici dans à peine plus d'une demi-heure. Et Catherine Bradshaw poireaute à l'un des arrêts de bus les moins fréquentés de la planète, sans revue ni journal ni bouquin ni walkman, sans rien d'autre à faire que de regarder peinarde la porte de chez Matt et d'attendre que je ressorte pour monter au volant d'une décapotable qui ne m'appartient pas afin d'aller retrouver un collectionneur américain qui n'existe pas.

Une voix s'élève en moi, une voix qui dit : *Et alors ? Qu'est-ce que ça peut faire que tu* ne réapparaisses pas et lui prouves que toute cette histoire de galerie/collectionneur n'est qu'un plan tiré par les cheveux pour se débarrasser d'elle ? Qu'est-ce que ça peut faire qu'elle soit encore en train d'attendre son bus à 10 heures quand tu accueilleras McCullen sur le pas de porte ? On vient juste de se rencontrer. On ne sort pas ensemble. *Et alors quoi,* continue la voix, *pourquoi n'as-tu pas été franc avec elle ? Quelle importance ? Pourquoi ne l'as-tu pas tout simplement remerciée pour la nuit. C'était sympa. Mais non, tu ne l'as pas fait. La vie ne serait-elle pas plus simple si tu l'avais fait ? Hein, ça ne serait pas plus simple ?*

Mais d'autres voix s'insurgent.

Il y a l'Égoïste : *C'est la voisine et la copine de Chloé, et Chloé est ta copine. Largue Catherine, et tu perds Chloé pour le même tarif. Continue comme ça et tu verras ton cercle d'amis se changer en un encéphalo plat de mondanités.* Il y a l'Inquiète : *Tu n'as pas envie que cette fille, ni qui que ce soit d'ailleurs, fasse courir le bruit ou simplement entretienne l'impression que tu es un sale con.* La Décente : *Tu es un type sympa et les types sympas s'arrangent pour que les filles sympas pensent du bien d'eux.*

Mais, même si toutes ces voix détiennent une part de vérité, aucune ne me dit la vérité nue. En fait, la vérité nue n'a rien à voir du tout avec le raisonnement. Rien qui relève de l'intelligence. C'est lié au conditionnement, pas la peine de chercher plus loin. C'est lié à la façon dont je suis programmé. Pas quelque chose que je pense, juste quelque chose que je suis d'instinct.

C'est facile de se faire croire que quand on met un terme à une relation on passe simplement des habitudes de couple à celles de célibataire. J'ai rompu avec Zoé Thompson entre 16 heures et 19 heures le 13 mai 1995, entre le moment où je suis rentré d'un week-end d'introspection et de larmes chez ma mère et le moment où son père est venu la chercher dans l'appartement qu'on avait mis quinze mois à transformer en foyer. On sortait ensemble depuis plus de deux ans. Dans les mois qui ont suivi, mon mode de vie et mes habitudes émotionnelles ont subi les changements suivants :

a) ne plus se servir d'assouplissant et guetter l'apparition mystérieuse de trous dans mes chaussettes ;

b) ne plus changer de brosse à dents tous les trois mois, au point que j'en suis venu à avoir l'impression de me brosser les dents avec un bout de paillasson ;

c) me servir de mes ongles plutôt que de ciseaux pour jouer les pédicures ;

d) retourner le drap tous les quinze jours plutôt que de le laver ;

e) ne plus se sentir coupable quand on parle à quelqu'un du sexe opposé qui représente un danger (par exemple, une petite amie de Matt, ou une vieille copine à moi avec laquelle Zoé s'entendait bien, ou une amie de Zoé) ;

f) mettre une capote lors d'un rapport sexuel ;

g) dormir avec un oreiller dans les bras plutôt que la personne que j'aimais ;

h) rester au lit le dimanche matin, en regrettant de n'avoir personne avec qui partager ce temps libre.

Mais d'autres habitudes que j'avais prises pendant la période où je sortais avec Zoé avaient la vie dure, en dépit du fait qu'elle n'était plus là pour me fliquer, parce qu'elles étaient devenues miennes. Entre autres :

a) dormir du côté droit du lit, même si j'avais à présent un grand lit pour moi tout seul dans lequel j'aurais pu m'étaler à ma guise ;

b) laver mon assiette après chaque repas au lieu d'attendre le week-end pour me lancer dans une vaisselle monstre ;

c) apprécier la saveur des légumes et des salades, au lieu de les rejeter comme des éléments rendus obsolètes par l'invention des vitamines en cachets ;

d) laisser abaissé le siège des cabinets ;

e) regarder des conneries à la télé ;

f) s'efforcer de détourner la conversation des résultats de matches de foot quand les personnes présentes sont des deux sexes ;

g) regarder les femmes en face plutôt que leur décolleté quand je leur parle ;

h) comprendre que l'ego des autres, en dépit de ce que les apparences pourraient laisser croire, est aussi fragile et aisément endommageable que le vôtre.

Bon, je ne suis pas psy et je serais incapable d'expliquer pourquoi certaines de ces habitudes *made in* Zoé ont perduré tandis que d'autres ont disparu. Ce que je sais, c'est que celles qui ont tenu bon sont bel et bien réelles, et font autant partie de moi que mes empreintes digitales. Et cela inclut le laïus sur l'ego des autres.

Bien sûr, il est possible que Catherine Bradshaw soit aussi heureuse de me revoir que l'inverse. Il est possible qu'elle ne m'ait laissé son numéro de téléphone que pour me mettre à l'aise, ou jouer les filles relax, ou les deux. Il est possible que, même si je l'appelle, elle niera me connaître, ou développera illico un talent caché pour parler couramment le letton. Mais il y a également une faible chance pour que, si je la traite comme de la merde, je finisse par me sentir moi-même comme de la merde. Donc, prenons le contre-pied : soyons chic avec elle et, du coup, sentons-nous mieux. Altruiste et égoïste dans le même panier. La combinaison parfaite pour une conscience tranquille.

Heureusement, les clefs de voiture de Matt sont suspendues à une fléchette sur la cible dans la cuisine, et donc, quelques minutes plus tard, j'adresse un signe de la main à Bradshaw, monte dans la Spitfire de Matt, règle le fauteuil et le rétro et mets le contact. En faisant le tour du pâté de maisons, je me dis que je ne suis pas assuré, et que Matt pourrait bien réagir en me tenant un couteau sous la gorge et en me faisant bouffer mes organes génitaux récemment tranchés si seulement il soupçonnait que j'ai emprunté sa-joie-et-sa-fierté pour aller faire un tour. Je gare la Spit dans une rue adjacente, loin de l'arrêt de bus, coupe le moteur et allume la radio.

Quatre chansons, un point sur la circulation, un flash d'informations et deux cigarettes plus tard, je me risque à descendre du véhicule et remonte la rue pour jeter un œil. Au moment même où je m'approche du coin de la rue pour vérifier que le bataillon Bradshaw a déserté mon champ de manœuvre, paf, un bus me passe devant. Je me fige, et mon regard croise celui de Catherine Bradshaw derrière la vitre. Je la vois qui secoue la tête et brandit le majeur en guise de salut.

Il existe certaines pensées que vous pouvez capter sans être télépathe. *Sale con* est l'une d'entre elles.

L'après-midi tire à sa fin. Je suis adossé au mur de mon atelier, une cigarette au bec, et je contemple la toile disposée sur le chevalet que je viens juste d'installer près des portes-fenêtres qui donnent sur le jardin. Le soleil inonde la pièce de cette lumière crue que diffuse une ampoule nue.

L'atelier est situé à l'arrière de la maison. Le plafond et les murs sont d'un blanc uni, ornés d'esquisses et d'études en couleurs. Le plancher est brut, dans l'état où je l'ai trouvé quand j'ai arraché la moquette tachée de bière peu après avoir emménagé. Matt a été cool de ce côté-là, en partie parce que la pièce était bordélique — tout juste un coin où entreposer les cartons qu'il ne s'était jamais décidé à déballer après avoir embarqué toutes ses affaires qui étaient chez ses parents, à Bristol — et en partie parce qu'il savait que je ne pouvais me permettre de louer quoi que ce soit ailleurs. Une fois la moquette enlevée et les murs repeints, seule la table de billard est restée, témoignage des jours glorieux du Churchill Arms.

Un des trucs que j'ai dits à Bradshaw hier soir était vrai : je ne travaille pas le vendredi. Pas pour gagner ma croûte, en tout cas. Ça, c'est le mardi, le mercredi et le jeudi, à la galerie de Paulie. Paulie m'appelle son directeur, mais vu que je suis la seule personne qui travaille là-bas, ce n'est pas un titre dont je tire une gloire particulière. Mon boulot consiste à m'installer au bureau qui trône à l'entrée de la galerie et à feuilleter des revues ou lire des romans, en attendant que le téléphone sonne, ce qu'il fait rarement — à moins que ce ne soit Paulie qui appelle depuis quelque palace de la Méditerranée pour vérifier que je suis bien à mon poste. De temps à autre, quelqu'un entre pour jeter un œil, me pose peut-être une question ou deux sur les tableaux. Plus rarement, peut-être trois fois par mois, quelqu'un achète quelque chose, je fais tinter le tiroir-caisse et rédige une facture, m'occupe de la livraison. La plupart du temps je ne fais que bouquiner ou regarder passer les gens dans la rue.

Mais le vendredi, le vendredi et le lundi, je suis mon seul patron. Et j'essaie d'en rester là. J'essaie de ne pas quitter la maison, à moins que ce soit vital, comme d'aller faire un saut au coin de la rue pour acheter des cigarettes et du Pepsi, ou aller m'aplatir devant mon banquier pour contempler l'Abîme Sans Fond (à savoir, mon découvert). J'essaie d'obéir à mon réveille-matin à la même heure que je le ferais si je devais me pointer à la galerie pour l'ouvrir à temps (10 heures), je prends une douche et, si Matt est là, je papote avec lui pendant qu'il prend son petit déjeuner. Puis je me rends dans l'atelier et je branche la radio pour me tenir compagnie. J'allume une cigarette, me choisis un pinceau et je reprends où j'en étais.

J'essaie de faire tout cela, mais très souvent je me lève tard.

Je continue de fixer la toile. À part le petit grabuge bradshawien de ce matin, la journée a été plutôt productive. De 10 heures à 16 heures, avec une pausc-repas d'une heure. Tout s'est déroulé comme prévu. À part le besoin de mettre la radio pour me tenir compagnie. Je n'en ai pas eu besoin. Mais cela fait partie d'un autre plan.

— Alors, demande McCullen, en revenant dans l'atelier et en s'interposant entre la toile et moi, ça te plaît ?

McCullen fait un mètre soixante-douze et est mince. Ses cheveux sont blonds et retombent comme de la paille à mi-dos. Elle a un rire sexy.

— Je ne sais pas, dis-je, et pas seulement parce que je ne peux pas voir la toile, mais parce que je me suis concentré trop longtemps.

J'ai besoin de m'en éloigner un moment, de reposer mes yeux avant de pouvoir la regarder à nouveau de façon objective.

— T'en penses quoi ?

Elle se retourne et me fait face.

— J'aime bien.

Je suis content. Moi aussi j'aime bien McCullen.

Beaucoup, même.

On a fait connaissance il y a deux semaines à une fête organisée par ma sœur Kate pour ses vingt ans. Kate fait des études d'histoire et d'espagnol à la fac. Son petit ami s'appelle Phil. Il étudie le français, dans la même fac. Il a rencontré McCullen pendant sa première année, ils sont devenus bons amis, ils ont réussi à rester bons amis et ont emménagé ensemble l'an dernier. Kate et McCullen sont devenues copines. C'est notre lien. C'est comme ça que je me suis retrouvé à lui parler dans la cuisine de Kate.

Kate lui avait déjà beaucoup parlé de moi, et comme le tableau que j'avais offert à Kate pour son anniversaire était suspendu à un mur du salon, engager la conversation a été plutôt facile. McCullen m'a interrogé sur ma peinture. Elle avait suivi des cours d'histoire de l'art, dessinait encore un peu le week-end. Je lui ai demandé pourquoi elle avait arrêté, et elle a dit que c'était la faute de ses parents, qu'ils lui avaient dit qu'elle pouvait en faire un passe-temps, mais qu'elle ne devait pas oublier d'acquérir une formation professionnelle. Je lui ai parlé du succès limité que j'avais rencontré jusque-là — les trois peintures que j'avais vendues à des collectionneurs et les articles prometteurs que j'avais obtenus après avoir exposé mes toiles en douce dans la galerie de Paulie deux mois plus tôt. Elle m'a demandé sur quoi je travaillais en ce moment et, parce que j'étais ivre, parce qu'elle était superbe, et parce qu'elle avait esquivé toutes mes approches subtiles et n'avait manifestement aucune intention de rentrer avec moi, je lui ai dit que je comptais faire une série de portraits. Je lui ai demandé si elle voulait bien poser pour moi et je lui ai demandé oh s'il te plaît s'il te plaît accepte.

Et, miracle, elle a dit oui.

Ou, plutôt, elle a demandé : « Combien ? »

Et j'ai répondu : « J'espérais que tu le ferais pour rien. »

Et elle a dit : « Pas question. »

Et j'ai proposé : « Vingt livres ? »

Et elle a dit : « Trente. »

Et j'ai dit : « Ça roule. »

Et pourquoi pas ? Puisqu'elle venait de me rouler.

McCullen se dirige vers le canapé, me laissant contempler le tableau. Je regarde la toile, puis la regarde elle, puis à nouveau la toile. Quelque part, les deux ne collent pas ensemble. Non pas parce que la peinture est d'une piètre ressemblance, simplement parce que, pendant les deux heures qu'il m'a fallu pour faire passer son corps de trois dimensions à deux, j'ai cessé de la voir comme un être à part entière, plutôt comme une accumulation de contours et d'ombres. Maintenant qu'elle a de nouveau une forme, elle est ressuscitée. Non plus un objet que je veux étudier, mais une femme que je veux toucher. Que j'ai très envie de toucher, même.

À vrai dire, cette pensée a traversé sporadiquement mon esprit depuis qu'elle est arrivée ce matin, environ trois minutes après avoir garé la Spit de Matt à son emplacement au centimètre près et réajusté le fauteuil et le rétroviseur. Je lui ai préparé du café, on a un peu bavardé puis je lui ai montré mon atelier. Elle s'est déshabillée dans la salle de bains et elle est revenue dans l'atelier enveloppée dans une serviette. J'ai installé le plus sérieusement du monde mon chevalet, en essayant de ne pas la mater pendant qu'elle traversait la pièce, et en m'efforçant globalement de la mettre à l'aise.

— Comment tu me veux ? a-t-elle demandé.

Tout de suite. Sur la table de billard. Dans la douche. Sur une plage. Dans un avion. Enduite de crème fouettée et de chocolat fondu. Les réponses ne cessaient d'affluer et, en toute autre circonstance, j'en aurais choisis une et m'y serais tenu. Mais j'étais un professionnel, non ? J'étais un artiste et elle mon modèle. Je la payais pour être là et elle était là pour se déshabiller moyennant argent et pour l'art, non ? Bon. Passons à autre chose.

— Sur le canapé, dis-je. Allonge-toi simplement et essaie d'être à l'aise.

Elle s'est dirigée vers le canapé et, tout en me tournant le dos, a défait la serviette, l'a pliée soigneusement par terre, puis s'est allongée sur le ventre.

— Comme ça, ça va ? a-t-elle demandé.

Ma foi, d'un point de vue esthétique, c'était parfait. La pose, avec la tête sur ses mains croisées et les yeux tournés dans ma direction, paraissait naturelle, comme si elle s'éveillait d'un profond sommeil. La lumière était bonne.

Un pan d'ombre empiétait sur la partie inférieure de ses jambes. C'était vraiment parfait.

— Non, dis-je. Ça ne va pas. Et si tu t'allongeais sur le côté et me faisais face...

Bon, d'accord, l'intégrité artistique c'est du joli, mais il faut bien qu'il y ait quelques avantages pour compenser la pauvreté et la solitude, non ?

Elle roula sur le côté en se couvrant les seins avec le bras.

— C'est mieux ?

— Un peu, dis-je. Mais peut-être que tu devrais déplacer ton bras ; essaie de le poser sur ta hanche. (Elle bougea son bras.) C'est mieux.

Je regardai la toile puis elle, fronçai les sourcils, puis la regardai à nouveau.

— Déplace légèrement ta jambe, à présent. Encore un peu. Génial. C'est parfait. Parfait. (Je hochai la tête, sincèrement d'accord avec moi-même.) Tu es bien comme ça ?

Elle ne bougea pas.

— Oui, je suis très bien.

Je la fixai, également immobile, pétrifié.

— Bien.

Que dire des obsessions ? Elles sont les forces spéciales du comportement humain. Si le célibat, comme je le pense sincèrement, est un état de siège — vous créez mentalement une série d'exigences et refusez d'abdiquer votre condition tant que vous ne rencontrez pas l'Über-chérie de vos rêves —, alors les obsessions sont la cinquième colonne qui, juste quand vous pensez être en sécurité et maîtriser la situation, assaillent vos murailles et pénètrent par vos fenêtres avec leurs mitraillettes en action. Aucune défense n'est assez forte pour les tenir en respect.

Et c'est comme ça avec McCullen. Depuis notre rencontre, j'ai subi un barrage de visions quasiment ininterrompu, des visions d'elle et des visions de moi avec elle. Le plus inquiétant, c'est que nombre de ces visions se sont révélées des affronts hérétiques et flagrants au Code du Célibataire auquel j'ai décidé de conformer mon existence. J'ai ainsi visualisé :

a) marcher dans la rue avec elle, main dans la main ;

b) être couché à ses côtés le matin, et regarder son visage tandis qu'elle dort paisiblement ;

c) être assis en face d'elle à une table isolée dans un restaurant, en buvant un bon vin et en nous regardant dans les yeux.

En d'autres termes, rien qui ne soit extrait de la Bible du Célibataire. Cela dit, je doute qu'elle puisse correspondre à d'autres caractéristiques de mon Über-chérie. Je suis incapable, par exemple, d'imaginer :

a) être séparé d'elle pendant six mois par des circonstances échappant à mon contrôle tout en sachant qu'elle sera encore là quand je reviendrai ;

b) emménager avec elle dans un appartement ;

c) lui demander de m'épouser.

Mais malgré tout ça, elle est plus près d'être mon Über-chérie que toutes les filles que j'ai rencontrées depuis que j'ai rompu avec Zoé.

36

Et, pour l'instant, cette approximation suffit largement.

— C'est fini pour aujourd'hui ? demande-t-elle.

— Oui. Merci. Tu as été très patiente.

Elle ramasse la serviette et la noue autour d'elle.

— Et maintenant ?

C'est une bonne question. Et qui m'a pas mal préoccupé au cours de ces dernières heures. La réponse que j'ai envie de faire est du style : je ne dois pas me rendre à la fête de Matt avant trois heures, alors pourquoi ne pas en profiter pour se mettre au pieu ? Mais quelque part à Londres, sur la planète Terre, McCullen n'a pas donné le moindre signe au cours de la journée qu'elle était disposée à honorer pareille requête. Voilà pourquoi je me rabats sur une proposition plus ambiguë.

— Eh bien, on pourrait déboucher une bouteille de vin...

Elle sourit.

— Non, je ne voulais pas dire maintenant au sens de tout de suite. Je pensais plutôt au tableau. Il n'est pas fini, n'est-ce pas ? Donc, tu auras besoin que je revienne pour une nouvelle séance, exact ?

— Oh, oui. Bien sûr. Ouais. (Comme si j'avais très bien compris ce qu'elle voulait dire.) Deux autres séances devraient suffire. Si tu es partante, ça va de soi.

— Pas de problème. C'était peinard. (Elle se masse l'épaule avec la main.) À part les crampes.

— Tu ne t'es pas ennuyée ?

— Non, tu es de bonne compagnie. Je suppose que tu as l'habitude de distraire les gens pendant qu'ils posent pour toi.

Voilà qui est mieux. On avance. Elle m'apprécie.

— Ouais, ce doit être vrai, dis-je. Et pour le vin ? J'ai une bouteille au frigo, si ça te dit...

Elle étudie la proposition quelques secondes, puis déclare :

— Non, je ferais mieux d'y aller. J'ai les beaux-parents qui viennent ce soir.

Mon estomac se retourne. C'est plus fort que moi, ça sort tout seul :

— Tes beaux-parents ? Ne me dis pas que tu es...

Elle éclate de rire et repousse une mèche de cheveux de son visage.

— Mariée ? Oh, non. Ce ne sont pas des vrais beaux-parents. Juste les parents de mon copain. C'est l'anniversaire de sa mère.

Mon copain : le mot qui tue. J'aurais dû m'en douter. J'ai du mal à croire qu'elle n'en ait pas encore parlé.

— J'ignorais que tu avais un petit ami. (La déception est sensible dans ma voix. J'essaie d'être sociable, et demande :) C'est du sérieux ?

— Trois ans.

— Donc, sérieux ?

— Oui, je crois.

Il y a une légère hésitation dans sa voix. Suffisante pour que je sonde plus avant.

— Je ne veux pas t'embêter avec mes questions, mais ça ne le dérange pas, ton ami, que tu poses nue pour moi ?

— Ça serait le cas s'il était au courant.

Nous sourions tous les deux.

— Je vois.

— Enfin, ça ne devrait pas. Il ne se passe rien de bizarre, je veux dire. On peut pas dire que je sois infidèle, ou je sais pas quoi.

— Alors pourquoi ne pas lui dire ?

— Parce qu'il se mettrait à douter et à devenir jaloux. Ça ne vaut pas la peine.

— Tu l'aimes ?

— Oui, dit-elle en traversant la pièce. Beaucoup.

Bon, d'accord, les événements ne suivent pas exactement le scénario de la séduction traditionnelle. C'est plus comme si on commençait par la dernière scène et qu'on lisait les précédentes. L'objet de mon désir est passé du stade de la nudité à celui de la serviette nouée, se rhabille et va bientôt partir. Par ailleurs, elle vient juste de me dire de façon non équivoque qu'elle sort depuis trois ans avec un type qu'elle aime. Et qu'elle aime beaucoup par-dessus le marché.

Ça devrait suffire à refroidir les fantasmes de la plupart des gens. Mais pas les miens. Je me concentre sur l'étincelle d'espoir dans cet univers par ailleurs obscur : le fait qu'elle soit prête à mentir à l'homme qu'elle aime pour être avec moi. Et à réitérer son forfait la semaine prochaine. Bien sûr, côté signal, c'est plus de l'ordre du hochement de tête dans une salle bondée qu'une fusée rouge dans un ciel nocturne, mais ça veut dire que j'ai quand même une chance. Conclusion : le fait qu'elle ait refusé de boire du vin avec moi pour aller rejoindre son petit ami est un rejet certain, mais attendons la semaine prochaine...

Et pour ce qui est de l'ego, ce n'est pas comme si je n'avais encore jamais accusé pareil coup.

*

Confession n° 2. Pucelage
Lieu : Maison des parents de Mary Rayner.
Date : 15 mai 1988.
Heure : 18 heures.
Mary : T'en as un ?
Moi : Ouais.
Mary : Bon, tu le mets, ou pas ?
Moi : Ouais, bien sûr.
Mary : Il a l'air bizarre.
Moi : Il est parfumé au curry.
Mary : C'est dégoûtant.
Moi : Je sais. Je suis désolé.
Mary : Bon sang, ça pue.
Moi : J'ai dit que j'étais désolé.
Mary : T'en as pas un autre ?
Moi : Non, c'est tout ce que proposait le distributeur.
Mary : D'accord. Tu le mets ?
Moi : Ouais.
Mary : Où tu vas ?
Moi : Dans la salle de bains.
Mary : Pour quoi faire ?
Moi : T'inquiète pas, je reviens dans une minute.
Mary : C'est bon, maintenant ?
Moi : Ouais.
Mary : Alors viens ici.

40

Moi : D'ac.

Mary : Aïe.

Moi : Désolé.

Mary : Là, laisse-moi t'aider.

Moi : Merci.

Mary : Tu l'as encore jamais fait, pas vrai ?

Moi : Si, des tonnes de fois.

Mary : Menteur.

Moi : Non.

Mary : Voilà, c'est mieux.

Moi : Comme ça ?

Mary : Ouais, là...

Description de l'acte en temps réel : un, deux, trois, quatre, cinq, six, sept, huit, neuf, dix, onze, douze, treize, quatorze, quinze, seize, dix-sept, dix-huit, dix-neuf, vin...

Mary : C'est tout ?

Moi : Ouais, j'étais comment ?

Mary : Nul.

*

La fête de Matt

Bien entendu, ça n'a pas duré très longtemps avec Mary Rayner. Un peu plus que dix-neuf secondes et demie, d'accord, mais guère plus. J'ai passé la nuit chez elle et on a refait l'amour le matin, et cette fois j'ai réussi à tenir le temps d'une publicité pour Coca Light et trois chansons — quoique, techniquement, comme je l'ai fait remarquer plus tard à Matt, je pourrais prétendre à six, vu que le second morceau était la « Rhapsodie bohémienne »

— avec l'aimable autorisation de Capitol Radio. Même Mary a dû concéder que sous sa tutelle experte j'étais passé du niveau « nul » à « correct » en l'espace de vingt-quatre heures. L'avenir me souriait. J'étais ravi. Ma mission avait connu un succès raisonnable. Nous avons quitté la maison avant midi, on s'est roulé une pelle devant la station de métro de Ealing Broadway puis je suis reparti pour Bristol. Je ne l'ai jamais revue.

Côté nostalgie, j'aimerais penser que ce sont les circonstances qui nous ont éloignés — elle quittait Londres, je quittais Bristol, nous étions trop fauchés pour pouvoir nous payer le trajet en train régulièrement, et trop pris par nos examens à venir pour avoir le temps de mieux nous connaître. Mais ce n'est pas le cas. Le fond du fond, tout simplement, c'est que Mary avait connu mieux, et moi je n'avais jamais connu aussi bien. Nous avions tous les deux une bonne raison de passer à autre chose : Mary, parce qu'elle n'avait pas envie de se contenter de « nul », ou même de « correct » ; moi, parce que je venais d'être initié à un nouveau monde merveilleux, et maintenant que j'y étais arrivé avec une fille (deux fois), je voulais recommencer avec d'autres filles (le plus de fois possible).

Pour un rite de passage, ça avait été plutôt ardu, mais ça avait valu le déplacement. Tout a changé après ce week-end à Londres. Je suis retourné à Bristol bourré de confiance, je me suis enfermé dans la cuisine avec le téléphone et j'ai appelé Matt. Je lui ai tout raconté, puis il m'a obligé à tout lui répéter une seconde fois. J'ai eu beau essayer de ne pas trop le montrer, mais j'ai vraiment pris mon pied à tout lui raconter dans le détail.

Le lundi suivant, après les cours, Matt a raccompagné Laura Riley, une fille de sa classe de math qu'il convoitait depuis des mois sans jamais avoir eu le cran de le lui dire, et il l'a embrassée près de l'arrêt de bus dans la rue. Il lui a demandé de sortir avec lui. Deux semaines plus tard, ses parents sont allés passer le week-end dans la région des lacs, et Matt et Laura ont perdu leur pucelage ensemble dans le lit dans lequel Matt dormait depuis l'âge de sept ans.

Que Matt ait perdu son pucelage si peu de temps après moi est peut-être une coïncidence, mais j'en doute. La théorie de la compétition est plus vraisemblable. Car un certain goût pour la concurrence a toujours prédominé dans notre amitié. Dans l'interrègne entre puberté et Mary, je dirais que soixante-dix pour cent de nos conversations tournaient autour de la question du sexe au niveau théorique. Comment faisait-on l'amour ? Comment ça serait quand on le ferait ? Une fois que j'eus découvert les réponses à ces deux questions, notre amitié ne fut plus fondée sur une ignorance partagée. Le rapport avait changé. Le jeune Matt me regardait, moi, l'homme, tandis que je le toisais avec le regard de l'expérience. La seule façon possible pour lui de restaurer l'équilibre qui avait auparavant existé entre nous — la seule façon d'égaliser la marque, pour ainsi dire — consistait à marquer de son côté. Ce qu'il fit. Avec Laura Riley. Dans son lit d'enfant.

Bien sûr, les choses n'en sont pas restées là. J'ai rencontré une autre fille, les rapports ont changé, et il a rompu avec Laura pour me rattraper. Sauf pendant les quinze mois pendant lesquels il est sorti avec Penny Brown, période qui — pure coïncidence, bien sûr — s'est déroulée pendant que je sortais avec Zoé, je ne pense pas que nous ayons mis un terme à cette concurrence. Et il est fort probable que ce soir — je pousse la porte du BarKing, où Matt a décidé de fêter son anniversaire — ça ne sera guère différent. Nous sommes tous deux célibataires. Nous sommes tous deux en rut. Et bien que nous n'ayons plus rien à prouver et que notre amitié ait évolué au-delà de qui-a-fait-quoi-le-premier, chacun de nous cherchera toujours à faire pencher la balance de son côté. Une fille de plus au tableau de chasse. Pas d'embrouilles. Un trophée de plus, c'est tout. Un petit plaisir inoffensif.

Je scrute le bar en quête de visages connus, et ce que je vois me plaît. Le BarKing est réputé pour sa flore féminine, et c'est la raison pour laquelle Matt a choisi d'y venir. L'endroit ne joue pas ouvertement la carte du bar pour célibataires, mais c'est pourtant bien ce qu'il est dans les faits. Il est bruyant, bondé, et les rares tables libres peuvent accueillir une douzaine de personnes. Pas le genre d'endroit, en d'autres termes, susceptible de se voir accorder beaucoup d'étoiles dans *Londres intime la nuit : Guide du Couple*.

Un rapide examen me confirme que c'est le cas ce soir : une tablée de mecs, une tablée de nanas, et entre les deux pas mal de petits groupes non mixtes. On peut compter les bagues de fiançailles et de mariage sur les doigts d'une main, et je suis sûr que je ne suis pas la seule personne à avoir fait le calcul. Les looks diffèrent, mais la tenue se ramène grosso modo à ceci : vêtements de marque et mise soignée. Les gens sont ici pour se mettre en vitrine dans l'espoir de trouver preneur. Grâce à la garde-robe de Matt, je rentre parfaitement dans le tableau. D'après nos calculs, Matt est déjà venu ici dix fois et a levé une fille à deux occasions, ce qui lui fait un taux de réussite de vingt pour cent. C'est ma sixième expédition ici et j'ai déjà décroché le gros lot une fois, d'où un taux similaire. En ce qui concerne le BarKing, donc, le score est égal.

Jusque-là...

Je repère Matt à une table tout au fond de la salle, mais au lieu de me frayer immédiatement un chemin à travers le labyrinthe de corps pour le rejoindre, je me rabats sur le bar et commande une Bud pour moi et un cocktail d'anniversaire traditionnel particulièrement corsé pour Matt. Pendant que j'attends qu'on prépare la mixture de Matt, j'observe son groupe. Matt n'est pas très fort au niveau anniversaire, il préfère l'option encore-une-bonne-excuse-pour-se-bourrer-avec-les-potes plutôt que de faire les choses en grand. Il y a Chloé, notre bras droit, mais, soulagement, pas Bradshaw. Et puis il y a Andy, Will et Jenny, des collègues de Matt, Carla, Sue et Mike, avec qui Matt était à la fac, Mark et Tim, qui sont venus de Bristol pour le week-end.

Il n'y a que quelques personnes que je ne

connais pas — visiblement les « extras » aux-
quels Matt a fait allusion dans la cuisine ce
matin. Deux mecs et deux filles. L'une d'elles
semble jouable. Elle est assise à gauche de
Matt. Elle est de profil. Elle n'a pas l'air mal.
Matt m'aperçoit et me fait signe, il me crie
quelque chose qui se perd dans le brouhaha des
voix qui nous entourent. Je lui rends son salut,
puis mate encore un petit coup la Fille mystérieuse, avant de me retourner pour payer les
consommations.

Un de mes amis, Polly, a un jour résumé
ainsi le dilemme de base auquel sont confron-
tés les célibataires en chasse :

D'après moi, tu as deux options : le court
terme et le long terme.

Le court terme. Tu adoptes l'attitude du mec
qui ne cherche qu'une chose, tirer son coup.
Ça veut dire que tu es tenu de conclure avec
la nana avec laquelle tu penses avoir une
chance. Tu la baratines et tu vois si elle est
partante ou non. Imaginons qu'elle se mette à
t'expliquer qu'elle ne couche pas avec le premier venu, ou qu'elle déteste être seule, ou en
a marre de perdre son temps avec des mecs
qui sont trop immatures pour s'engager dans
une relation durable — dans ce cas tu mets un
terme à la conversation et tu passes à une autre.
Et tu continues ainsi de suite jusqu'à ce que
tu trouves une nana qui, si elle n'a pas déjà
dit oui à un autre, te laisse assez d'indices pour
que tu en conclues que ça ne va pas tarder.

Ensuite il y a l'option deux : le long terme.
La différence profonde entre celle-ci et l'option
numéro un, c'est que là tu penses avec ta cer-

velle *autant* qu'avec ta queue. L'approche est la même. Tu repères une fille qui te plaît, tu parles avec elle. Seulement là, si tu aimes ce que tu entends autant que ce que tu vois — et, soyons franc, en fin de compte, pour ce qui est du long terme, c'est le mental qui compte vraiment —, alors tu la laisses pas tomber uniquement parce qu'elle ne va pas les écarter avant le petit déjeuner. Non, tu te dis : hé, j'aime bien cette personne. Voici quelqu'un que j'aimerais apprendre à mieux connaître. Et donc tu tentes ta chance. Tu recours à toutes les vieilles ficelles : vous échangez vos numéros de téléphone, tu la rappelles, tu fixes un rancard, et tu prends les choses en main à partir de là.

Et c'est quelque chose que tu dois décider dès le début de la soirée. Les deux options sont mutuellement exclusives. Choisis l'option un, et quelle que soit la proie, tu fonces parce que dans ta tête ça veut dire baiser. Il y a des chances pour que tu ne sois pas capable de penser à elle autrement après ça. Choisis l'option deux, et tu devras te résigner au fait que, pour ce soir en tout cas, tu rentreras seul chez toi.

Paddy s'est marié il y a deux mois, alors ce n'est pas sorcier de deviner quelle option il a choisi. Moi, j'ai encore l'habitude d'opter pour la première.

Je parviens à la table et il s'ensuit une série de Salut, Comment tu vas, Bonjour, de la part des diverses personnes réunies, en fonction du nombre de jours qui s'est écoulé depuis la dernière fois où j'ai vu chacun. La chaise de la Fille mystérieuse est libre, mais sa veste est sur le dossier. J'arrive jusqu'à Matt et dépose son cocktail d'anniversaire devant lui. Il râle avant même que je l'aie posé.

— Bon sang, marmonne-t-il en fixant le breuvage sinistre et caillé, quand est-ce qu'on renoncera à cette saloperie ?

— Quand nous serons vieux et mariés.

Conscient du fait que ni le gâtisme ni le mariage ne sont des éventualités proches dans le temps, Matt se saisit du verre et le vide.

— Joyeux anniversaire, dis-je en lui tendant une caricature de lui que j'ai fait encadrer.

Il la regarde et éclate de rire, puis la fait circuler.

— Très joli. Merci. Viens ici, dit-il en s'essuyant les lèvres et en allumant une cigarette.

Il pousse la chaise de la Fille mystérieuse pour me faire de la place à côté de lui.

— Trouve-toi une chaise.

Le temps que je parvienne à mettre la main sur une de libre et que je revienne à sa table, la Fille mystérieuse est réapparue. J'installe ma chaise à côté d'elle et m'assois.

— Salut, dis-je en me tournant vers elle. Je m'appelle Jack.

2

Amy

Oh, bon sang.

C'est pas possible.

C'est pas possible qu'un être humain se sente aussi mal.

J'entends un drôle de sifflement qui doit vouloir dire que je respire (rien moins qu'un miracle après avoir fumé approximativement quatre mille cigarettes hier soir). J'ai comme qui dirait la désagréable impression que je vais faire une hémorragie cérébrale si je ne me lève pas.

Plus facile à dire qu'à faire. Cette nuit, j'ai battu tous les records de maladresse. En un seul mouvement, je réussis à trébucher sur mes bottes racoleuses, m'écraser l'orteil contre le tuyau du radiateur et, pendant que je clopine en souffrant le martyre, perdre l'équilibre, foncer tête la première dans le rideau de perles en plastique et télescoper le coffre à thé dans le salon.

Il y a un moment de silence. Vautrée sur le

tapis de feutre, je sens la brise matinale sur mes fesses, mon vieux T-shirt avec l'inscription RELAXE étant remonté sur mes reins pendant la chute.

Et c'est alors que ça se produit.

J'entends le bruit d'une bouteille vide qui tremble et vacille, puis la cause directe de mon infernale gueule de bois roule de la commode et me tombe sur le crâne.

Je gémis à la vue de la bouteille de whisky et, lentement, avec horreur, les événements de la nuit commencent à refaire surface à travers la brume de douleur.

Je vais vomir.

Quand je relève la tête de la cuvette, je mesure l'étendue des dégâts dans le miroir de l'armoire à pharmacie. Ça n'a rien de glorieux.

Amy Crosbie, appartement D, résidence Pemberton, Shepherd's Bush, a disparu. OK. J'avoue. Qui a enfermé le phacochère dans la salle de bains ? Qui ?

Comment ai-je fait pour passer aussi radicalement de l'état de minette super bien coiffée, aux seins mis en valeur par des wonderbra qui a quitté la maison hier soir à 20 h 30 à celui de fan de heavy metal ? Je presse mes paumes contre mon crâne pour calmer la dernière création de mon oreiller-coiffeur et tire la langue. Elle est verte.

Étant d'un naturel optimiste, je dresse tout d'abord la liste des points positifs :

1. ça ne peut pas être pire (je dois reconnaître que c'est en général le premier point dans ma liste positive) ;

2. au moins, Jack n'est pas resté et je me

vois épargnée l'infamie d'être vue dans cet
état ;

3. ?

Je n'arrive pas à trouver de troisième point,
car le point numéro deux est en tête de ma liste
des points négatifs. Je laisse échapper un
croassement de désespoir.

Jack n'est pas resté.

Le seul type correct que j'aie rencontré
depuis des mois a déguerpi. Il a fichu le camp
au petit matin, direction Célibat-City, sans
même un petit baiser d'adieu. Et, à vrai dire,
je ne lui en veux pas. Je me suis vautrée dans
le ridicule.

La catastrophe est d'une telle amplitude que
je ne me sens pas le courage de l'affronter
seule. Je téléphone à H, ma meilleure amie.

H (endormie) : Hmmm ?

Moi (une pause, juste pour qu'elle sache que
c'est moi) : Blachhhhhh ! (Je lâche ce bonjour de toute ma voix rauque d'après-gerbe.)

H : Blachh-blachh-blachh ? Ou juste Bla-
chh ?

Moi : Blaaaaaaaaaaaaaaaaaaaaaaaaaaaaaaaaaa
aaaachh !

H : J'arrive tout de suite.

J'adore H. Elle me comprend.

Vingt minutes plus tard, H pousse son vélo
dans la remise de mon étroit couloir commun.
Elle paraît ignominieusement en bonne santé
après une NTCE (une Nuit Tranquille Chez
Elle) et probablement sa dose de SAS (Sexe
Allègrement Satisfaisant) avec Gav (son mec
en cours). Elle m'embrasse et déclare que je

pue la bière macérée et que j'ai les dents orange.

Je grogne, mais je suis contente de moi parce que j'ai réussi à descendre les trois étages jusqu'à la porte d'entrée, ce qui marque mon retour parmi les humains. Il a fallu travailler d'arrache-pied.

J'ai avalé trois Nurofen, englouti deux tasses de café noir avec une cuillerée à soupe de cassonade (horrible, je sais, mais il y a urgence) et me suis forcée à déglutir pas moins de quatre cachets effervescents à la vitamine C. Je fonctionne à présent sur quatre cents pour cent de la dose quotidienne recommandée et je ne suis pas certaine d'être en mesure de parler.

Dans la cuisine, H se hisse sur le comptoir pendant que je pose la bouilloire sur le feu.

— J'en déduis que tu t'es pas trouvé de mec, dit-elle, terre à terre. Que s'est-il passé ?

Je vois bien qu'elle est déçue, ayant assumé le rôle de Miss Garde-Robe hier soir. C'est sous la promesse fallacieuse de décrocher le gros lot qu'elle m'a obligée à mettre ma robe noire « si-elle-était-plus-courte-ça-serait-une-ceinture », *plus* le Wonderbra *et* mes bottes de salope (que, par ailleurs, j'ai achetées pour rigoler sans la moindre intention de les porter). Je suis plutôt le genre jeans-baskets, mais H a dit « pas question ». Elle m'a même fait venir jusque chez elle avant que je parte pour pouvoir évaluer mon potentiel. J'ai eu droit de la part de Gav à un sifflement admiratif et une vodka-tonic corsée, pendant que H me gratifiait d'un royal neuf sur dix (dix sur dix est

52

réservé pour le jour de mon mariage) et une gentille invitation à exercer mes ruses féminines sur le divin Matt.

Je sais que tout ça peut paraître un peu mélo, mais H connaît mon terrible secret. Un secret qui s'est récemment transformé en crise. Oh, bon sang, j'ai du mal à m'y faire, mais les faits sont là : je n'ai pas fait l'amour depuis plus de six mois.

Je suppose que, techniquement, cela fait de moi une vierge ; après tout, ça a dû se refermer entre-temps. Vierge ou pas, ce n'est pas normal pour une fille de vingt-cinq ans en bonne santé. Cela me conduit tout naturellement à la conclusion que J'AI QUELQUE CHOSE QUI CLOCHE.

H n'est pas d'accord. Elle pense que ce n'est qu'une question de temps. Quoi qu'il en soit, même elle en est venue à désespérer de mes chances de me trouver un petit ami, vu qu'elle a franchi le cap fatidique des trois mois de gestation avec Gav, qu'elle prend la pilule et s'est mise à parler de lui en disant « mon conjoint ». Cela a installé entre nous une barrière apparemment infime mais psychologiquement énorme. Résultat, H s'est lancée dans une croisade personnelle pour que je me fasse sauter impérativement et me retrouve embringuée au plus tôt dans une relation peinarde style H-et-Gav.

Pas de problème.

C'est H, pas moi, qui est devenue complètement hystéro quand j'ai dit que Chloé m'avait invitée à l'anniversaire de Matt. Et que Matt avait tout particulièrement insisté pour que je vienne, alors qu'il ne m'a vue qu'une fois (visiblement, j'ai dû profiter de l'occasion pour me pâmer à moitié). Je pense que H a vu dans cette invitation une oasis d'espoir dans le désert de ma vie de célibataire et, bêtement, j'ai laissé son enthousiasme prendre le pas sur ma raison.

Et nous voilà à présent en plein stade post-mortem et il me semble que je doive expliquer ce qui s'est passé. Honnêtement.

Je commence par mettre un bémol au tableau.

— J'en ai ferré quand même un, dis-je tandis qu'elle me lance son paquet de Marlboro Lights.

Je sais qu'il y a vingt minutes j'ai fait le serment solennel de ne plus jamais jamais fumer, mais l'abnégation n'a jamais été mon point fort. Ma voix est plus basse de deux octaves et je me sens polluée jusqu'à la moelle, mais j'en sors quand même une du paquet.

— Qui ça, Matt ? demande H en ôtant son pull.

Elle a une nouvelle chemise branchée.

— Non, pas Matt, même s'il est beau gosse. Non, ça ne l'intéressait pas. Je crois qu'il était de trop mauvaise humeur.

— Qui ça, alors ?

Je lui rends son paquet et elle en prend une. Je tends une allumette enflammée.

— Le mec avec lequel il partage son appartement.

J'allume ma cigarette avant de presser le sachet de thé contre une fourchette.

— Jack.

54

La seule mention de son nom me projette dans une spirale de honte.

— Des détails, svp, dit H en s'asseyant confortablement et en refermant ses mains autour de la tasse.

Je lui raconte la soirée : la salle bondée du BarKing, la picole, la drague, la danse, le départ, le long retour jusqu'ici, les cigarettes à la chaîne, la proximité de nos deux corps, et, enfin, LE DÉBAT. À ce stade, Jack et moi avons passé à peu près en revue tout les sujets hormis celui de nos vies sexuelles, en sifflant mon whisky et en se prélassant au pied du canapé comme de vieux copains. Je n'arrivais pas à croire que la discussion allait s'arrêter, il semblait y avoir tant à dire. Nous avions presque fini la bouteille et déjà nous abordions le sujet susmentionné et jusqu'à présent évité, et là j'étais franchement mal — tant physiquement qu'émotionnellement.

— Bien. Quel est l'heureux élu de ta vie en ce moment ? a demandé Jack en remplissant à nouveau mon verre de whisky.

J'avais passé tout ce temps à tripoter la cire de la bougie, mais, alors que je fixais la flamme, le whisky me rattrapa. Je me sentis basculer dans l'ivresse et dans l'auto-apitoiement.

— Personne, ai-je murmuré.

Jack a touché ma main et m'a regardée dans les yeux.

— Oh là ! Aurais-je touché un point sensible ?

— Non. Pas vraiment. Oui, je suppose. C'est juste que...

— Quoi ?

— Rien.

La pitié que je m'inspirais a pris le dessus. J'ai senti une grosse larme gicler de mon œil et s'écraser sur mon genou.

Jack a repoussé les cheveux de mon visage et dit d'une voix apaisante :

— Allons, allons. Ce n'est pas si grave que ça, non ?

— Oh, Jack, ai-je lâché, tandis que les larmes, la morve et le mascara commençaient à dégouliner sur mon visage. Je crois qu'il y a quelque chose qui cloche chez moi.

— Qu'est-ce que tu veux dire ?

— Ça fait des lustres que je n'ai pas fait l'amour. Impossible de me dégoter un petit copain. Je crois que je ne suis pas séduisante.

Jack rit doucement et me caressa la nuque.

— Ne sois pas ridicule, tu es très séduisante.

— Ce n'est pas ce que pense Matt.

— Matt !

Les doigts de Jack se sont figés dans mes cheveux.

— Voilà un exemple typique. C'est lui qui m'a invitée et quand je suis arrivée là-bas, il a complètement cessé de s'intéresser à moi.

Jack se redressa, l'air stupéfait.

— Tu craques pour Matt ?

J'ai hoché bêtement la tête.

— Mais c'est peine perdue, non ?

J'ai reniflé (sans résultat) et me suis essuyé le nez avec le bas de ma robe.

— Il ne couchera jamais avec moi. Il faut

que je m'y fasse. Personne ne veut me sauter. Pas même toi, n'est-ce pas ?

Je ne peux me résoudre à en dire davantage. H et moi sommes au salon, chacune à un bout du canapé. Honteuse, je baisse la tête. Elle m'enserre les genoux d'un geste réconfortant.

— Je crois que tu prends tout cela trop au sérieux, dit-elle, en guise de verdict. D'accord, tu l'as peut-être effrayé, mais ce n'est pas la fin du monde. Il a sûrement été flatté... d'une façon inattendue.

Est-ce qu'elle m'a vraiment écoutée ? Elle ne voit donc pas dans quelle nouvelles abysses d'humiliation je m'enfonce, et cela sans scaphandre ? C'est pire que la fois où j'ai voulu séduire Boris, le photographe allemand sexy du collège. Convaincue de la chimie entre nous et crevant de désir, je me suis pointée un soir en sous-vêtements de dentelles noirs, en me frottant le mollet contre le chambranle de sa chambre. J'étais à mi-chemin de son lit et le gratifiais de ma moue la plus sexy en faisant glisser la bretelle de mon soutien-gorge le long de mon bras, quand il a posé la revue qu'il était en train de lire et m'a déclaré qu'il était gay.

Avec Jack, c'est carrément pire.

— H ! je gémis. Il n'était pas flatté.

— Il avait sans doute peur de n'être pas capable de... tu vois... le faire.

— Il en montrait tous les signes avant que je lui dise que j'étais allée à la fête pour séduire Matt.

— Alors pourquoi tu le lui as dit ?

Bonne question.

Je me lève et commence à faire les cent pas — enfin, plutôt à user le mètre carré de tapis qui est devant la fenêtre.

— Je ne sais pas. J'étais saoule et sentimentale, et c'est sorti comme ça. (Je croise les bras.) Je crois que je l'aime bien. C'est le premier mec depuis des lustres avec lequel je peux discuter. Et il dansait bien. Et il est mignon. On a bien ri jusqu'à ce que... (Je me prends la tête à deux mains.) Oh, bon Dieu, qu'est-ce que je suis cloche.

H ne relève pas.

— Je parie qu'il va t'appeler.

— Impossible. Il est parti sans noter mon numéro.

— Mais il sait où tu habites.

— Tu ne comprends pas.

— Écoute. Vous avez bu une bouteille de whisky à deux. Vous vous êtes parlé. Et alors ? Il n'y a rien de mal à se montrer un peu vulnérable.

Vulnérable est une chose. Vulnérable, ça va tant qu'on s'en tient à des révélations inoffensives comme s'endormir avec son ours en peluche de temps en temps, ou avouer que *Top Gun* est un de vos films préférés. Mais dire à quelqu'un qu'on vient juste de rencontrer (et qui vous plaît) qu'on est la fille la plus désespérée, la plus en manque, la plus affamée sexuellement de toute la planète, c'est autre chose.

— T'es complètement folle si tu crois qu'il va appeler. Il le fera pas. Je sais qu'il appellera pas.

À ce moment-là le téléphone sonne.

On se regarde toutes les deux et H hausse les sourcils, l'air de dire « Ah ouais ? ». Je panique.

— Qu'est-ce que je dis ?

— J'en sais rien. Réponds !

Non seulement j'ai laissé voir, dans mon état post-cuite, que je soupçonne H d'avoir raison et qu'après tout Dieu existe peut-être, mais j'ai trop tardé. Au moment où je décroche le combiné, le répondeur se met en marche. On entend une cacophonie rauque et geignarde due à l'erreur de manipulation avant que la ligne soit coupée. Incrédule, je fixe le combiné avant de me donner un coup avec sur le front.

— Fais le 1471, dit H avec enthousiasme en s'asseyant et en croisant les jambes.

Je compose le numéro en question.

« *Nous sommes désolés, mais nous n'avons pas enregistré le numéro de la personne qui a cherché à vous appeler. Nous sommes dé... »*

Je raccroche violemment.

— Merde !

Nous réfléchissons en silence quelques instants.

— Je parie que c'était lui, dit H en serrant son coussin.

Je sais qu'elle se trompe, mais je dois essayer de tout envisager.

— Entendu, supposons juste un instant — juste un instant, note bien — que c'était lui et que j'aie décroché à temps. Comment lui dire que je me suis trompée et que je ne flashe pas du tout sur Matt, mais sur lui ?

— Il va rappeler, et quand il le fera, ne parle pas d'hier soir. Sois gaie et légère. Dis que tu souffres d'une perte de mémoire due à l'alcool et que tu ne te souviens pas de son départ.

— Ben voyons !

— Pense ce que tu veux. Il a appelé, donc il est accro. La preuve que cinq minutes de comportement stupide n'annulent pas huit heures de rentre-dedans féminin.

H me fait me sentir mieux. C'est pour ça qu'elle a décroché le poste de meilleure amie.

J'admets, non sans réserve, que l'espoir est encore permis. Que Jack a des raisons d'appeler, que je mérite son coup de fil et que quand (si) il rappelle, je dois me montrer cool.

Et quand je dis cool, c'est un euphémisme !

Cinq minutes plus tard, le téléphone sonne à nouveau. H croise les doigts pour moi et je roule des yeux. Mais je sais que quand je décroche et lance un « allô » vaguement nonchalant, je le fais avec ma voix la plus sexy.

— *Chérie, c'est toi ? Dieu merci, tu as arrêté ce maudit répondeur.*

C'est ma mère. Ma fragile montgolfière d'espoir explose.

H tend la main et, pleine de compassion, me serre le bras pendant que je secoue la tête. J'écarte le combiné de mon oreille pour qu'elle puisse entendre le caquetage maternel. Je suis tellement déçue que, sans m'en rendre compte, j'ai accepté d'aller faire du shopping. Je raccroche et me masse les tempes.

— Tu fais quoi, aujourd'hui ? je demande.

H me décoche un regard.

— Pas les courses avec ta mère, si c'est à ça que tu penses.

Je joins les mains en une prière humble.

— Je t'en prie. S'il te plaît. Je suis pas en état d'y aller seule.

— Il faudra bien. Et de toute façon ça te changera les idées.

Ça ne me change pas du tout les idées. Le monde entier me fait penser à Jack. Ma mère quitte en ce moment même Barking pour me rejoindre. Barking... BarKing — où on s'est rencontrés ! Et il y a une affiche à Notting Hill Gate avec Leonard Rossiter dessus. Rossiter-Rossiter. Impossible d'y échapper.

Entre Shepherd's Bush et Lancaster Gate, je finis par admettre que tout n'est peut-être pas fichu avec Jack. Entre Lancaster Gate et Marble Arch, je me persuade que Jack a un cœur et qu'il sera tout simplement incapable d'oublier le super moment qu'on a passé ensemble avant que je lui parle de Matt. Entre Marble Arch et Bond Street, je sais très clairement que nous sommes faits l'un pour l'autre. Entre Bond Street et Oxford Street, je reconnais que Jack pourrait fort bien être mon homme idéal.

Enfin quoi, il n'y a qu'à voir les mensurations. Taille impressionnante (un mètre quatre-vingts), de grands yeux comme des lacs de chocolat fondu, un sens de l'humour génial, une ravissante cicatrice au sourcil là où Matt l'a atteint avec une carabine (pauvre chéri). Des fringues super — un T-shirt Paul Smith, à coup sûr, donc immensément riche. Habite dans un pub aménagé — un pub aménagé — c'est pas cool, ça ? (Et avec un jardin suffisamment grand pour faire d'agréables barbecues l'été.) Et le meilleur ? C'est un artiste. Une vraie, une authentique réussite.

OUH.

J'ai vaguement conscience d'arpenter le quai du métro comme une vache esseulée, mais à part ça mon cerveau fonctionne à plein régime et je me mets à parler à voix haute. Jack et moi avons tout en commun. D'accord, j'ai menti pour mon boulot (mais être intérimaire n'est pas franchement impressionnant), mais j'ai vraiment une licence d'histoire de l'art, donc, en théorie, j'aurais pu travailler chez Sotheby's. À part ça, nous aimons tous les deux les plats indiens à emporter et nous avons tous les deux vécu avec quelqu'un pendant deux ans d'affilée. La paire idéale, je vous disais.

Il m'a parlé de Zoé, son ex, mais je ne me suis guère étendue sur Andy, mon dernier petit ami en date. Je lui ai surtout raconté les points positifs — à savoir qu'Andy était plus âgé que moi (la trentaine), qu'il était très riche et travaillait dans les hautes sphères de la finance, que nous avons vécu un temps ensemble dans un superbe appartement à Islington. Bien sûr, j'ai négligé de préciser qu'Andy était un maniaque du contrôle, un passif-agressif de première, un pingre absolu, et que notre relation a été un désastre total. Tout ça parce que Andy et moi n'avions qu'une seule chose en commun : nous étions tous deux amoureux de lui.

J'ai fait le serment à H de ne jamais réitérer ce genre d'histoire. Et je ne recommencerai pas avec Jack, parce que Jack est différent.

Comme je monte les marches deux par deux et émerge dans Oxford Street, mon cœur bat la chamade. Se peut-il que ce soit là les premières palpitations de l'amour ? Déjà ?

Maman m'attend à la cafétéria de Dickens & Jones (une tradition). Elle m'a déjà commandé un petit pain rond aux raisins secs et du thé, et je ne peux dissimuler ma déception. Avec ma gueule de bois, je rêvais d'un Coca géant et d'un sandwich au bacon. Il faudra faire sans.

— Alors, est-ce que tu as rangé ton appartement ? me demande-t-elle comme je m'affale sur la chaise en plastique.

— Euh, eh bien, oui, presque.

C'est un mensonge. J'ai emménagé il y a quatre semaines et je n'ai pas encore tout déballé.

Maman fouille dans son sac et en sort un carnet à spirale.

— J'ai fait une liste des choses dont tu as besoin. Je pensais qu'on pourrait acheter quelques petits trucs.

C'est une proposition adorable, mais je ne suis pas vraiment d'humeur à ça. La liste qu'a dressée maman pour améliorer mon ordinaire comporte des articles du genre housse rose à poils longs pour toilettes avec abattant assorti.

— J'ai tout ce qu'il faut, franchement, dis-je avec entrain. Tout est impec. C'est vraiment confortable.

Elle paraît déçue et repose le carnet sur la table en Formica.

— Oh, bon, dans ce cas essayons de te trouver un petit truc sympa à te mettre. Tu ne vas

63

pas séduire grand monde si tu persistes à t'atti-
fer avec ces habits.

Ah, c'est le comble ! On ne peut pourtant
pas dire qu'elle soit à l'avant-garde de la mode.
Elle porte un de ces T-shirts passe-partout qui
bâille comme un sac de plage. Elle m'en a
offert un pour le dernier Noël et se désole
quand je lui annonce qu'il s'est perdu dans le
déménagement. Au bout d'un moment, je ne
peux plus la tenir. On fait les boutiques.

Trois heures et vingt minutes plus tard, nous
n'en sommes encore qu'à Marks & Sparks et
la tension monte. Je me métamorphose rapidement en l'ado pétulante de quatorze ans
d'autrefois.

— Non, je ne veux pas de chemisier vert
imitation satin, je porte des T-shirts au boulot.
Non, non, maman, maman, repose ce peignoir
en velours, c'est l'été, il fait trop chaud.

Finalement, elle accepte d'aller chez Ware-
house et grimace en entendant la musique à
fond. J'essaie une robe-sac et sors de la cabine
pour faire une pirouette.

— C'est un peu informe, dit-elle.

— C'est fait exprès.

Maman se saisit de l'étiquette et manque
faire une apoplexie.

— Mais ce n'est qu'un bout de tissu !

Du coup, je perds tout sens de l'humour.

— T'as des goûts de chiotte. Et de toute
façon, moi, ça me plaît !

Je rentre comme une furie dans la cabine en
refermant violemment le rideau derrière moi.

Elle attend dans la rue pendant que je me
rhabille.

— Je voulais juste t'aider, dit-elle d'un ton geignard. Ce n'est pas la peine d'être grossière.

— Je suis désolée, dis-je en la prenant par le bras. Allez viens, on va boire un verre.

Le pub est trop enfumé pour elle. Moi j'adore. Je crève d'envie de fumer une cigarette, mais en allumer une maintenant serait fatal et ne ferait que m'attirer ses foudres. Je crois qu'elle sait que je fume, mais je ne compte pas le lui confirmer, pauvre petite créature pathétique que je suis.

J'ouvre la fenêtre dans le coin et lui offre un gin-tonic corsé avant qu'elle déballe ce qu'elle a sur le cœur.

— Chérie, je m'en fais tellement pour toi. Tu n'as aucune perspective d'emploi et je ne trouve pas sain que tu vives ainsi toute seule. Enfin quoi, pourquoi n'envisages-tu pas une carrière décente ? Tu pourrais reprendre des études de comptabilité, je ne sais pas, moi. La fille de Barbara Tyson, en haut de la rue, se débrouille très bien, un beau salaire et...

Je décroche. J'ai déjà entendu ce refrain des centaines de fois. Je ne veux pas d'une saleté de carrière et je préférerais travailler dans un abattoir plutôt que de mettre le pied dans un cabinet de comptabilité. Je n'aime pas le fait qu'elle pense que j'ai échoué parce que je ne fais pas quelque chose dont elle puisse se vanter auprès de ses voisines.

De toute façon, pour qui se prend-elle ? Pour rien au monde je n'échangerais ma vie contre la sienne. La vie en banlieue, les grillades en famille, le centre commercial comme seule sortie, un job pépère à la mairie, merci bien ! Pour moi, ce n'est pas ça réussir, pas plus que se casser le cul jour et nuit à bouffer des additions.

Mais je sais pourquoi je suis énervée, et c'est parce que, par certains côtés, elle a raison. J'ai raté une ou deux occasions et je suis moi-même choquée par le cynisme que j'ai développé depuis trois ans. Quand je suis sortie du bahut, tout était différent. J'étais différente. Je débordais d'enthousiasme et ne pensais qu'à ma brillante carrière. Je voulais travailler dans l'industrie de la mode. Je me fichais de commencer tout en bas, pourvu que je mette un pied dedans. Mais ça ne s'est pas fait, et après six mois à trimballer mon CV partout et à quasiment mendier un job, n'importe quel job, j'ai laissé tomber.

Du coup, je fais de l'intérim. De 9 à 5, pas de prise de tête, on verra ce qu'on fera plus tard.

— L'intérim marche bien, dis-je d'un air espiègle, l'interrompant avec mon baratin bien rodé. Les boulots sont intéressants, et c'est une excellente façon de voir ce qui se passe. Si un endroit me plaît, il y a toujours la possibilité de se faire embaucher définitivement — si j'en ai envie. J'ai des tonnes d'ouvertures en ce moment.

J'essaie de paraître convaincante, voire enthousiaste, et elle acquiesce, satisfaite. Je la déteste parce qu'elle me croit. Tout le monde, mais alors tout le monde sait que l'intérim mène de nulle part à nulle part. J'ai plus de chance d'être la première femme astronaute sur Mars que de dégoter le moindre poste vaguement intéressant en faisant de l'intérim. Mais bon, c'est mon choix et c'est très confortable merci beaucoup.

— Et il y a autre chose, dit maman timidement en tripotant son sous-bock.

Et voilà. La vraie raison de notre rencontre.

— C'est juste que, à ton âge, j'étais mariée, j'envisageais d'avoir des enfants. Et, bon, je me demandais...

— Ou... i ?

— Eh bien, je sais que tu es très proche de Helen, et si jamais il y avait quelque chose dont tu voulais me parler, vous concernant toutes les deux... eh bien... j'essaierais de comprendre...

J'y crois pas ! Ma mère pense que je suis lesbienne.

Super.

J'interromps le cours effréné de ses pensées avant qu'elle n'endommage davantage ma réputation.

— Maman, tu n'as pas d'inquiétude à te faire.

Je respire à fond, croise les doigts, en espérant ne pas compromettre mon destin. Je me lâche :

— J'ai rencontré quelqu'un. (Je précise aussitôt :) Un homme.

J'entends presque un chœur entonner l'alléluia dans la tête de ma mère.

— C'est juste le début, je marmonne, agacée par la joie radieuse qui se peint sur ses traits. Et je n'ai pas trop envie d'en parler à ce stade.

— Oh, chérie, s'étrangle-t-elle. C'est, euh,

c'est merveilleux, quel soulagement. Je commençais à me dire...

— Je sais ce que tu commençais à te dire, dis-je entre mes dents.

Elle finit par percuter en entendant mon ton menaçant.

— Bien sûr, tu dois être très sensible. C'est si excitant de tomber amoureuse.

Je termine mon gin-to. Je sens que c'est moi qui vais payer la tournée.

Je hais les dimanches. Je les exècre et les abhorre. Il n'y a rien à faire, sauf regarder *The Waltons* à la télé et le feuilleton *East Enders*. Et si vous êtes célibataire, c'est la barbe.

Tout le monde sait que si vous avez un petit copain le dimanche est complètement différent. Les gens qui vivent en couple passent leur dimanche à goûter les joies tranquilles d'être ensemble.

Je les déteste.

Je suis sûr qu'ils sont au Café Flo en ce moment même, à se tenir la main sous les journaux dépliés, encore irradiant de leur petit coup tiré au réveil. Ou bien ils foncent dans leurs décapotables en riant des mêmes choses, l'air cool. Ou, pire encore, ils sont à la campagne à picoler peinard avec d'autres couples, ou simplement allongés sur le canapé à regarder des vidéos ensemble. Et je parie que chacun d'eux considère que ça va de soi. Les salauds.

Je boude. Jack n'a toujours pas appelé et il est 13 h 30. J'ai passé toute la matinée à imaginer qu'il m'invitait à déjeuner, puis peut-être à faire une balade dans le parc, et ensuite qu'on se faisait une toile. J'ai mis au point chaque détail, si bien que j'ai commencé à croire que ça allait se produire. Mais ça ne sera pas le cas. Le téléphone est dans ma ligne de mire et reste obstinément silencieux. J'ai déjà vérifié qu'il était correctement raccordé à la prise et j'ai appelé les dérangements juste pour m'assurer que la ligne n'était pas encombrée.

Je suis allongée sur le canapé, une joue enfoncée dans le coussin, et je contemple la tache sur le tapis. Je ne peux appeler personne de crainte qu'Il téléphone au même moment, ne peux rien manger au cas où Il m'inviterait à déjeuner. Je me suis déjà donné trois gentils orgasmes simplement par ennui, mais je suis toujours frustrée et en demande. J'ai même essayé d'émettre des ondes télépathiques. Sans résultat. C'est une superbe journée et je suis coincée à l'intérieur. Prisonnière de mon propre espoir.

Quand H appelle, je saute quasiment hors de ma peau.

— Pas de nouvelles, hein ?

— Nada.

— On va au pub. Tu viens ?

— Non. Je sais pas. J'ai des trucs à faire.

— Comme quoi ? C'est dimanche !

— Des trucs, c'est tout, dis-je, sur la défensive.

H soupire.

— Tu attends qu'il appelle, c'est ça ? Ça ne te fera aucun bien, tu sais. Il appellera quand il appellera. Ça sert à rien de regarder le téléphone, tu vas devenir barge.

Ça m'énerve qu'elle me connaisse si bien.

— Je le sais bien. Je suis occupée. Je vais aller au gymnase.

Je bluffe.

— Quoi ?

— Faire de la gym, tu sais.

— Oh, d'accord, fais comme tu veux. Tu sais où nous trouver.

— Merci.

— Tarée, marmonne-t-elle.

Je tire la langue au combiné. Je n'ai aucune intention d'aller au gymnase. Je crois que je vais me promener.

Marcher me fait du bien. Shepherd's Bush n'est pas un endroit particulièrement exaltant, mais au moins les couples y sont plutôt rares, et je ne fais pas attention aux pochtrons et aux junkies vu que je suis profondément absorbée par mes réflexions intérieures. Après quelques tours de pâtés de maisons, j'ai ma dose de monoxyde de carbone et j'ai mis au point une stratégie.

C'est plutôt tarabiscoté, mais en gros ça se présente comme ça : Jack doit savoir que j'en pince pour lui. Si l'on met de côté le dérapage de fin de soirée, tout allait pour le mieux entre nous, et donc il doit savoir que j'ai envie de le revoir. De toute façon, Jack est un mec cool et il a des trucs à faire. C'est un artiste. Il est sûrement occupé. Et ça ne veut pas dire qu'il ne pense pas à moi, mais simplement qu'il avait déjà planifié son dimanche. Et, vu qu'il est si cool, il ne m'appellera sûrement pas avant demain. Mardi au plus tard. Et Matt a sûrement besoin qu'on le chouchoute. Il a été snobé par son meilleur ami le jour de son anniversaire à cause de moi. Donc il ne s'agit pas de tourner en rond mais de se préparer.

La préparation, c'est le pouvoir.

Je décide de ne pas aller au pub, car ce ne serait qu'une diversion. Au lieu de ça, je me rends chez Boots, dans Notting Hill, et me laisse gagner par la fièvre acheteuse. C'est immensément agréable. J'adore Boots. C'est ma boutique préférée, avec peut-être aussi Hamleys. J'achète des trucs de nana : huile pour le bain, shampooing hyper cher, baume démêlant à l'huile, une batterie de limes à ongles, trois vernis à ongles pour doigts de pied, une pince à épiler, du loofa, un masque à l'argile, un nouveau rouge à lèvres, une boîte de mouchoirs de couleur (toujours très pratique à côté du lit), de l'huile d'Olay, de la cire pour le maillot, de l'autobronzant et une boîte de vingt-quatre préservatifs super qualité.

Parfait.

De retour à l'appart, je fais un peu de ménage et m'estime satisfaite du résultat. Je ne me lance pas dans des travaux ambitieux, genre décoller le papier peint ou mettre de l'enduit dans les fissures du mur de la cuisine, mais j'arrange mes bouquins sur les étagères bancales et accroche la photo encadrée de H et moi lors de nos escapades en Thaïlande.

On était alors des célibataires en goguette et on a passé des moments extras. Sur la photo, on a l'air toutes les deux minces et bronzées, et on est assises dos à dos à rigoler comme des folles. C'est la fois où on a fait les îles pendant trois semaines, puis on s'est fixées sur une plage. H s'est fait sauter deux fois et a eu sa ration de galoches, et moi je suis tombée amoureuse de trois mecs en même temps. Top génial !

Je fouille dans le sac-poubelle plein de chaussettes et de culottes dépareillées qui traîne près de la porte d'entrée depuis des lustres et suis surprise de voir à quel point le temps passe vite. J'aime être une femme chargée d'une mission.

Je me fais couler un énorme bain et examine mon corps dans le miroir de l'entrée. Nue, je ne suis pas si mal si c'est moi qui me regarde. Les jours fastes, je dois faire un petit quarante bien balancé.

Mais la question, c'est : comment Jack va-t-il me trouver ? Soyons franche. Si je me déshabillais en public, les gens demanderaient à se faire rembourser.

Il est temps de faire un régime.

À peine ai-je pris cette décision que la faim s'empare de mon estomac comme la foudre qui s'abat, et mon cerveau grouille soudain d'images de toutes les saloperies bien grasses que j'aimerais ingurgiter maintenant. Je dois m'allonger dans le bain pour les ignorer. Je marine dans la vapeur avec mon masque d'argile et pense à la fille différente que je serai dans une semaine.

Je passe la soirée à grignoter vertueusement des biscottes sans sel et à lire un livre que l'on m'a offert à mon dernier anniversaire et qui s'intitule *La Puissance féminine*. C'est très instructif.

Le lundi matin, je suis réveillée avant la sonnerie, ce qui est une première. Les matins sont tellement relax quand vous vous levez à 7 heures. Les oiseaux chantent, j'écoute Radio 4 pour changer, ça fait partie de ma récente décision de me tenir au courant. Je pense qu'il est important de suivre un peu ce qui se passe.

Après ma deuxième tasse de thé, je récupère *La Puissance féminine* de sous le lit et me positionne devant le miroir de la salle de bains. L'heure est aux affirmations positives.

« Je suis une personne unique, compatissante et affectueuse », dis-je tout haut. Je regarde mon reflet pour voir s'il a enregistré le message.

« J'incarne la puissance. Je peux changer le monde dans lequel je vis. » De nouveau, je regarde le miroir.

« Je me sens en pleine forme. Je m'aime... Et Jack va m'appeler aujourd'hui », j'ajoute « en plus », avant de refermer le bouquin d'un geste sec et de me brosser les dents.

Je sors la balance et me pèse. J'ai pris un demi-kilo depuis hier. Comment est-ce possible ? Je me suis privée de nourriture pendant plus de douze heures ; je devrais au moins être plus mince de quelques grammes.

Je me regarde dans le miroir. « Je me sens en pleine forme. Je me sens en pleine forme. Je m'aime », dis-je d'un ton menaçant.

Elaine, la nana de la boîte d'intérim Top Temps pour qui je bosse, m'a déniché un boulot chez Boothroyd, Carter & May, une boîte de consultants en management vieux jeu, à

Portland Square. Janet, leur standardiste, est en congé et je dois la remplacer. Je suis une petite veinarde.

Je monte dans l'ascenseur en proie à une vague déprime. Je n'arrive pas à croire que j'ai encore accepté un boulot d'intérim. Quand vais-je enfin embrasser une carrière ? J'envie les gens qui sont très clairs dans leurs choix professionnels. Les gens qui disent : « Je veux être docteur. » Et qui le deviennent. Tout ce que je peux dire, moi, c'est : « Je vais être... ?»

Standardiste pendant une semaine.

J'ai cinq impératifs pour ma première journée de travail :

1. trouver mon numéro de ligne direct et appeler H ;

2. localiser les jeux sur l'ordinateur, les toilettes et la cuisine ;

3. découvrir la personne qui doit contresigner ma fiche horaire et lui préparer une tasse de café dès sa première heure ;

4. connaître le nom du patron et à quoi il ressemble pour éviter les ennuis ;

5. ne jamais, mais alors jamais rester après 17 h 30, et toujours faire une pause pour déjeuner.

La personne responsable de mes fiches-horaires est Mme Audrey Payne. D'entrée de jeu, je la baptise Cul-Serré. Elle n'a pas l'air de trop m'apprécier, mais je ne crois pas qu'elle apprécie qui que ce soit, l'humour n'étant pas quelque chose qu'elle a encore croisé dans sa vie. Je lui fais du café, et chaque fois qu'elle passe devant moi je tapote sur le clavier et parais concentrée.

À 11 h 30, Elaine appelle.

— On m'a dit que tu te débrouillais bien.

Tous roulés, une fois de plus. Je sors ma revue people et ma lime à ongles. Je sais que c'est cliché de lire ces revues, mais c'est un des accessoires essentiels de l'intérimaire. Toutes les personnes que j'ai rencontrées dans un bureau avaient un penchant coupable pour ce genre de revue. Les laisser satisfaire leur besoin d'évasion (selon moi, sain), c'est se faire des amis pour la vie. Ça marche à tous les coups.

Je prends une heure pour déjeuner à Portland Square, les mains sous les cuisses, à regarder les pigeons. Je me dis que même si j'ai avalé un sandwich au poulet basses calories en moins d'une minute, ça me suffit, et non, je n'ai définitivement pas faim. Je reconnais une nana de la boîte qui se dirige vers le banc et je fais mine de fouiller fiévreusement dans mon sac à main pour éviter que nos regards se croisent. Je n'ai aucune envie de lui parler et de répondre à tout un tas de questions, genre « Pourquoi es-tu intérimaire ? ». Une fois qu'on a franchi la porte de l'endroit où on bosse, je pense qu'il est sain de maintenir des rapports distants. Des relations poussées rendent toujours malheureux, et j'ai découvert que la distance me réussissait très bien. Ça veut dire que je n'ai jamais réussi à signer des cartes postales adressées à des gens que je ne connais pas, ni à pérorer sur de sordides liaisons de bureau, ni à faire le poireau au pub après le travail avec des gens qui cassent du dos sur la direction.

Vers 14 h 15, mon estomac s'attaque à mon foie en signe de protestation. Je déniche un paquet de corn flakes dans la cuisine et, de désespoir, en avale cinq poignées avant de les faire passer avec un demi-litre de thé.

Entre 14 h 30 et 16 h 15, je joue sans interruption à un jeu de solitaire sur l'ordinateur, discute avec H pendant une demi-heure de mon devenir femme puissante tout en picorant des miettes de corn flakes sur mon pull, joue avec des trombones, tape une étiquette pour Cul-Serré, affranchis le courrier, et c'est déjà l'heure de rentrer. En tout et pour tout, une journée plutôt relaxante.

Enfin, jusqu'à ce que je rentre à la maison et découvre qu'il n'y a aucun message sur le répondeur. Je marmonne des phrases positives sous la douche puis regarde un feuilleton à la télé.

Il ne se passe toujours rien. À minuit, je ne me sens pas très bien. C'est bien beau d'être une super-nana et de contrôler sa vie, mais c'est incroyablement terne.

On est mardi et je suis toujours calme. Émaciée, mais calme.

J'ai passé le plus clair de la journée à envisager de faire un saut au gymnase. Bien sûr, dès que la perspective de faire de l'exercice passe du stade « peu probable » au stade « imminent », mon corps a des spasmes. En milieu d'après-midi, j'ai développé une arthrite prématurée et un ersatz de pneumonie. Mais bon, je connais mon corps et ses ruses. C'est oublier que je suis une super-nana.

Je me rends à la gym vers les 19 heures. C'est bondé, et je me fais l'effet d'être une pièce de rechange. Qu'est-ce que je fiche ici ?

Ce n'est définitivement pas mon habitat naturel.

Je porte un caleçon maculé de taches de peinture, mes chaussures de sport millésimées 84, dont j'espérais qu'elles prendraient un look rétro et cool (raté), un T-shirt qui est devenu gris au lavage et des chaussettes dépareillées. Cindy Crawford n'a qu'à bien se tenir.

Je passe devant les monsieurs muscles sur la machine à pectoraux et file vers mon casier dans le coin où doit se trouver ma fiche de remise en forme. Je souffle dessus pour en ôter la poussière et m'installe sur le vélo.

Deux minutes suffisent pour me réduire à l'état de betterave suante. Je descends et tente ma chance sur la Machine-Marathon. La fille à côté de moi est connectée à un discman dernier cri et sprinte dans un attirail Reebok immaculé. Elle n'a pas l'air de transpirer et j'en déduis que ce doit être facile.

Sans me laisser décourager par le drôle de regard qu'elle me jette, j'augmente la vitesse de défilement du tapis et tente de la rattraper, mais mes jambes ne suivent pas et je pars en arrière. J'ignore son ricanement et remonte sur le tapis en sautillant tout en ramenant le défilement à la vitesse d'une marche tranquille.

Marcher me fait du bien. Ça n'a rien de déshonorant.

Je me concentre de toutes mes forces sur le compteur calorique qui ne semble pas bouger. Au bout de vingt minutes, j'ai brûlé exactement quarante-deux calories. Ce qui équivaut à peu près à trois corn flakes.

Mon niveau de forme physique commence à m'inquiéter sérieusement. Le temps que j'essaie une autre machine, et mon cœur m'informe qu'il est temps de lever le camp. Je décide de me rendre à la gym tous les jours à partir de maintenant. Et si je le fais, d'y aller lentement et de ne pas me donner à fond tout de suite. Comme ça, je retrouverai la forme par palier. Inutile de claquer prématurément, non ?

Je consulte ma fiche de remise en forme et m'installe sur la machine à abdos, mais j'ai l'impression qu'elle est cassée. Impossible de soulever quoi que ce soit. Épuisée, je vais sur le tapis faire quelques redressements assis. Je ne dépasse pas les cinq, mais je me console avec la pensée que je n'ai pas vraiment envie d'un ventre plat. Les ventres plats, ça fait trop années 80.

Vers 19 h 35, je suis dans les vestiaires, les cheveux collés sur le visage. Je ne parais pas, ni d'ailleurs ne me sens, mieux. Au prix d'un grand effort, je me penche et défais mes lacets.

— Amy ?

Je lève lentement les yeux. Et vois d'abord une paire de chaussettes de sport, puis des jambes bronzées et musclées, un cycliste parfait, un ventre nu et des seins soigneusement maintenus sous un débardeur ELLE, et finalement mon regard se pose sur un sourire publicitaire pour dentifrice.

Le cauchemar absolu.

C'est Chloé.

— Tu vas bien ? me demande-t-elle.

— Ouais, super, dis-je, en secouant mes cheveux dégoulinants de devant mon visage. Et toi, comment ça va ?

— Très bien. Tu t'es bien amusée l'autre soir à la fête de Matt ?

Je suis en proie à une légère panique. Elle doit savoir pour Jack et moi. Je hoche bêtement la tête. Ouh-ouh ? Mais où est ma personnalité ?

— T'es partie avec Jack, non ?

— Il ne s'est rien passé, dis-je.

— C'est pas ce qu'on m'a dit.

Elle m'adresse un clin d'œil narquois.

Je m'éclaircis la voix.

— Qu'est-ce qu'il a dit ?

Dieu merci je suis déjà écarlate et elle ne peut pas savoir que je rougis.

— Pas grand-chose. Il était plutôt cassé quand il est rentré chez Matt. Ne t'occupe pas trop de lui. Franchement, il est un peu salaud.

— Sans blague ?

— Il est épouvantable. Il a sauté ma voisine Cathy l'autre nuit et l'a virée sans même lui proposer une tasse de café. Et il reluque toutes les filles qui posent pour lui. On le charrie tout le temps, mais tu sais comment sont les mecs dans son genre...

— Ouais. Je m'en doutais un peu.

Je réprime l'envie de l'étrangler, mais quelque chose dans ma voix lui laisse à penser que ça coince quelque part.

— Bien sûr, si tu voulais... enfin, tu vois. Il est plutôt mignon.

Elle penche la tête.

— Tu sembles le connaître très bien, dis-je.

— On se connaît depuis des années. On était au bahut ensemble.

— Ah oui, c'est vrai, il me l'a dit. J'avais oublié.

Je mens. Je pourrais répéter chacune de ses paroles sous la menace d'un revolver.

— C'est un bon copain, en fait. Toujours partant pour se marrer. Tu devrais sortir avec nous plus souvent.

Chloé me sourit en cinémascope. Je découvre la haine.

— Ça me ferait très plaisir. Je me suis bien amusée. En fait je voulais appeler Matt et le remercier, mais je n'ai pas son numéro.

L'inspiration, ma fille. L'inspiration.

Chloé fouille dans son sac et en sort un épais agenda. Je le dévore des yeux tandis qu'elle détache une feuille couleur lavande et inscrit dessus, avec son stylo-plume bizarroïde mais visiblement très cher, le numéro de téléphone de Jack.

— Merci, dis-je en essayant de ne pas paraître trop déconcertée et en le pliant soigneusement.

Elle me sourit, se penche et dépose un baiser sur ma joue fiévreuse.

— Super. On se voit bientôt, alors.

Elle est sur le seuil du vestiaire quand elle se retourne et me lance :

— Ah, au fait, j'ai filé ton numéro à Jack. J'espère que ça t'embête pas.

Il me faut un paquet de chips et trois pintes de Stella avec H pour digérer cette info. Que nous décortiquons scrupuleusement. Selon moi, Chloé essaie de me mettre en garde parce qu'elle m'aime bien et qu'elle ne veut pas que je me casse le nez, ou alors elle essaie de faire paraître Jack plus séduisant en le dépeignant comme un tombeur. H n'en croit pas un mot, mais il est vrai qu'elle n'aime pas trop Chloé. Elle dit que Chloé en rajoute délibérément parce qu'elle ne veut pas froisser son petit cercle d'amis, et, pour ce que nous en savons, il se peut fort bien qu'elle ait des vues sur Jack.

Chloé est sortie avec l'ami du frère de H autrefois et, de l'avis général, elle s'est montrée assez salope. Je l'ai croisée à une fête il y a environ un an, au moment où leur histoire touchait à sa fin, elle s'est saoulée et a pleuré sur mon épaule. Puis je l'ai revue de nouveau au mariage du frère de H, et depuis on est restées en contact. Je l'aime bien, mais je suis d'accord avec H pour dire que c'est plutôt une fille pour mec qu'une fille pour fille. Ce n'est pas du tout la même chose.

— Ah, dis-je, mais si c'est le cas, pourquoi m'a-t-elle demandé de sortir avec eux et pourquoi m'a-t-elle donné le numéro de Jack ?

H hausse les épaules et secoue la tête.

— J'sais pas. Je ne lui fais pas confiance. De toute façon, ton problème est résolu maintenant que t'as son numéro.

— Oui, et lui a le mien depuis des jours, mais il s'en est pas servi, hein ?

H sirote sa bière d'un air absorbé.

— T'es sûr qu'il t'intéresse vraiment ? Il a pas l'air particulièrement digne de confiance.

— Il n'est pas tombé sur la bonne nana,

c'est tout. (Je souris, mais voilà qu'une pensée me tarabuste.) Et si jamais Chloé dit à Jack qu'elle m'a vue et que j'avais une mine épouvantable ?

— Oh, je t'en prie !

— Mais peut-être que quand je lui ai dit que Matt me branchait, il m'a crue et a fait une croix sur moi.

Je m'abîme dans un monologue où le manque de confiance en moi rivalise avec les explications de son silence, avant que H me fasse taire. Elle se lève avec son verre vide.

— Tout ça commence à me gaver, déclare-t-elle.

Au deuxième verre, elle me donne des conseils pratiques. Elle me dit que, si elle était à ma place, elle appellerait Jack pour éclaircir la situation. Mais elle n'est pas à ma place. Elle est plus courageuse que moi. Je lui dis que s'il a vraiment envie de me contacter, il le fera. Je dois juste attendre. H dit que je suis défaitiste, mais ça lui est facile de dire ça, elle a Gav.

Je suis ivre quand je rentre chez moi et m'apitoie sur mon sort. Jack n'a toujours pas appelé, bien que Chloé ait dû lui parler entretemps. Je ne l'appellerai pas. Il a eu mon numéro en premier, donc c'est à lui de faire le premier pas. Ça ne serait pas cool de l'appeler, malgré ce que dit H.

Je me pieute avec *La Femme puissante* et m'endors comme une masse.

Le mercredi, je me réveille, incapable de bouger. Chaque muscle de mon corps est en état de choc. Au début, je crois que j'ai eu un grave accident de voiture, puis je me rappelle la séance de gym. Je n'ai même pas encore ouvert les yeux que déjà j'appréhende la journée qui va venir.

En théorie, ma routine du matin devrait suivre le schéma suivant :

7 h 00 : Le réveil sonne. Je l'arrête.

7 h 20 : Le réveil sonne à nouveau. Je l'arrête à nouveau.

7 h 40 : À la troisième sonnerie, je me lève. Me lave le visage, mets en route la bouilloire. Fais couler un bain.

7 h 45 : Déguste mon thé. Fais des déclarations positives. Vais dans le bain.

8 h 10 : Sors du bain les cheveux lavés et démêlés.

8 h 15 : Me sèche les cheveux et tente de les coiffer (toujours un désastre).

8 h 25 : Ouvre ma penderie. Trouve et enfile la tenue choisie (repassage facultatif).

8 h 30 : Avale un bol de céréales ou un toast (selon les réserves de lait disponibles).

8 h 35 : Vérifie à deux reprises que je suis correctement habillée. Me brosse les dents. Rassemble le linge sale, les chaussures à réparer. Me maquille.

8 h 40 : Vérifie le contenu de mon sac. Trouve mes clefs.

8 h 45 : Sors de chez moi.

Aujourd'hui je me réveille à 8 h 45. Ça commence mal.

Pourquoi, quand je dors trop, est-ce que je

me réveille toujours à l'heure où je suis cen-
sée quitter la maison ? Mystère.

Cul-Serré me sort un laïus sur la ponctua-
lité et je décide de l'empoisonner. Je transfère
des appels aux mauvaises personnes et foire
globalement ma journée. Je me console avec
un méga sandwich à la mayo. Mincir paraît
désormais inutile.

Je passe l'après-midi à envisager diverses
conversations téléphoniques avec Jack.

Moi : Allô ?

Jack : Salut, Amy, c'est Jack à l'appareil.

Moi (troublée) : Qui ça ?

Jack : Tu te rappelles, l'autre soir. J'ai passé
un super moment. Tu étais incroyable. Franchement, je n'ai jamais rencontré quelqu'un
d'aussi intelligent, d'aussi sexy...

Laissez tomber. Ça ne se passera jamais
comme ça.

Moi : Allô ?

Jack : Salut, ma belle, c'est Jack.

Moi (super cool) : Salut, ça va ?

Jack : Je me sens seul sans toi...

Beurk ! Il me fait gerber.

Et ça continue dans ce goût-là. J'ai tout
envisagé, sauf les cas où c'est moi qui téléphone. Néanmoins, en fin d'après-midi, j'ai tellement pris l'habitude de discuter avec lui que
je sais qu'il va appeler. Ce doit être impossible
pour un être humain de penser à ce point à un
autre être humain sans qu'il capte une sorte de
vibration. Non ?

Il n'y qu'un message sur mon répondeur
quand je rentre. C'est H qui me demande de
la rappeler quand j'aurai eu Jack au téléphone.

Impossible de reculer. Je me remonte le moral en feuilletant un peu *La Femme puissante.* « Ne dilapidez pas votre puissance avec les autres... Les femmes qui obtiennent ce qu'elles veulent sont toujours celles qui *prennent les devants...* etc. »

Je fixe la page du filofax où est inscrit le numéro de Jack. N'écoute que toi. Fonce. Allez, décroche le combiné.

Ça sonne quatre fois dans le vide chez Jack. Je presse le combiné contre mon oreille. Mes jointures blanchissent. Je me sens si vulnérable. Ma sonnerie retentit dans la maison où il vit !

Puis le répondeur se met en marche. C'est la voix de Matt.

« *Salut, Matt et Jack sont absents pour le moment. Laissez un message après le bip et nous vous rappellerons. Bip !* »

C'est alors qu'il se produit quelque chose d'étrange. Venu de nulle part, un os de poulet s'est logé dans mon œsophage.

— Salut, c'est...

Puis plus rien. Je suis tétanisée par le son qui sort de ma bouche. Je fais une nouvelle tentative.

— C'est Amy. Hum.

Nouveau silence, puis le bip.

J'ai laissé le pire message jamais laissé sur un répondeur depuis que le monde est monde. Et je n'y peux rien. Je repose le combiné comme si je venais de recevoir une décharge électrique et secoue les mains. Je brûle.

Je débranche le téléphone, débranche le

répondeur, ouvre la fenêtre et balance *La Femme puissante* dans le jardin des voisins.

Jeudi : je fonds.

Au travail, je suis catatonique. J'ai compris que mon problème est plus grave que l'incident téléphonique avec le répondeur de Jack. C'est toute ma vie qui est concernée. Sans le faire exprès, Geoff met le pied dans cette crise personnelle.

Geoff est consultant chez Boothroyd, Carter & May, et il a traîné près de la réception toute la semaine. C'est parce qu'il est le type même de l'employé à qui personne ne parle. On ne saurait le décrire autrement qu'en parlant de pétard mouillé. Il n'a absolument rien de séduisant. Il a des lunettes rectangulaires, le crâne dégarni et sent le pâté.

Je suis dans un tel état d'esprit que quand Geoff me demande de déjeuner avec lui, j'accepte. J'accepte de sortir avec Geoff !

Il m'emmène dans un restaurant italien et commande des spaghettis qui finissent en partie sur sa cravate. Il est très nerveux et d'une flatterie obséquieuse parce que j'ai accepté son invitation. Je ne me formalise pas trop car je suis en pleine expérience de sortie hors du corps aujourd'hui. La conversation manque de naturel et je commence à sonder mes lasagnes avec ma fourchette.

— Tu n'as pas l'air très heureuse, fait remarquer Geoff.

Einstein au niveau psychologie.

Je hausse les épaules.

— Ça peut aller.

— À quoi penses-tu ? demande-t-il (stupidement).

Je lui dis.

Je me lance.

Je lui dis que je pense que les gens n'attirent que des gens qu'ils peuvent attirer. Par exemple, Elizabeth Taylor a attiré Richard Burton parce qu'ils étaient plus ou moins aussi attirants l'un que l'autre. Et moi j'ai attiré Geoff. Aussi ça doit vouloir dire que je suis sur le même niveau d'attirance que Geoff. Et très franchement, ça me donne envie de me faire hara-kiri.

Je ne sais pas ce qui m'a pris. Je n'ai jamais rien dit d'aussi désagréable à un inconnu. Nous nous fixons pendant un moment puis je souris nerveusement, mais Geoff a l'air vraiment contrarié. D'une main nerveuse, il sort des billets de son portefeuille, les pose sur la table et s'éclipse.

Heureusement, vu que personne ne parle à Geoff, il ne peut dégoiser à personne, aussi il n'y a pas de retombées au bureau. Mais il n'en reste pas moins que je passe l'après-midi en proie à un profond remords.

Quand je rentre, je trouve le courage de rebrancher le téléphone.

Immédiatement, maman appelle pour « bavarder ».

— Chérie. Comment ça se passe avec ton bel amoureux ? Je meurs d'envie de savoir...

— Il n'est pas beau et il n'est pas amoureux !

Il semblerait que je souffre d'un effondrement de la personnalité.

Jack n'appelle toujours pas. Il débarque et on a une prise de bec parce que je refuse de me laisser arracher à ma mauvaise humeur. Elle me dit que je suis lamentable et que ce n'est pas la peine de le faire payer aux autres. Elle marque un point, mais je ne suis pas en état de le reconnaître.

— Tu ne comprends pas, dis-je méchamment. Tu ne sais pas ce que c'est que de se faire larguer avant même d'avoir décroché un premier rancard.

Elle durcit le ton.

— Ça n'a rien à voir avec Jack, dit-elle avec une tranquille exaspération. Tu as enfin craqué et c'est à cause de ton boulot d'intérim. Je savais que ça se produirait.

— Qu'est-ce que j'y peux si j'ai un boulot de merde et une vie de merde ? C'est mon lot. Je suis bonne à rien d'autre. Je suis nulle en tout.

Elle refuse ce genre d'attitude.

— C'est des conneries. Tu ne fais aucun effort. On dirait que tu as baissé les bras. Tu veux te lancer dans la mode et réussir, mais tu as les jetons, c'est tout.

— Oh, la ferme ! C'est du passé, ça ! De toute façon, il est trop tard.

— Il n'est pas trop tard, t'es simplement butée.

— Oh, et qu'est-ce que t'en sais ? Toi, tu as ton super boulot à la télé et Gav qui t'attend le soir. Comment tu saurais ce que c'est que d'être dans l'impasse ?

Ma voix a commencé à trembler.

— Ce n'est pas de sortir avec un type qui va résoudre tous tes problèmes, Amy.

— Merci beaucoup, madame Irma, dis-je en m'étranglant. Ce n'est peut-être pas une solution, mais ça serait un sacré bon début, parce que tu ne peux pas savoir à quel point je déteste être seule. Mais au cas où tu l'aurais pas remarqué, je n'attire personne. Même pas Geoff, parce qu'il a vu juste — à savoir que je suis quelqu'un d'horrible et que ma vie ne mène nulle part... et... et... quand j'aurai la trentaine je serai amère, l'échec total... et... et... je vais mourir vierr-r-r-ge.

H me serre dans ses bras, ouvre la boîte de mouchoirs de couleurs, me prépare une tasse de tisane et me couche. Elle me rassure en me disant que tout ira mieux demain matin.

Bon. Qu'ils aillent tous se faire foutre ! Fini de faire la mollassonne. J'ai eu ma dose. J'ai dépensé bien trop d'énergie à attendre que ce fumier appelle. Un misérable petit coup de fil, c'est tout ce qu'on lui demandait, mais non, non, ce n'est qu'un salaud d'égoïste. J'en ai assez bavé à cause de lui. Cette semaine j'ai perdu et regagné trois kilos, me suis engueulée avec tout le monde, y compris H, et pour quoi ? Allô j'écoute ?

Donc c'est décidé. Jack Rossiter vient de sortir définitivement de ma vie. Enfin quoi, il me prend pour qui ? Il devrait être là à me supplier de sortir avec lui, à faire fondre ma ligne téléphonique, à changer mon appartement en boutique de fleuriste, merde ! Eh bien, vous savez quoi ? Il peut aller se faire foutre. Et se mettre où je pense ses belles fringues et ses conneries sur l'art.

Dites donc, je manque pas d'entrain ce matin. Je suis Tarzan ; qui voudrait d'une Jane-gnarde ? Finalement, Super-Nana, c'est moi.

Je n'ai pas besoin des hommes. Les hommes et leur sexe qui sent mauvais, leurs ongles dégoûtants et leurs grands airs de trouduc. Qui a besoin d'eux ? Pas moi. Oh, non.

Je suis devant la porte et je prends une ins-piration revigorante. Oy ! Aucun crétin ne me fera plus tourner en bourrique, plus jamais. Aujourd'hui c'est mon dernier jour d'intérim et LE PREMIER JOUR DU RESTANT DE MA VIE.

Malheureusement je glisse sur les marches et file mes collants.

Mais bon, je ne me laisse pas abattre et je crois que ma nouvelle attitude se voit. Les gens s'écartent sur mon passage dans le métro et, au bureau, les bonjours s'évanouissent sur les lèvres. Je traverse la journée avec une effica-cité brutale. Je nettoie même le placard de fournitures, ce qui impressionne Cul-Serré.

À 17 h 30 pétantes, je lui tends ma fiche-horaire. C'est la partie de l'intérim que je déteste d'habitude le plus. Les gens font toute une histoire pour signer votre fiche, ils pinaillent sur les heures et vous donnent le sen-timent que vous êtes une sorte de prisonnier en liberté conditionnelle. Cul-Serré me dévi-sage alors que j'attends devant son bureau.

— Merci, Anna, pour tout ce que vous avez fait, dit-elle. Je dois dire qu'aujourd'hui vous avez été particulièrement, euh, zélée.

— C'est Amy, pas Anna. Il n'y a pas de quoi.

— Eh bien, nous n'aurons pas besoin de vous la semaine prochaine. Janet rentre de vacances, mais je vous rappellerai si quoi que ce soit se présente.

Elle n'en pense pas un mot et ça me convient parfaitement. J'en ai fini.

Je me rends d'un bon pas dans les bureaux de Top-Temp ; Elaine organise tous les vendredis une fête pour les intérimaires à laquelle il est impossible d'échapper quand vous venez rendre votre fiche-horaire. C'est censé nous donner l'impression qu'on est tous des membres d'une grande famille heureuse et non la lie de la planète, ce que tous les autres semblent penser. D'ailleurs, ces fêtes sont juste chiantes. Les intérimaires ne se respectent guère entre eux, sans parler d'eux-mêmes.

Les bureaux sont sous le signe des tropiques. Il y a un plateau de canapés rassis sur le bureau d'accueil, deux bouteilles de boisson gazeuse et un cubi de gros-plant. Elaine est déjà pompette, et son eye-liner a coulé et lui fait des yeux de panda.

— Allez, viens, reste boire un verre, dit-elle d'une voix pâteuse en jetant ma fiche-horaire dans sa corbeille à courrier.

Je décline sa proposition et lui annonce que je rentre. Elle me dit qu'elle m'appellera pour un autre boulot la semaine prochaine.

Je téléphone des bureaux pour laisser un message sur le portable de H. Je lui dis qu'elle n'a pas le choix, qu'on va faire la noce.

Et pas qu'un peu.

Je monte l'escalier qui mène à mon appartement en fredonnant, excitée à la perspective d'une soirée entre filles. Je compte me torcher la gueule. Et plus si affinités. Je le mérite. Je fumerai même peut-être quelques cigarettes, s'il y en a. Rien ne pourra m'arrêter. Je contrôle tout.

Je glisse la clef dans la serrure. Je ne jetterai pas même un œil au répondeur. Je ne lui ferai pas le plaisir de lui montrer que tout ça m'importe. Parce que, très franchement, je m'en fous. Même s'il y a dix messages de Jack-Trouduc-Rossiter, je les effacerai tous. Et si jamais il rappelle, je lui dirai simplement de laisser tomber.

Le téléphone sonne au moment où j'ouvre la porte. Génial, ça doit être H, remontée à bloc.

Je fonce sur le combiné.

— Allô ? dis-je gaiement.

Il y a un bref silence.

— Salut, Amy, c'est Jack. Je me demandais juste ce que tu faisais ce soir.

Et je comprends que c'est grave. Vraiment, vraiment grave. Que d'ici deux secondes je vais défaire le travail de vingt années de MLF. Mais je suis si heureuse d'entendre sa voix. Si lamentablement reconnaissante qu'il ait enfin appelé, que je m'entends dire, avec nettement plus d'enthousiasme que je ne le voudrais :

— Rien. Pourquoi ?

3

Jack

Le coup de fil

« — Rien. Pourquoi ? »

Pourquoi ? La réponse est enfantine. C'est le genre de réponse sur laquelle je peux faire le poirier, les mains dans le dos. Parce qu'on est vendredi soir et que je suis tout seul chez moi. Parce que, Amy, même si tu m'as dit la semaine dernière que tu en pinçais pour Matt, j'ai toujours bon espoir que tu puisses en pincer également pour moi. Parce que je n'ai pas fait l'amour depuis plus d'une semaine et que tu n'as pas fait l'amour depuis six mois. Parce que, Amy, nous avons chacun besoin de l'autre. Et ouais, tu me plais aussi.

Mais ce « Rien »... c'est un peu plus compliqué. Ce « Rien » a quelque chose de surprenant. Ce rien... eh bien, il est un peu trop franc. Je veux dire, le jeu auquel on joue est censé avoir des règles. Il existe un manuel, et dans ce manuel il y a des règles. Il y a des choses que les célibataires font, et des choses qu'ils ne font pas. Parmi ce qu'ils font, il y a :

a) rencontrer quelqu'un à une fête, cliquer dessus, l'enregistrer dans le fichier option, à l'intérieur du dossier en cours intitulé CFE (Coup Facile Envisageable) ;

b) se retrouver de temps en temps le vendredi soir sans copain ou copine, et consulter le dossier CFE à la recherche d'une option ;

c) décider d'appeler ladite option pour lui proposer un rancard.

En revanche, ce qu'ils ne font pas :

a) décrocher systématiquement, parce qu'ils ont compris que les répondeurs, comme les rottweilers, sont là pour les protéger des intrus et des indésirables ;

b) décrocher un vendredi soir s'ils sont seuls, laissant ainsi penser celui qui appelle que leur vie sociale est en fin de batterie ;

c) confirmer cette impression en utilisant le mot « Rien » quand on leur demande quels sont leurs projets pour la soirée.

Et nous sommes censés obéir à ces règles qui ont été conçues pour protéger notre statut de célibataire. Elles constituent notre Déclaration d'indépendance et il est de notre devoir de nous y conformer.

Mais il se trouve que mes règles, Amy, ne sont manifestement pas les tiennes. D'un seul mot, tu as enfreint la loi. Tu as déclenché mon alerte rouge. La riposte m'appartient. Et je n'ai d'autre choix que de convertir ton « Rien » en autre chose. Je prends une cigarette.

— Eh bien, dis-je en m'asseyant sur le bord du fauteuil. Je devais bosser sur un truc ce soir.

Un portrait que je m'étais juré de finir d'ici dimanche pour les cinquante ans de ce type. Sauf que je viens de le terminer il y a environ une heure et... et... je ne sais pas... J'ai été content de faire ta connaissance, la semaine dernière. On s'est bien marrés, tu sais, et je me disais qu'on devrait peut-être remettre ça. Alors j'ai décidé de t'appeler. Au cas où. Histoire de voir ce que tu faisais, tout ça...

— Tu me demandes de sortir avec toi, Jack ?

Direct. Très bien, moi aussi je peux être direct.

— Eh bien, oui, on peut voir ça comme ça.

— D'accord.

— D'accord tu vas réfléchir, ou d'accord c'est bon ?

— D'accord j'ai réfléchi, et d'accord c'est bon.

Son imitation me fait sourire.

— Très bien. Je vais trouver un restau. On peut aller prendre un verre d'abord, si ça te dit.

— Ça me dit.

Je souris à nouveau.

— Tu connais le Zack ?

— Bien sûr.

— On s'y retrouve vers 8 heures ?

— Entendu, on se retrouve là-bas.

Au début, juste après avoir raccroché, je ne peux m'empêcher d'avoir l'impression de rengainer un revolver dans mon holster après un échange de coups de feu. Mais bon, à part une légère augmentation de mon rythme cardiaque, je suis indemne. J'ai survécu à une Conversation Téléphonique En Direct. Et tout s'est bien passé. Amy s'est montrée amicale, elle paraissait heureuse de m'entendre. Je lui ai demandé de sortir avec moi et elle a dit oui. Nous allons nous revoir. Ce soir. Donc ça avance. Billy the Kid : 1. Calamity Jane : 0.

Mais tout d'un coup, j'ai la révélation : *Mon Dieu, j'ai rendez-vous avec une fille !* Un *rancard,* bon sang de bon sang. Apéritif, nappe, repas. Le genre de soirée que je ne me farcis plus depuis que j'ai compris qu'il y avait d'autres techniques moins compliquées pour faire l'amour.

À quoi est-ce que je joue, bordel ?

Restons calme.

Je tire nerveusement sur ma cigarette et essaie de me convaincre que ce n'est pas aussi grave que ça en a l'air. Amy est jolie. Elle est séduisante. Elle est drôle. Et, en plus, j'ai vraiment envie de la voir. Pourquoi je l'aurais appelée, sinon ? Et ce n'est pas comme si je ne la connaissais pas. Après tout, j'ai passé une bonne partie de la nuit avec elle, non ? Et je lui plais. Et si elle a accepté de me revoir, ça veut dire qu'elle n'est pas aussi folle de Matt qu'elle a bien voulu le dire. Donc, c'est une chose parfaitement naturelle.

J'en veux presque à Chloé pour l'étrange direction qu'est en train de prendre ma soirée. Je contemple le bout de papier dans ma main : l'écriture de Chloé ; le numéro d'Amy. Chloé me l'a collé dans la main lundi, elle en avait marre de m'entendre ronchonner au sujet de cette histoire toujours pas résolue avec McCullen. Elle a dit que je devrais appeler Amy, admettre que j'étais frustré et que tirer un petit coup sans me prendre la tête me ferait du bien. Et voilà qu'Amy — en tout cas, je suis presque sûr que c'était Amy — téléphone et laisse un court et bizarre message mercredi soir. C'est Chloé qui a dû lui refiler mon numéro. Elle nous fait toujours des farces comme ça, à Matt et à moi, histoire de veiller à notre bonheur. Et on lui rend le compliment, on lui arrange le coup avec des potes à nous, de temps à autre.

Je me demande parfois si ça ne serait pas mieux que Chloé et moi on laisse tomber les intermédiaires et qu'on tente notre chance ensemble. On ne peut pas dire que je n'y ai jamais pensé ni que nous ne flirtons pas. J'en ai discuté longtemps avec Matt un jour, juste après avoir rompu avec Zoé. On avait picolé avec Chloé la veille au soir et elle s'était écroulée sur mon lit. Matt nous avait retrouvés le matin blottis l'un contre l'autre. Une fois qu'elle était retournée chez elle, il m'a demandé s'il s'était passé quoi que ce soit et je lui ai dit que non. Puis il m'a demandé pourquoi, et je lui ai dit que je l'aimais, mais que je ne pourrais jamais tomber amoureux d'elle. C'était une amie, comme lui. Il y aurait trop de pression sur nous pour que ça marche. Et, en outre, je la connaissais déjà trop bien. Que resterait-il à découvrir ? Je ne sais pas s'il m'a cru. Moi-même je n'étais pas certain de me croire.

Mon regard se pose à l'autre bout du salon sur la vieille pendule Marlboro au-dessus du comptoir : 6 h 30. Faudrait voir à s'activer un peu...

Je monte dans la chambre de Matt, ouvre la porte de sa penderie et, pour la millième fois, m'estime heureux que mon meilleur ami prête facilement ses fringues. Il faut bien lui reconnaître cette qualité. Il y a là de quoi s'habiller en toute occasion : smokings, costumes, chemises de marque, jeans et pull-over. Venir ici c'est comme faire les boutiques avec une carte American Express : y a qu'à se servir. (Toujours s'assurer que votre coloc fait la même taille que vous.) Je prie seulement pour qu'il ne devienne pas obèse, vu tous les déjeuners plantureux qu'il s'offre à midi. Ça serait la fin des haricots pour moi au niveau vestimentaire. J'en serais sûrement réduit à faire un régime à base de lard pour le rattraper. Ou me trouver un vrai boulot et une carte AmEx avec mon nom en relief dessus. Mais ça ne risque pas de se produire avant la fin de l'année — l'ultimatum que je me suis fixé pour avoir du succès avec mes tableaux. Je choisis deux ou trois trucs et file à la salle de bains.

Pas mal de filles que je connais estiment que l'hygiène est une question de sexe : ça concerne les filles, pas les mecs. Un point c'est tout. Dans un sens, elles ont raison. Laissez un type tout seul pendant un an. Coupez-le de la civilisation et, surtout, du monde du sexe. Faites tout cela et il y a de fortes chances pour qu'il se délabre. Il portera ses chaussettes et ses caleçons en boucle, sans les laver, jusqu'à ce qu'ils le démangent, ou que leur odeur commence à rivaliser avec la croûte de fromage oubliée dans le frigo. Des petits saharas de poussière se déposeront l'air de rien sur la moindre surface. La plaque de la gazinière ressemblera bientôt à un hérisson écrasé au fur et à mesure que les éclaboussures se superposeront. Et une marée de crasse noire menacera de s'incruster sous les ongles de ses orteils et de ses doigts.

Cela dit, remettez le même type dans son habitat normal et les choses prennent une tournure différente. Fixez-lui un rancard avec partie de jambes en l'air à la clef et il utilisera plus de déodorants et de lotion pour le corps que Cléopâtre. Je crois que ça se passe comme ça pour les mecs : l'hygiène est liée au sexe. Qui sent bon saute bien. C'est aussi simple. Prenez des jeunots, des petits gars pas très avancés dans l'évolution qui pensent que tant qu'une paire de chaussettes n'est pas trouée c'est qu'on peut la porter. Ces gars-là s'en fichent bien d'être crades. Mettez-les à moins de cent mètres d'une crotte de chien et il y a de fortes chances pour qu'ils finissent par se rouler dedans. Ce n'est que quand ils atteignent la maturité sexuelle qu'ils pigent le truc. Ils remarquent que quand ils puent, les filles pensent qu'ils sont chiants. Eux qui sont nuls en maths, les voilà tout d'un coup capables de résoudre tout seuls les complexes équations suivantes : mauvaise haleine + dents jaunes = pas de baiser ; mauvaise hygiène des parties intimes = pas de sexe.

Et je ne suis pas différent. Prenez ce soir. Même si mes chances ne sont pas de cent pour cent. Elles seraient plutôt à mon avis de cinquante pour cent. Si je la joue correctement, la soirée peut très bien se terminer par une balade sur les remparts de Tripoteville suivie d'une visite du donjon de Fais-le-Moi. Et pour m'assurer que ce sera le cas, je sacrifie à l'hygiène. Le grand jeu. Je me douche, me frotte, me rase, me lave les cheveux, me brosse les dents et les nettoie au fil dentaire, me récure les oreilles, les ongles, me mets de la crème sur le corps et de l'après-rasage. Puis je m'habille : Calvins (le caleçon magique), chaussettes propres et fringues de Matt (propres et repassées, comme toujours). Je me regarde dans le miroir, souris comme je compte le faire à Amy pendant le dîner. Mon impression d'ensemble ? Je suis conquis. Alors espérons qu'elle le sera, elle aussi.

Je me sers une bière et mets un CD. Zack est au coin de la rue, il n'y a pas le feu. Il ne reste plus qu'à choisir un restau et réserver. Un endroit marrant et, finances obligent, pas trop cher. Quelque part où on puisse se détendre et bien rigoler. Ça tombe bien, c'est déjà fait. Quatre heures plus tôt, avant même que je pense à appeler Amy. Quatre heures plus tôt, vers la fin de ma deuxième séance avec McCullen. Quatre heures plus tôt, quand j'ai décidé de réserver une table au Hot House, en me disant que c'était le genre d'endroit que McCullen trouverait branché. Quatre heures plus tôt, environ une heure avant que je comprenne pour la deuxième fois en deux semaines qu'elle n'était toujours pas prête.

Le mont McCullen : camp de base

McCullen a sonné à la porte vers 10 heures ce matin. Cette fois-ci, j'étais prêt. Pas de Catherine Bradshaw embusquée à l'arrêt de bus. Pas de manque de sommeil m'empêchant de faire de belles phrases. Pas de gueule de bois. En d'autres termes, rien qui puisse entraver ma deuxième tentative de conquête du mont McCullen.

Quand j'ai ouvert la porte, elle m'a embrassé (sur la joue) et est allée jusqu'à me serrer brièvement (et platoniquement) dans ses bras. C'était encourageant. Pas le délire, mais une rencontre du premier type, quand même. Et après elle était tout sourires. Pas d'appréhension, de signes de nervosité ou de sourcils froncés, comme la semaine dernière. Un café rapide, un petit topo sur une fête à laquelle elle avait été avec Kate, quelques ragots, deux ou trois vacheries. Comme si on se connaissait depuis des années. Puis direction l'atelier où elle s'est déshabillée sans trace d'inhibition, avant de reprendre la pose sur le canapé. Et quand nous avons fait un break pour boire un verre en milieu d'après-midi dans le jardin, c'était carrément le paradis.

Le soleil tapait comme un projecteur dans le ciel bleu : aveuglant. McCullen, vêtue uniquement d'une serviette nouée (prêtée par moi) et une paire de Ray Ban (fauchée à Matt), était assise à côté de moi sur l'un des trois bancs en bois du jardin. Quatre bouteilles de bière vides gisaient dans l'herbe jaunissante près de nos pieds nus et scintillaient au soleil.

Un disque d'ombre, projeté par le parasol Bud qui se déployait au centre de la vieille table de pub devant nous, rafraîchissait nos peaux. Une glacière était posée entre nous sur les lattes de bois du banc, remplie de bières. J'en ai sorti deux, les ai décapsulées contre le rebord de la table, et j'en ai passé une à McCullen et porté l'autre à mes lèvres...

Je me tourne vers elle, la regarde allumer une cigarette et contempler le jardin. Pour la première fois, je remarque des taches de rousseur sur son visage. Rien d'étonnant à ce que je ne les ai pas remarquées plus tôt, même après tout ce temps passé à l'examiner, d'autres détails de son anatomie ayant accaparé toute mon attention. Ce sont des taches discrètes. Pas le genre qui vous donne envie de prendre votre stylo et de relier entre eux les pointillés, mais le genre que la moindre brise emporte comme des confettis. Elle tourne la tête et, comme je ne veux pas être surpris en train de la regarder, je baisse les yeux et contemple les poils fins sur mes cuisses...

Cela ne faisait pas un pli. C'était parfait. C'était le moment. Serein. J'étais là. Et elle était là. Il y avait du soleil et de la bière. Je n'avais pas eu les moyens de me payer des vacances à l'étranger depuis trois ans, mais c'était le genre de situation que j'avais imaginée au cours des longues soirées d'hiver passées sans un corps chaud à étreindre. Et même si ce n'était pas le visage de McCullen que j'avais imaginé à côté de moi sur la plage, ça n'en était pas loin.

— Bien, dis-je en me tournant vers elle. Parle-moi de ton homme.

— Pourquoi ?

— Simple curiosité.

Ce qui, évidemment, était loin d'être toute la vérité et rien que la vérité.

Il y a deux écoles quand il s'agit d'aborder le sujet du petit ami de la fille sur laquelle vous avez des vues. Il y a l'école passive et il y a l'école active. Selon la première, moins vous mentionnez le conjoint de l'autre, moins l'autre y pense. Et, une fois qu'elle ne pense plus à lui, il n'y a aucune raison pour qu'elle ne pense pas à vous. Et une fois que c'est fait, c'est bon. Et puis il y a la seconde école. Allez droit au but. Mettez le sujet du conjoint sur le tapis et vous saurez exactement ce à quoi vous devez vous attaquer. C'est davantage mon truc. On gagne du temps.

Elle sourit. Je ne sais pas si c'est parce qu'elle a deviné que je lui faisais des avances et que ça la gêne, ou parce que le simple fait de penser à lui lui fait cet effet. Naturellement, j'espère que c'est la première raison.

— Je ne sais par où commencer.

— Par le commencement, peut-être ? C'est un très bon début. Ça a marché pour Julie Andrews, en tout cas.

Du coup, elle me raconte tout. Elle me dit qu'il s'appelle Jonathan, mais que tout le monde l'appelle Jons. Elle me dit comment ils se sont rencontrés au bahut quand elle avait dix-sept ans. Elle me dit qu'il était beau et chantait dans un groupe. Et juste quand j'allais vomir dans mes mains en me reprochant de ne pas avoir suivi les cours de rattrapage de l'école passive, Luke Skywalker subit soudain une remarquable transformation en Darth Vader. Le sourire de McCullen se change en grimace et elle tire le rideau sur le côté obscur : la cocaïne qui est au-dessus de ses moyens ; sa parano ; la façon dont il l'a à l'œil ; le fait qu'il insiste pour qu'ils se retrouvent tous les week-ends ; la façon dont il dénigre ses amies ; sa réaction s'il apprenait qu'elle pose pour moi.

Marrant comme ce qui est moche peut faire du bien. Plus elle dresse un portrait noir de lui, plus mes chances augmentent. Bon sang, j'en viens presque à apprécier ce type.

C'est alors qu'elle me sort :

— Il m'arrive de me demander pourquoi je suis encore avec lui.

Allô, Houston, notre problème est réglé.

Mais voilà qu'elle ajoute :

— C'est stupide. Je ne voulais pas dire ça. Je l'aime. (Elle jette un regard accusateur à sa bouteille de bière et secoue lentement la tête.) L'alcool plus le soleil. Ça me tape dessus. Oublie ce que je viens de dire.

Base de lancement à major Tom. Vos circuits sont morts, il y a quelque chose qui cloche.

Du coup, je passe en manuel. Je décide de jouer la carte du scénario du pire : l'éventualité d'un mariage.

— Tu penses que tu finiras par l'épouser ? je lui demande.

Elle hausse les épaules. Je ne peux pas le lui reprocher ; je ferais pareil si on me mettait dans ce genre de situation.

— J'en sais rien, dit-elle. Peut-être. Pas encore.

— Pourquoi ?

Elle réfléchit à la question quelques secondes, puis lâche :

— Trop jeune, je suppose.

— C'est ton premier petit ami véritable ?

— Qu'est-ce que tu veux dire ?

— Le premier mec avec lequel tu es restée longtemps ?

— Le premier et le seul...

— Comment ça ?

— Il n'y a jamais eu personne d'autre.

Je dois reconnaître que je suis choqué.

— Tu plaisantes ?

Elle se tourne vers moi et me regarde dans les yeux.

— Non.

— Tu n'as jamais...

— Quoi ?

— Eh bien... Tu ne t'es jamais demandé comment ça serait avec un autre ?

Elle se penche en avant, éteint sa cigarette dans l'herbe.

— Parfois.

— À quel moment ?

— Je ne sais pas.

Je lui décoche *le regard,* celui où vos yeux font tout le bla-bla à votre place.

— Des moments comme maintenant ?

— Peut-être.

Et voilà. Elle est ferrée. Je souris, plisse les yeux et fonce vers la conclusion.

— Peut-être que oui ou peut-être que non ?

— Peut-être je ne sais pas.

105

Elle allume une autre cigarette et recrache la fumée, les lèvres serrées.

— Et toi ? Tu as une copine ?

— Non.

Et voilà. Nous restons là à nous regarder pendant qu'elle finit sa cigarette et que je termine ma bière. Ça se présente ainsi : McCullen doit encore prendre sa décision en ce qui me concerne, mais elle n'en est pas loin, et ça me fait des choses. Mais si ce n'était pas maintenant, quand, alors ? Ce soir ? Ce doit être ce soir. Je la regarde et me dis qu'il faut que ce soit ce soir. Restaurant. Discuter encore. Jouer encore sur les mots. Puis la décision.

J'en suis là, à la reluquer de haut en bas et à regretter qu'elle porte une serviette. Puis je comprends que parfois on ne peut pas être son propre génie ; on ne peut faire que ses propres vœux soient exaucés.

— Allons, dis-je, la pause est finie. Au boulot.

Et c'est exactement ce qui se passe. Pendant que McCullen se réinstalle sur le canapé, je me rends à la cuisine, décroche le téléphone et annule la fête où je devais aller avec Matt, et, au lieu de ça, réserve une table pour deux au Hot House. Je me trouve malin, mais ce que je ne saisis pas, c'est que McCullen est encore plus dans le flirt que je ne le pense. La guerre d'usure s'annonce terrible. Un peu plus tard, sa réponse à mon invitation en dit long :

— C'est gentil, mais pas ce soir. Jons remonte de Glasgow demain et je dois me lever tôt pour aller le chercher à la gare.

Elle m'embrasse sur le perron (de nouveau

sur la joue), je la regarde s'éloigner dans la rue et comprends que, même si elle m'a à la bonne, elle est encore sous l'emprise de Jons. Et jusqu'à ce que l'équilibre s'inverse, je n'ai aucune chance auprès d'elle. Physiquement, je veux dire. Il va falloir rester sur le qui-vive.

Jour et nuit.

Sans répit.

Ça ne sera pas la première fois que je serai obligé d'attendre.

Confession n° 3. Bondage

Lieu : ma chambre, chez Matt.

Date et heure : 13 avril 1997, 3 heures du matin

Matt m'a toujours mis en garde contre la récidive. Son opinion là-dessus peut se résumer comme suit :

a) le principal intérêt d'un rapport sexuel qui ne dure qu'une nuit, c'est qu'il ne dure qu'une nuit ;

b) la répétition engendre la familiarité ;

c) la familiarité sonne le glas du célibat.

Voilà comment j'en vins à me convaincre qu'il avait raison de bout en bout :

J'étais étendu nu sur le lit, bras et jambes écartés, avec, me chevauchant et également nue, Hazel Atkinson. Atkinson et moi avions fait connaissance chez Barry le soir du réveillon du jour de l'An. On avait filé à l'étage au petit matin, on s'était trouvé une chambre libre et on avait fermé la porte à clef. J'avais émergé un peu plus tard vers les

7 heures et convaincu Matt de se lever et de me ramener à Londres dès que possible. Ce n'était pas que la nuit s'était mal passée ; pas du tout. Et ce n'était pas que je n'avais pas apprécié Atkinson ; pas du tout. C'était plutôt que la nuit avait été bizarre.

Atkinson a un penchant pour des activités que les gens de la génération de mes parents qualifieraient de « tordues ». Ou, dit d'une autre façon, elle aimait attacher les hommes et les faire crier. Bon, je ne suis pas prude. Je suis toujours partant pour la nouveauté, quitte à faire une incursion dans le psychologiquement déviant. Aussi, le soir du réveillon, je l'ai laissée m'attacher et, pour brailler, j'ai braillé. Le mieux que je puisse dire de cette expérience, c'est qu'elle était instructive. Mais, comme le latin à l'école, ce n'était pas un domaine dans lequel je souhaitais me spécialiser. Conséquence : je n'avais jamais rappelé Atkinson et j'avais soigneusement évité toutes les fêtes où je savais qu'elle était invitée.

Pauvre andouille que j'étais.

12 avril 1997, 23 h 30, le klaxon. Passablement éméché, je tombe sur qui ? Hazel Atkinson en personne — superbe, disponible, qui me fixe sans ambiguïté. Normalement, bien sûr, j'aurais pris mes jambes à mon cou. Barry m'avait dit qu'Atkinson, suite à ma technique d'esquive strictement appliquée, avait fini par me considérer comme étant quelque part en dessous de l'amibe dans la chaîne de l'évolution. Mais j'étais bourré et je m'étais fait rembarrer tant de fois au cours de l'heure précédente que l'idée de prendre la tangente

ne m'effleura pas un seul instant. Aussi, quand elle m'aborda, me parla et ne parut absolument pas en colère contre moi, que pouvais-je faire d'autre sinon l'inviter chez moi ?

Et donc, on s'est retrouvés une fois de plus au plumard.

Elle m'avait attaché les mains à la tête de lit, les pieds à la base. Mais c'était cool ; je savais ce qui allait se passer. Quelques représailles. Pas mal de baratin, elle me disant quoi dire puis moi le disant. Puis viendrait la phase sympa du rituel : la baise, étonnamment franche et agréable.

L'ennui, c'est qu'Atkinson voyait les choses différemment.

— Très bien, sale petite merde, me dit-elle. Je vais te donner une leçon que t'es pas prêt d'oublier.

Je connaissais la chanson.

— J'ai été méchant, hein ? fis-je, en entrant dans son jeu et en trouvant tout ce rituel aussi ridicule que la première fois. Je suis un méchant petit chien et j'ai besoin qu'on me dresse.

— Tu crois pas si bien dire, fit-elle en me fusillant du regard. Quand as-tu dit que Matt rentrait de Bristol ?

— Pourquoi ?

— Réponds, c'est tout.

— Demain matin, ai-je répondu, troublé. Vers les 9 heures.

Elle a consulté sa montre.

— Dans sept heures. Très bien. Tu devrais y arriver.

— De quoi tu parles ?

109

Elle n'a rien répondu, est descendue du lit et a commencé à se rhabiller.

— Tu sais ce que c'est ton problème, Jack ? a-t-elle demandé en s'asseyant au bord du lit et en enfilant ses bottes.

J'ai essayé de libérer ma main, mais je n'y suis pas arrivé. J'ai essayé avec l'autre main. Pas de chance de ce côté-là non plus. Les nœuds qu'elle avait faits méritaient largement leur nom.

— T'as gonflé la mauvaise nana.

Puis, sur ces bonnes paroles, elle est sortie de la chambre et, quelques secondes plus tard, j'ai entendu claquer la porte d'entrée.

Et j'ai attendu.

Et j'ai eu une crampe.

Et ma bouche s'est desséchée comme une feuille morte.

Et j'ai encore attendu.

Longtemps.

Jusqu'à ce que je comprenne qu'elle ne reviendrait pas.

Une foule de pensées s'est pressée dans mon esprit cette nuit-là. Je doute avoir connu une période de réflexion aussi intense de toute ma vie. La plupart étaient sans queue ni tête. De la parano pure et simple : j'allais mourir, Matt ne rentrerait jamais, Atkinson allait revenir armée d'une cravache et d'un casse-noix électrique. Mais la pensée qui ne cessait de refaire surface était celle-ci : si je meurs, je mourrai sans avoir trouvé la personne avec laquelle je veux passer ma vie. Elle sera là, quelque part, seule, sans m'avoir trouvé non plus. Et ça sera uniquement de ma faute. C'était peut-être la leçon qu'Atkinson voulait me donner.

Finalement, j'ai vu Matt sur le seuil de la chambre, l'air ébahi.

— Ne dis rien, suis-je parvenu à croasser.

— Ne dis pas quoi ?

— Je t'avais prévenu.

Il s'est assis sur le lit et a commencé à dénouer mes liens.

— Atkinson ? a-t-il fait.

— Ouais.

— Je m'en doutais.

Ce soir on sort

Je referme la porte derrière moi et j'éprouve une sensation inhabituelle. Mon estomac semble abriter quelque chose. Quelque chose avec des plumes. Quelque chose qui chatouille. Au début, j'attribue ça au fait d'avoir bu cet après-midi sans avoir quasiment rien avalé de solide, et j'envisage de m'acheter en chemin un sachet de chips. Mais finalement, je comprends de quoi il s'agit : c'est les nerfs. Les nerfs et l'excitation. La cause en est évidente : Amy. Ou, plus précisément, le fait de sortir avec Amy. J'aurais beau envisager d'autres explications, c'est la seule qui tienne le coup. Ça m'intéresse. Elle m'intéresse. J'ai envie de savoir à quoi ça va ressembler avec elle. Envie de voir si je suis encore capable d'aller jusqu'au bout de ce genre de plan, voire d'y prendre du plaisir.

Le Zack est un endroit génial. J'adore le

Zack. Franchement, si le Zack était une femme, ça ne serait pas avec Amy que je passerais la soirée. Ça serait inutile. Je serais marié au Zack et j'élèverais des petites Zackettes sur une île. Au Zack, tout n'est que sofas, petites tables, grands espaces, éclairage feutré et musique glacée. Et en prime c'est près de chez Matt.

J'y suis donc en cinq minutes, passablement en avance. Il est 19 h 30 et c'est plutôt calme pour un vendredi. Mais il est encore tôt. Tous les gens qui ont un vrai boulot sont sûrement coincés dans un pub pour un dernier verre et n'ont pas encore réintégré leurs vies personnelles.

Je scanne rapidement la salle, choisis une table dans le coin, loin du billard, pas trop près des enceintes, à l'écart de toute diversion. Je jette le blouson de Matt sur la chaise qui est dos au mur pour réserver ma place. Je m'assure ainsi qu'Amy sera assise en face de moi, ce qui limitera son champ de vision à ma personne ou au mur de briques, et me donnera de bonnes chances de retenir son attention.

Je prends mon portefeuille et vais traîner un peu au bar, je parle à Janet, la proprio. Et Zack ? ai-je demandé un jour. C'est l'ex-mari de Janet, m'a-t-on répondu. Il s'est barré avec sa secrétaire. Janet l'a traîné devant les tribunaux et l'a fait cracher au bassinet, puis elle a donné son nom au bar qu'elle a acheté avec son fric, histoire d'enfoncer le clou. Janet a trente-six ans depuis trois ans que je la connais et n'a pas l'air de vouloir vieillir. Elle est marrante, certains diront excentrique, et nous reprenons la conversation où nous l'avons laissée mardi soir, comme si je ne m'étais absenté que cinq minutes. J'en suis à ma deuxième bouteille de Labatt, cadeau de Janet au Fonds de Soutien des Artistes Fauchés, quand j'entends une voix derrière moi.

— Salut, Jack, dit la voix en question.

Et je regarde aussitôt l'expression qu'affiche Janet.

Et l'expression de Janet semble dire : *Petit veinard.*

Je me retourne et constate qu'elle a raison : j'ai de la veine.

Amy est plantée devant moi avec un grand sourire qui en appelle forcément un autre en retour. Ça me secoue un peu. Dans le bon sens, il convient de le préciser — plus secousse sismique que prunier dans le vent. La dernière fois que je l'ai vue, elle flippait tellement sur sa vie sexuelle défunte que ses lèvres étaient toutes écrasées l'une contre l'autre comme, faute de comparaison plus sympa, deux limaces en train de copuler. Mais maintenant — je dois, et suis plutôt content de l'admettre — ses lèvres semblent proclamer avec assurance : embrasse-moi. Côté fringues, elle porte une petite jupe noire branchée et un débardeur anthracite attrape-moi-si-tu-peux. Elle est pas mal du tout. Franchement. Superbe. Et sûre d'elle. Elle soutient mon regard et, du coup, mes nerfs se réveillent. Je souris, puis les mots viennent d'eux-mêmes :

— Salut, Amy, dis-je. T'es superbe.

— Merci. Contente de te voir.

— Tu prends quoi ?

— Vodka-tonic.

— Avec du citron ? demande Janet.

— Vert. Merci.

Janet coupe une rondelle et la jette dans le verre. Je sors mon portefeuille, mais cette chère Janet secoue la main et tend le verre à Amy.

— Te bile pas, Jack, me dit-elle. Je le mets sur ta note.

— Merci.

Note perso : donner à Janet le tableau que tu lui as promis il y a une éternité. Amitié et le reste mis à part, tu lui dois bien ça.

Amy et moi nous observons quelques instants, puis elle prend une première gorgée et regarde autour d'elle. Marrant comme vous pouvez passer une soirée avec quelqu'un, vous torcher et l'écouter déballer son cœur jusqu'au petit matin, puis ressentir un silence mêlé d'appréhension quand vous la revoyez. Parle, c'est tout. Brise la glace.

— J'ai laissé mon blouson là-bas, lui dis-je en désignant la table.

On va s'asseoir, on allume chacun une cigarette, on avale la fumée, on la recrache. On prend nos verres et on s'enfile une rasade.

Finalement, elle dit :

— Je crois que je devrais d'abord te présenter des excuses.

— À quel sujet ?

— Pour m'être comportée comme une véritable andouille vendredi soir.

C'est une perche, et je devrais y aller d'un « non-non-non-pas-du-tout ». Elle a l'air sincèrement embarrassée, et ça serait la moindre

114

des politesses que d'agir ainsi. Mais ça serait également inutile. Elle pourrait croire que je marche à l'émotion, ce qui est faux. Pas dans cette situation, en tout cas. Pas maintenant. Pas avec quelqu'un que je connais à peine. Pas alors que la discussion portait sur Matt.

— Samedi matin, dis-je.

— Quoi ?

— Samedi matin. Tu t'es comportée comme une véritable andouille samedi matin. Vers les 6 heures. Vendredi soir, tu étais plutôt drôle. Samedi matin, aussi, d'ailleurs. Jusqu'à 6 heures.

— Quand j'ai fait l'andouille ?

— Quand tu as fait l'andouille.

— Bref, je suis désolée.

— Y a pas de mal. Tout le monde a le droit de déconner de temps en temps. C'est un de nos droits démocratiques.

— Ça t'a quand même foutu les jetons, non ?

Je mens :

— Pas le moins du monde.

— Oh, tant mieux. (Elle sourit pour la première fois depuis qu'on est assis.) Donc je ne dois rien déduire du fait que tu as pris tes jambes à ton cou comme si t'avais le feu au derrière ? (Elle hausse les sourcils.) C'est peut-être juste ta façon d'accueillir l'aube ? Ton petit rituel du matin ?

J'éclate de rire, et, ce faisant, je me souviens de vendredi dernier. J'ai davantage parlé à elle qu'à Matt — une perfidie dont j'ai du mal encore à me sentir coupable. Elle m'a fait me tordre de rire. Et, ce qui est le plus révélateur, quand j'ai ressenti les premières mauvaises vibrations, au lieu de décamper tout de suite, je suis resté pour essayer de la calmer, retardant ainsi ma fuite inévitable d'une bonne demi-heure. Je me rappelle pourquoi elle m'a plu. Parce qu'elle était directe. Parce qu'elle ne baratinait pas. Parce que c'est la première fille que je rencontre depuis des lustres avec laquelle je ne n'ai pas envie de jouer aux devinettes.

— D'accord, je me suis défilé. Mais ce n'était pas à cause de toi. J'étais juste explosé, c'est tout. (Je ris un peu.) Bon sang, on a dû descendre pas loin d'une bouteille de whisky une fois chez toi. J'avais l'impression que quelqu'un me plantait des épingles dans le cerveau.

— Je n'étais pas très brillante non plus, reconnaît-elle. J'ai dû me faire une séance d'ABCDE.

— Une séance de quoi ?

— Une séance d'ABCDE, répète-t-elle. Tu sais bien... (Mais comme ce n'est visiblement pas le cas, elle décrypte :) Aspirine Bain Chaud Décrassage Étirements.

Je souris.

— J'essaierai ce truc-là la prochaine fois.

— Ça marche à tous les coups.

Il s'en suit un silence. On dirait que nous avons franchi le cap délicat — son flip à propos de Matt et ma disparition au petit matin. Et, qui plus est, nous l'avons fait sans prononcer le nom de Matt.

Et maintenant, on fait quoi ? Les possibilités sont multiples, bien sûr. La liberté d'expression et tout ça. Le problème, c'est que les trois sujets que je veux aborder — moi, elle et comment faire la paire — sont les seuls sujets qui sont strictement interdits. Il y a un temps et un endroit pour ce genre de choses. Et le Zack, à 8 heures passées, ce n'est pas du tout le genre. Il y a mieux à faire. Reprendre un verre. Discuter encore un peu. Manger. Rentrer en taxi. Sois patient, mon bonhomme, je me dis. Sois patient et tu seras récompensé. Et donc j'ouvre la bouche, bien parti pour sortir un bon mot qui devrait relancer la conversation. Sauf que Janet se pointe et brise le silence à ma place en nous proposant de nous offrir une nouvelle tournée. Ma foi, ce serait grossier de refuser. Nous acceptons de bon cœur, et Janet retourne tranquillement au bar, se changeant aussitôt en sujet de conversation idéal.

— Explique-moi un truc, fait Amy en jetant un rapide coup d'œil à Janet. Comment se fait-il que je vienne ici une fois par mois depuis un an et que la femme derrière le bar ne me reconnaît même pas, alors qu'elle sait ton nom et te connaît suffisamment pour te faire crédit malgré l'écriteau suspendu au-dessus du bar qui dit clairement *La maison ne fait pas crédit* ?

— Parce que j'habite quasiment ici. La maison de Matt est juste au bout de la rue. Janet est une copine.

Bon, une fois la conversation amorcée, ça file à une vitesse de croisière. On parle, et, tout en parlant, je joue les Hercule Poirot, remplissant progressivement les blancs laissés lors de notre conversation bien arrosée de la semaine dernière. Quand nous descendons du taxi pour entrer au Hot House, je connais le CV d'Amy par cœur.

Nom : Amy Crosbie.

Age : 25 ans.

Situation de famille : Célibataire.

Diplômes : Anglais, géographie, et beaux-arts ; licence en textiles.

Histoire professionnelle : Divers boulots comme intérimaire depuis la fac.

Histoire personnelle : Vague. Une exception ; cohabitation ; du passé à présent.

Autres aptitudes : Sait parler ; beau sourire ; seins fabuleux.

Une fois dans le Hot House, une serveuse sexy en minijupe noire et T-shirt blanc moulant nous indique une table. Je m'efforce de regarder à gauche quand elle est sur ma droite et à droite quand elle est sur ma gauche. Les filles, c'est connu, sentent quand vous matez une autre fille. Le sixième sens. Le réflexe « attention, chute de morues ». Aussi, quand la serveuse nous place et nous tend les menus, je me blinde et fais comme si elle n'existait pas.

J'examine la carte des vins, choisis une bouteille pas trop chère et donne le ton en commandant le plat principal le moins cher sur le menu, en espérant qu'Amy la jouera fine et ne commandera pas de homard. Nous nous mettons à l'aise et discutons. Je lui parle de moi : la surface, seulement, le répertoire classique, réservé aux autres filles. Ce que je peins. Où je traîne. Je joue les politiciens : la laisser par-

118

ler et découvrir ce qu'elle veut, puis le lui offrir sur un plateau. Message subliminal : je suis ton homme. Votez Jack Rossiter pour un monde meilleur.

— Et toi, c'est quoi ? demande-t-elle.

— Comment ça ?

— Oui. TOI. Qu'est-ce qui te branche ? Qu'est-ce que tu attends de la vie ?

— C'est une sacrée question.

— Eh bien, donne-moi une sacrée réponse.

Bien sûr, je connais la réponse à cette question. Tout le monde en a une. Et la réponse est toujours la même : l'amour. Il y a des choses que je veux, des choses dont je ne parle à personne de peur qu'elles n'arrivent pas. Mais ce sont des choses estampillées « Un jour ». Du genre : Un jour je tomberai amoureux. Un jour j'épouserai la femme dont je serai amoureux. Un jour je fonderai une famille, un foyer. Un jour mes enfants débouleront dans la chambre à 6 heures du matin le dimanche et me réveilleront comme je le faisais avec mes parents. Mais Un jour, ce n'est pas Maintenant. Pour ce que j'en sais, Un jour n'arrivera peut-être jamais.

— Je ne sais pas, dis-je de façon peu convaincante. M'amuser. Je suppose que c'est le principal.

— Très bien, et quand est-ce que tu t'es vraiment amusé pour la dernière fois ?

— Facile, dis-je, tandis qu'un sourire se dessine sur mon visage. Je suis allé chez Hamleys acheter un cadeau d'anniversaire pour mon neveu.

— Tu as un neveu ?

— Ouais, le fils de mon grand frère. Il est cool. Mon neveu, je veux dire. Mon frère Billy, lui, il est plutôt... Je sais pas trop. Kate et moi on a pas grand-chose de commun avec lui.

— Comment ça ?

— Eh bien, il est sympa et tout. En fait, merde, il est super sympa. Mais il est vachement plus âgé. Il est dans autre chose. Il approche la quarantaine. Marié et casé avant même d'avoir eu mon âge. Il a rencontré une fille, il est tombé amoureux d'elle et voilà le travail. Ensuite, les gosses, la vie finie. Dingue.

— Ce n'est pas ton truc, l'amour, les enfants, tout ça ?

— Pas me caser. Pas maintenant. Hors de question.

— Je vois.

Elle me dévisage un moment, et je n'arrive pas à savoir ce qu'elle pense. Puis ses traits se détendent et elle me demande :

— Et qu'est-ce que tu lui as trouvé ?

— À qui ?

— À ton neveu ?

— Ah, John. Je lui ai acheté une voiture télécommandée. Une de ces super bagnoles américaines. Ça fonce tu peux pas savoir. Avec Matt, on s'est dit qu'il valait mieux l'essayer avant que je lui envoie. Tu vois, au cas où ça serait de la camelote, tout ça.

— Ben voyons, dit-elle en réprimant un rire. Pas parce que vous vouliez y jouer.

— Bien sûr que non, dis-je, échouant complètement à dissimuler mon sourire. On est des adultes, nom de Dieu. Je pensais juste à John. Je veux dire, y a rien de pire que d'avoir un cadeau nase, pas vrai ? On devait s'assurer qu'elle marchait bien. (Elle secoue la tête.) Bref, on l'a mise dans le jardin, on a vérifié les manettes, on a fait un essai. Puis on a mis au point quelques cascades. Et...

— Des cascades ?

— Ouais. Rien de très compliqué, note bien. Juste des planches de la remise. On les a surélevées avec des briques. Histoire de vérifier la suspension.

— Est-ce que vous avez fini par l'envoyer à John ?

— Euh, non. Il serait préférable que je la nettoie d'abord. (Je prends une gorgée de vin.) Elle s'est un peu amochée au cours du dernier saut.

— Pour quelqu'un qui n'est pas branché enfants, tu m'as tout l'air d'en être un sacré toi-même.

Les heures s'écoulent tranquillement, et avant que j'aie eu le temps de m'en apercevoir, on est les derniers clients du Hot House. Je fais signe à une serveuse harassée de nous apporter l'addition. Je réussis même à payer et à refuser l'offre d'Amy de partager.

Sa piaule est à moins de deux kilomètres, et donc, en partie parce que c'est le genre de soirée chaude particulièrement rêvée pour marcher sous les étoiles, et en partie parce que j'ai tout juste assez de liquide sur moi pour payer un taxi jusqu'au prochain feu rouge, je lui annonce que je la raccompagne à pied jusque chez elle.

— Quand tu disais l'autre soir que tu

n'avais pas fait l'amour depuis des lustres, c'était vrai ?

Ça pourrait la foutre en rogne. Heureusement, ce n'est pas le cas.

— Ouais. Presque six mois, si tu veux des détails sordides. Un record personnel, non ? Pourquoi tu demandes ça ?

— Ça m'étonne, c'est tout.

— Comment ça ?

— Je sais pas. Tu es jolie, tu sais... Et tu es marrante. Tu n'as pas l'air d'être du genre à rester seule... à moins que ça ne soit justement ça que tu cherches...

Elle rit et dit :

— Côté petits copains, j'ai eu ma dose de nullards, et maintenant je voudrais trouver quelqu'un qui me plaise vraiment.

— Genre, mais où sont donc passés les vrais hommes ?

— Exactement.

Nous quittons la rue principale et nous engageons dans une petite allée latérale, puis nous parcourons environ cinquante mètres sans rien dire et nous arrêtons devant une belle maison à terrasse de style géorgien.

— C'est chez toi ? je demande.

— Ouais. Mon petit chez moi.

— Bon..., dis-je.

— Bien..., dit-elle.

Désirant soudain être cet homme idéal qu'elle recherche, j'envisage plusieurs possibilités à ce stade-là. Peut-être va-t-elle :

a) me demander de venir prendre un café ;

b) mettre un CD et s'asseoir à côté de moi

sur le canapé de son salon, un café à la main, à attendre que je fasse un geste ;

c) laisser tomber le café et me sauter dessus.

Ce à quoi je ne m'attends pas, mais qui, à ma grande horreur, se produit, c'est qu'elle :

a) me remercie pour cette charmante soirée et pour l'avoir raccompagnée ;

b) m'embrasse rapidement avant de se dégager et de reculer ;

c) me demande de la rappeler la semaine prochaine.

Puis elle tourne les talons et se dirige vers les grilles du manoir de l'Abstinence, ouvre la porte, rentre et la referme derrière elle.

Je reste là.

À regarder.

— Eh merde.

C'est tout ce que je trouve à dire, car je suis plutôt sans voix.

Et voilà pour les vrais hommes qui tentent leur chance.

Admission

— Tu plaisantes, dit Matt.

On est le lendemain matin. Deux minutes plus tôt, Matt a débarqué dans la cuisine et m'a trouvé avachi à la table, en train de fixer la fumée qui monte de mon thé avec des yeux creusés par l'insomnie. Visiblement, ma santé mentale n'était pas reluisante. Il m'a demandé ce qui n'allait pas. Je lui ai fait un topo sur le désastre de la veille au soir.

— Tu veux rire ! s'exclame-t-il.

— Est-ce que j'ai l'air de plaisanter ?

Il s'assoit en face de moi et passe une main dans ses cheveux encore tout emmêlés par une bonne nuit de sommeil.

— Non, tu as l'air d'avoir perdu la main.

— Merci.

Il hausse les épaules.

— Bien... et maintenant ? Tu comptes l'appeler ?

— C'est toi qui plaisantes, là.

— Pourquoi ? Elle a l'air plutôt chouette. Ça vaut sûrement une deuxième tentative — si tu es partant. C'est le cas ?

— Ben, bien sûr que ça me dit. Sinon je l'aurais pas sortie hier soir, non ? C'est pas ça le problème.

— Alors c'est quoi ?

— Sortir un soir, c'est bien beau. C'est dans mes cordes. En revanche, ce qui me gêne, c'est me faire rembarrer par quelqu'un qui me demande ensuite de l'appeler pour que je sorte de nouveau avec elle. Enfin quoi, où on va, là ? Si ça se trouve, elle me refera le coup la prochaine fois. Et la fois d'après. Et j'aurai plus qu'à hiberner — et faire une croix sur elle dans mon lit. (J'allume une cigarette.) Le problème, Matt, c'est qu'hier soir tout s'est super bien passé, et pourtant elle m'a planté devant chez elle. Le problème, c'est que j'ai les nerfs.

— On peut pas dire que c'est l'échec total. Tu lui as roulé une pelle.

— Tu ne m'écoutes pas. Je ne l'ai pas emmenée au Hot House et Dieu sait où pour juste lui rouler une pelle. Les pelles, c'est pour les gamins. Je suis un adulte consentant, bordel. Si la seule chose qui m'avait intéressé hier soir, c'était un truc mouillé pour me rafraîchir la langue, je me serais acheté une crème glacée.

— Je voulais juste t'aider.

Son sourire ne me convainc pas de sa sincérité.

— Eh bien, c'est raté.

— Le prends pas aussi mal. Il y a sûrement une explication à son comportement.

— Laquelle ?

— Je ne sais pas. Peut-être qu'elle est un peu ringarde. Qu'elle a pas envie qu'on la prenne pour une fille facile.

— Elle n'est pas ringarde. C'est le dernier truc qu'elle soit.

— Peut-être qu'elle avait ses règles.

Cette conversation me plombe, et je passe à autre chose.

— Et toi ? Comment s'est passée ta fête ?

— Bien, dit-il en prenant ma cigarette et en tirant une bouffée dessus. Linda était là. Elle a demandé de tes nouvelles.

Linda est une bombe, un coup d'enfer qui s'est transformé en cauchemar de six semaines. Coups de fil, lettres, e-mails... le genre de cas d'école pour lequel Freud se serait damné.

— Tu lui as dit quoi ?

— Comme on était convenus, au cas où je la croise : que tu t'étais converti. Le célibat, le vœu de chasteté, tout le bataclan.

— Et elle t'a cru ?

— Tu mets en doute mon talent à baratiner les filles ?

— Loin de moi cette idée.

— Bien.

Je reprends ma cigarette.

— Et toi ? Ça a marché ?

Il n'a pas besoin de répondre. J'entends des bruits de pas qui se rapprochent de la cuisine, puis la porte s'ouvre et une fille apparaît. Elle est jolie, je dois le reconnaître. Même avec les plis d'oreiller sur le visage. Même dans le vieux peignoir de Matt — son seul article-vestimentaire-sentimental-pas-à-la-mode.

— Salut, me lance-t-elle, la voix encore enrouée par l'excès de tabac et d'alcool. Sian.

— Salut, je marmonne.

— Je peux me préparer un café ? demande-t-elle à Matt en prenant la bouilloire.

— Vas-y, répond Matt. Mais tu ferais mieux de te dépêcher. Jack et moi on doit partir pour Bristol d'ici une demi-heure.

Elle paraît troublée.

— Oh ?

— Les soixante ans de ma mère. On fait une fête. Je t'en ai parlé hier soir. Tu te rappelles ?

Elle ne se rappelle pas, mais ça n'a rien d'étonnant. Ça doit être à peu près le dixième anniversaire surprise pour les soixante ans de sa mère auquel se rend Matt à ma connaissance. Peu importe. Elle promet de faire vite. Je traîne quelques minutes, je suis leur conversation qui rétrécit comme une peau de chagrin, puis je m'excuse et annonce que je dois préparer mon sac pour Bristol. Matt me lance un clin d'œil reconnaissant du fait que j'ai participé à son coup monté. Je ne lui rends pas son

126

clin d'œil. Je dois dire que je suis un peu remonté contre lui. De la jalousie pure et simple. Il a ramené une fille au regard de biche et l'a baisée cette nuit. Où est la mienne ? C'est ce que j'aimerais savoir. Hé, Amy ! ai-je envie de crier. Où est la mienne ?

Ce sentiment de frustration me trotte encore dans la tête tout le lendemain. Au début, je parviens assez bien à l'ignorer. Mais ça ne dure pas. Le samedi soir, je sors boire des coups avec Matt, Chloé & Cie. Quand Chloé me demande comment ça s'est passé avec Amy, je lui dis très bien merci. Quand elle me demande des détails, je mets un terme à la conversation. Je me fais jeter et je vais parler à une autre fille. Mais je n'ai pas la tête à ça, alors je rentre chez moi en taxi.

Bien sûr, j'ai conscience que c'est un signe. Ce qui s'est passé avec Amy a ébranlé mon assurance. On fait tout ce qu'il faut et ça se passe mal. Qu'est-ce que ça veut dire ? Que Matt a raison ? Que j'ai perdu la main ? Que ma période de conquête touche à son terme ? Qu'Amy me travaille ?

Je n'aime pas les réponses que je trouve.

Le dimanche après-midi, je vais déjeuner au Zack avec Matt, et il me dit de laisser tomber. De ranger le dossier dans le classeur des mauvaises expériences. De ne pas insister. D'accord. Objectif : McCullen vendredi prochain. Me concentrer là-dessus. Mais quand je rentre chez moi, il y a un message d'elle sur le répondeur, elle me dit qu'elle ne pourra pas venir vendredi parce qu'elle se rend à Glasgow pour voir Jons jouer dans un festival de rock donné par les étudiants.

Quand arrive le lundi après-midi, je suis obligé de m'avouer que j'ai un problème. Et ce problème a un nom : Amy. Je n'arrête pas de regarder le téléphone. L'envie de l'appeler est là, inutile de me faire croire le contraire. C'est absurde. J'essaie d'analyser ce qui se passe dans ma tête. Mon seul soulagement, c'est que la principale émotion que je ressens, c'est de la colère. Je lui en veux de me faire marcher. Et je m'en veux de ne pas arriver à passer à autre chose. Des conneries, tout ça. Je suis en colère, point final. Il est évident que je lui plais, alors c'est quoi son problème ?

Je ne l'appellerai pas.

Mais il se trouve que je n'ai pas besoin de le faire.

Mercredi soir, je suis dans le salon à écouter la radio et lire le journal quand le téléphone sonne et que le répondeur se déclenche : « *Salut, Matt et Jack ne sont pas là pour l'instant. Veuillez laisser un message après le signal sonore, nous vous rappellerons.* »

J'écoute le bip puis la voix de la personne qui appelle.

— Salut les mecs, c'est Amy. J'espère que vous allez bien. C'est un message pour Jack. J'appelais juste pour dire...

Et alors je fais un truc vraiment étrange. Je décroche le combiné et dis :

— Salut, Amy. Comment ça va ?

Quand je raccroche et que je regarde la pendule, ma surprise en constatant que je lui ai parlé pendant plus d'une heure n'est surpassée que par le traumatisme que j'éprouve suite à ce que je lui ai demandé et qu'elle a accepté. À savoir : Dîner ensemble. Chez moi. Vendredi soir. Hein ? Qui a dit qu'il allait la chasser de son esprit et passer à autre chose ? Qui a dit qu'un autre rancard était hors de question ? Hein ? Qui ?

Bon, d'accord, j'ai déconné.

J'ai déconné et je souris.

Allez comprendre.

Je passe un coup de téléphone à Phil, un copain à moi qui est un vrai cordon-bleu. Je lui ai arrangé un plan avec Chloé l'an dernier et il me doit bien ça. Un repas entrée-plat-dessert à livrer ici vendredi soir. Rien de trop compliqué. Des trucs que je puisse mettre au frigo, puis réchauffer quand Amy arrivera et lui faire croire que je suis le roi de la casserole.

Affaire réglée.

Tout va bien se passer.

J'aurai cette femme.

Je prendrai ma revanche sur la semaine dernière.

Le vendredi soir arrive, et Amy est à l'heure. J'y vais franco. Elle veut du romantique ? C'est ça qu'il lui faut ? Très bien. Je serai son Valentino. La table est déjà mise dans le salon, les rideaux tirés. Les bougies jettent des lueurs sur les murs. Comme je sers les plats (préparés par Phil) et le vin (de Matt), je suis presque convaincu de la situation moi-même.

Mais pas tout à fait. Parce que Jack le Tombeur est de retour.

On boit.

On festoie.

C'est la joie.

Elle sera, je le sais, à moi.

Mais mon cynisme ne dure pas. C'est peut-être l'alcool. Je ne suis peut-être pas aussi immunisé que je le pensais contre les effets conjugués des bougies, du vin et d'une belle femme. Peut-être est-ce parce que, au milieu du repas, elle se lève et change le CD. Et met du Cat Stevens. Le seul CD que tout le monde déteste et que j'adore. Ou alors c'est qu'elle me plaît. Notre conversation est révélatrice d'un déclin certain de mes critères de prédateur. Elle ne se tarit pas. Les sujets se succèdent, comme une rangée infinie de dominos. Je dois le reconnaître : c'est une perle. Je ne me souviens pas d'avoir autant bavardé depuis l'époque où j'étais gamin et plein d'imagination. Pas avec Chloé. Pas même avec Matt.

— Alors, pourquoi est-ce que tu l'as larguée ? demande-t-elle en ôtant ses chaussures et en s'asseyant à côté de moi sur le canapé.

Elle vient juste de finir de me dessiner la carte sentimentale de sa vie, de tout me dire sur son connard d'ex, et maintenant c'est mon tour. Je me sens me refermer. Parler de Zoé et des raisons de notre rupture n'est pas un truc auquel j'excelle. C'est un sujet que j'ai toujours évité depuis que c'est arrivé. Ça serait trop m'exposer.

— C'est comme ça, c'est tout, dis-je.

— On ne largue pas quelqu'un avec qui on sort depuis deux ans juste comme ça. (Elle scrute mon visage et secoue la tête.) Peut-être que toi, si.

Je suis sur le point de changer de sujet, mais

nos yeux se croisent. Et, soudain, je peux lire en elle, et je sais que je peux ouvrir les vannes. Il n'y a pas de piège, pas de grand méchant loup planqué au coin du bois prêt à me dévorer, pas de tribunal sur le point de me juger. Je regarde le tapis et je ne sais pas si c'est l'alcool ou moi qui parle. Je m'en fiche.

— Je l'aimais. Jusqu'à notre rupture. C'est ça le truc qui déconne. J'avais encore envie d'être avec elle, même quand je lui ai dit que je m'en allais. C'est plutôt absurde, non ?

— C'est souvent le cas.

— C'est juste que je savais qu'elle n'était pas... tous ces trucs que les gens disent à propos de quelqu'un qui est là quelque part et qui vous attend, quelqu'un qui vous correspond parfaitement. Ce n'était pas son cas. Et je n'étais pas fait pour elle. (J'allume une cigarette, reprends une gorgée de vin.) Bref. C'était écrit. Point final.

— Et depuis ? Tu l'as trouvée ?

— Qui ça ?

— L'âme sœur.

— Non. Je ne l'ai même pas frôlée.

— Je crois bien qu'on a droit à un peu de chance tous les deux, dit-elle enfin.

Et au fond de moi je sais que c'est un signal pour que j'agisse. Au fond de moi, quelqu'un brandit une enseigne au néon avec marqué dessus : LAISSEZ-VOUS EMPORTER PAR LE BEAU JACK ! C'EST LE MOMENT OU JAMAIS ! Je devrais me dire que la seule chance à prendre en compte c'est la mienne, et la seule considération c'est que, officiellement, c'est dans la poche. Alors comment se fait-il que, quand je la regarde et qu'elle sourit, tout ce que j'arrive à faire c'est de lui rendre son sourire ? Pourquoi est-ce que j'ai peur que si je lui saute dessus et qu'elle n'est pas prête, alors tout risque d'en rester là, que tout ce qu'on a dit n'aura été que ça : de la parlote ? Et comment se fait-il que me paraisse ce qu'elle dit vrai ?

Parce que Matt a raison, voilà pourquoi. Parce que je perds la main.

Elle se lève du canapé et se dirige vers la fenêtre, repousse les rideaux et regarde le ciel. Je reste où je suis, j'essaie de chasser l'alcool de ma tête.

— C'est une de ces soirées parfaites, dit-elle.

— Ouais. Le genre de soirées qu'on n'a pas envie de voir finir. (Là, ça va mieux. Ça me ressemble davantage. De nouveau en selle, je continue sur ma lancée :) La dernière chose qu'on a envie de faire par une soirée pareille, c'est d'aller se coucher...

Seul. Je suis sur le point d'ajouter : *seul.*

Mais, avant que j'aie le temps de le dire, Amy se retourne et se dirige vers moi, le visage soudain animé.

— Vraiment ? demande-t-elle.

— Vraiment, je confirme.

— Écoute, il y a une fête. Une vieille copine de bahut. On pourrait y aller, si ça te dit. Tu en penses quoi ? Ça te dit ?

Si ça me dit ? Plutôt dimanche, oui...

Mais elle ne me laisse même pas une chance de répondre. Avant que je puisse l'en empêcher, elle décroche le téléphone et appelle un taxi, raccroche et retourne à la fenêtre.

Dans le taxi, elle donne au chauffeur l'adresse de la fête. Dehors, c'est la nuit, et la radio passe un truc dansant, et moi je pense : Pourquoi n'as-tu pas fait un geste avant que le taxi arrive ? Deux secondes, ça aurait suffi.

Crétin.

Pendant un moment, mon stoïcisme décline. Peut-être que toute cette histoire est foireuse, que ça ne peut pas se passer autrement. Peut-être que c'est pour ça que je continue de tout faire capoter. Vu la tournure que prennent les choses, je vois bien comment la soirée va se finir. On va aller à cette fête, Amy connaîtra un million de personnes, et moi que dalle. Elle va s'éclater et moi me torcher, et, c'est couru, il ne se passera rien. Le moment sera passé. Je regarde par la fenêtre les lumières de la ville qui clignotent, et je sens sa jambe contre la mienne. Et je me dis que la seule façon de rectifier la situation c'est de faire maintenant ce que j'aurais dû faire avant.

Et je le fais.

Je l'embrasse.

Pour un baiser, c'est un chouette baiser. Pas le meilleur. Cet honneur revient à Mandy Macrone, la première fille que j'ai embrassée. C'était électrique. Littéralement. On avait tous les deux des appareils dentaires et quand ils se sont touchés c'était comme de planter une fourchette dans une prise électrique. Mais bon, c'est un baiser agréable. Un baiser que j'ai envie de prolonger longtemps.

L'ennui, c'est qu'Amy n'a pas l'air d'accord.

Mais quand j'entends ce qu'elle a à dire, je suis prompt à pardonner.

Car elle dit :

— Tant pis pour la fête, allons plutôt chez toi.

Et j'ai envie de crier. J'ai envie de sauter sur place. D'écrire OUI sur tous les murs de la rue. J'ai envie de remercier mes professeurs et mes parents et mes amis et tous ceux qui ont toujours été là auprès de moi. Perdre la main ? Va te faire, Matt Davies. Regarde un peu.

— Bon plan, dis-je. Allons-y.

La seule personne que ce changement de cap ne ravit pas c'est le chauffeur de taxi. Je lui dis qu'il aura le prix de sa course de toute façon, il n'a qu'à tourner au bout de la rue et nous ramener. Alors du coup il est content, lui aussi. Bon sang, le monde entier sourit. Il nous dépose devant chez Matt et nous descendons du véhicule. Nous entrons et je referme la porte derrière moi.

Et c'est là qu'on commence à s'amuser.

Ça débute contre le mur, se poursuit dans le couloir et en bas de l'escalier. Derrière nous, une traînée de vêtements : mon blouson, le manteau d'Amy. Non que je regarde derrière moi. Je regarde droit devant, me concentrant sur les affaires en cours (j'ai la situation bien en main, si je puis dire).

Mes doigts sont en pilotage automatique et accomplissent une mission d'exploration. D'abord, ils s'aventurent sous son haut et sous

134

son soutien-gorge, direction ses seins. Ils bivouaquent un temps autour de ses tétons comme elle se serre contre moi et défait ma ceinture. Puis ils descendent, se referment sur ses fesses et l'attirent contre moi. Puis font le tour, passent sur les cuisses, sous sa jupe, dans sa culotte.

Les découvertes préliminaires transmises au contrôle au sol sont les suivantes :

a) soutien-gorge de qualité ;
b) seins de qualité ;
c) tétons raidis ;
d) fesses fermes ;
e) cuisses tendues.

Les conditions atmosphériques dans les régions inférieures révèlent un important taux d'humidité. Impression d'ensemble : planète habitable — vie humaine possible. Le contrôle au sol est satisfait et donne le feu vert pour une colonisation massive et imminente.

Pendant ce temps, Amy a défait ma braguette. Et glisse une main dans mon slip. Comme elle s'empare fermement de ce qui s'y loge, j'interromps le baiser pour la première fois depuis que j'ai refermé la porte. Je fais passer son débardeur par-dessus sa tête et le balance sur les marches derrière elle. Ses yeux sont fermés et, un instant, je regarde son visage et écoute le bruit de sa respiration. Puis je défais son soutien-gorge : elle libère ses bras et balance l'objet par-dessus la rambarde.

Elle ouvre les yeux, sourit et murmure :

— Salut.

Et je fonds.

À fond.

Rien qu'à la regarder.

Elle est belle et, je dois le reconnaître, le jeu en vaut la chandelle. Je passe mes mains sur ses hanches, plante mes doigts sous sa jupe, remonte jusqu'à la taille.

— Allonge-toi, lui dis-je.

Et elle obéit, jambes et fesses sur le sol, le dos contre les marches. Je m'agenouille près d'elle et défais ses jarretelles, fais glisser sa culotte et l'enlève. Je lui écarte les jambes, je me repositionne et baisse la tête, caresse du bout des lèvres l'intérieur de sa cuisse, l'excite en faisant le Grand Frôlement près de la Faille Magique puis marque une pause sur la peau douce de son ventre. Je l'entends qui gémit, je ferme les yeux. Et je suis content que ce soit elle. Je suis content de pouvoir respirer le parfum de sa peau.

Puis je descends.

M'enfonce.

Car c'est là que tout se passe.

4

Amy

Je suis dans ce qu'on pourrait appeler une situation délicate.

Ce n'est absolument pas ce que j'avais prévu. Il y a moins de dix minutes, Jack m'a embrassée à l'arrière du taxi, et je ne sais pas ce qu'il a mis dans ce baiser, mais je pense qu'il devait avoir une sorte de narcotique sur la langue, parce que je semble avoir perdu la tête.

Il y a un moment j'avais l'impression d'être le rôle titre qui se faisait rouler une pelle dans quelque mélo propret, l'instant d'après je me retrouve propulsée dans le célèbre porno *Amy se la donne à fond.*

Allô, Amy ?

Ici la Terre, répondez Planète Vicieuse.

Je suis allongée sur les marches de l'escalier de Jack après avoir balancé mon soutien-gorge par-dessus la rampe, et mes jambes sont sur ses épaules, et c'est vraiment oh... OH... OUI... OUI... LA... LA...

ohhhhhhhhhhhhhhhhhhhhhhhhhhhhhhhh... oui...
oui... super, mais je suis également complètement PANIQUÉE. Raisons :

La voix de ma mère : Tu te comportes
comme une traînée. Pour quel genre de fille
va-t-il te prendre ?

Ma vanité : Il va voir ma cellulite et penser
que je suis une grosse pouffe.

Mes poumons : Je ne peux plus respirer,
et S'IL LÈVE LES YEUX MAINTENANT
ET DÉCOUVRE LA-VÉRITÉ-SUR-MON-
VENTRE !

Ma paranoïa : Et si Matt débarque ?

Et pire, bien plus pire... Et si...

si je...

sens ?

A priori c'est impossible, parce que j'ai
mariné dans mon bain jusqu'à être impeccable,
mais ça fout les jetons quand même.

Et pour couronner le tout, je suis gênée, et
je me trouve stupide de me sentir gênée. Après
tout, quand quelqu'un fourre sa langue là...
de... dans... mmmmmmmmmmmmmmm-
mmmm... et commence doucement à vous
lécher... ohhhhhhhhhhhhhhhh... là... c'est
quand même pas un truc qui arrive tous les
jours, non ? C'est pas quelque chose qu'on
laisse faire au premier venu. C'est plutôt
intime. Perso.

Et si Jack Rossiter pense que je vais avoir
un orgasme avec tout ce qui me passe par la
tête, il se fait des illusions.

Mais d'un autre côté, je n'ai pas envie qu'il
arrête. Ça fait si longtemps que ça ne m'est
pas arrivé, et une fille ne doit pas cracher des-

sus quand l'occasion se présente. Et Jack a l'air d'avoir une langue comme un haricot magique, il va là où les autres ne sont jamais allés.

Cela me ravit. Ça me ravit parce qu'il essaie de me donner du plaisir. Parce qu'il en a envie, et parce que H sera contente. Non, H sera ravie.

« Enfin, dira-t-elle, putain, enfin ! »

C'est tout à fait ce que je pense. Adieu pommeau de douche amovible, bonjour monsieur broute-cresson !

Une rareté.

Un trésor.

Un putain de miracle !

Parce que tous les mecs que j'ai connus jusqu'à présent étaient nuls dans cette discipline.

Prenez Andy. M. le Missionnaire, un coup de rabot et c'est fini. Au bout de trois mois, j'ai dû rassembler tout mon courage pour aborder la question il-y-a-d'autres-trucs-qu'on-peut-faire-au-lit. J'ai bafouillé, marmonné, et quand Andy m'a dévisagé l'air troublé et hagard et a repris sa lecture du journal du dimanche, j'étais mortifiée.

Mais pas plus tard que le lendemain, sans prévenir, Andy m'a traînée jusqu'au futon en revenant du travail — et m'a broutée. J'ai failli mourir d'une attaque. J'en croyais pas ma chance. Je me suis tortillée pour l'encourager, j'ai grogné, prié le Seigneur, et juste quand je décidai que je pouvais finalement épouser Andy, il s'est arrêté. C'est tout. Au bout d'une minute.

— Et voilà, a-t-il déclaré d'un ton suffisant.
C'était ton petit cadeau de bienvenue.

Mais Jack est différent. Jack se donne à
fond. Il fait des bruits. Des bruits de bête en
rut. Et moi aussi, mais ça ne peut pas durer.
Le pauvre ne va pas tarder à se bloquer la
mâchoire et, de toute façon, j'ai envie de le
toucher. Super envie.

Je saisis sa tête, qui est fournie d'une toison de première qualité. Ses cheveux sentent
bon, la coupe est sympa. Je passe mes doigts
dedans et ne peux m'empêcher de gémir doucement. Jack pige tout de suite. Il lève les yeux
et me décoche un sourire humide.

— Tu es superbe, me dit-il.

Mon cœur fait le grand huit.

Puis il m'embrasse.

(Ouf. Finalement, je ne sens pas !)

Mais ce n'est pas un simple baiser.

C'est LE baiser.

Et pile à ce moment-là, parce qu'il a un
corps super — hyper-méga épatant et parce
que je fonds sous son regard et parce qu'il a
pris la peine de me brouter et parce qu'il me
branche plus que Mel Gibson, Brad Pitt et le
mec de *Neighbours* réunis, je prends la décision unilatérale de lui faire l'amour à en crever.

Et je m'y attelle.

Mais j'ai l'impression qu'il est vraiment en
train d'agoniser ! Ou alors c'est qu'il va jouir,
ce qui ne serait que justice vu qu'on se croi-
rait un peu dans un marathon.

— Je jouis, croasse-t-il.

Son front se plisse et sa bouche s'ouvre en

140

grand. Et alors il fait quelque chose de merveilleux. Il prononce mon nom. Au moment même où il jouit.

Super.

Il n'a pas écorché mon nom !

Il s'écroule sur moi et je sens les battements de son cœur comme un roulement de tambour. Je lui caresse lentement la colonne vertébrale et contemple le plafond.

Je lui donne pas moins de sept sur dix. Non, c'est injuste. Huit. Mais bon, peut faire mieux.

Un premier rapport sexuel est souvent décevant. Je m'attendais toujours à ce que ça soit comme dans les romans que je lisais quand j'étais ado — les genoux qui tremblent, la vue qui se brouille et des séismes orgasmiques qui durent toute la nuit. Aussi quand Wayne Cartwright (je n'arrive toujours pas à croire que le type qui m'a pris mon pucelage s'appelait Wayne) a sorti de son Wrangler un truc qui ressemblait méchamment à des abats de dinde, j'ai eu plutôt un choc.

Le lendemain, comme je traînais près de la salle d'étude dans l'espoir d'apercevoir Wayne, j'ai surpris une conversation entre lui et ses potes concernant la définition du coup d'enfer. Je suis restée figée sous la fenêtre ouverte, fascinée. Toutefois, quand ils sont tous tombés d'accord pour dire que la seule chose qui comptait c'était de jouir au même moment, je me suis abîmée dans un malaise profond. Les chances pour que Wayne-bite-de-chat-Cartwright puisse jamais me faire ressentir autre chose qu'un vague dégoût étaient nettement contre moi, mais bon sang, du diable si j'allais me laisser étiqueter frigide. Aussi, pendant la nuit, je me réinventais une personnalité : Amy Crosbie, reine des orgasmes simulés. Meg Ryan ? Peuh ! Pas à moi.

Mais simuler est un jeu dangereux. Je poussais toujours plus loin le bouchon juste pour voir si les mecs s'en apercevraient. Mais, surprise surprise, ils ne s'en sont jamais aperçu. Les salauds !

Aussi, après douze mecs (bon sang, Jack est mon douzième), j'ai réatterri. Je dois simplement vivre avec le fait que je ne suis pas une de ces filles qui ont des orgasmes vaginaux non assistés. Et alors ? Tout le monde baratine, de toute façon.

Jack fait des doux bruits de ronronnement et je continue de lui caresser le dos. Normalement, j'aimerais qu'il retourne au charbon et finisse ce qu'il a commencé, mais je sais que je prends mes rêves pour des réalités parce que, en matière de sexe, il existe deux règles d'or :

Règle numéro un : les mecs ne remettent jamais le couvert quand ils ont joui.

Règle numéro deux : assurez-vous toujours de jouir en premier.

Et si vous échouez sur le deuxième point, ne reprochez pas au mec le premier point. Donc Jack a décroché, même si mes régions inférieures hurlent : « Et moi et moi et moi et moi et moi et moi ! »

Il roule sur le côté et me caresse les cheveux. Comme nous nous sourions, je suis submergée de tendresse. Tellement submergée que mon cerveau se déconnecte de ma bouche.

— Jack, tu me plais vraiment. T'es le meilleur, je murmure.

À peine est-ce sorti que je sais que j'ai gagné le prix de la déclaration la plus tartignole de la décennie. Pourquoi ai-je eu besoin d'ouvrir ma grande gueule et de dire quelque chose, je l'ignore, mais côté gnangnan, j'ai fait fort.

Jack paraît légèrement inquiet et retire doucement son (dix sur dix) pénis de moi, en maintenant en place la capote flétrie. En une nanoseconde, il l'ôte, y fait un nœud et la dépose par terre. (Manifestement, la manœuvre lui est familière.)

— Je suis mort, soupire-t-il en se laissant lourdement tomber à côté de moi et en me prenant dans ses bras.

Je me pelotonne contre lui, appuie mon oreille contre la toison de poils sur son torse. Je meurs d'envie de reprendre mes commentaires gnangnan ; ou de découvrir ce qu'il pense, ce qu'il ressent, ce que signifie tout ça, et soudain je panique, tout ce que je veux, c'est des réponses, des réponses, des réponses.

Je me rends compte que je suis ridicule. J'ai passé le plus clair des deux dernières heures à exposer chaque centimètre carré de ma chair à cet homme, et j'ai compté pas moins de neuf positions sexuelles, ce qui n'est pas mal pour une première fois. Donc je pense qu'il est correct de conclure de tout ça qu'il m'aime bien. Obligé. •

Mais je sais que je me suis fait avoir. Dans tous les sens du terme. J'ai perdu une manche dans notre partie de jeu sexuel et je ne peux pas revenir en arrière. Je ne peux pas le *débaiser,* ce qui veut dire que je dois renégocier ma position, ce qui explique que je meurs d'envie de l'entendre, que je meurs d'envie que Jack déclare qu'il n'est pas qu'un coup d'un soir et qu'il sera content de me voir au matin.

Parle-moi, au moins.

— Jack ? je murmure, en caressant la peau douce de son ventre.

Mais Jack est dans l'ignorance la plus totale de mon tourment intérieur, parce que Jack dort comme un loir.

Il s'est éteint d'un coup, comme s'il n'avait pas dormi depuis une semaine. Inutile d'essayer de communiquer avec lui. Je passe donc la plus grande partie de la nuit à suffoquer et à me demander s'il sait qu'un jour il se réincarnera sûrement en étoile de mer.

Il est à présent 9 heures du matin et le soleil doit taper sérieux si j'en crois les rais de lumière qui filtrent à travers les volets. J'ai vraiment envie que Jack se réveille. Je veux voir ses yeux, faire un petit câlin sous la couette et plus si affinités. Mais au lieu de ça, je dois l'écouter ronfler, et ma vessie me fait l'effet d'une cocotte-minute.

Je déloge son bras de mon cou, me glisse hors du lit, enfile sa chemise et me dirige vers la porte. Je le regarde tendrement comme il grommelle et se retourne, les cheveux tout ébouriffés par le sommeil.

Le cœur léger et la vessie vide, je sors de la salle de bains avec le sourire aux lèvres et me retrouve seins contre torse avec Matt. Hum ! Je me sens rougir jusqu'aux orteils. La chemise de Jack couvre tout juste mes fesses.

Matt est amusé et je me fais l'impression d'être une libertine prise sur le fait.

— Jack dort encore, hein ? dit-il en souriant.

J'acquiesce, en évitant son regard.

— Rétamé pour de bon.

— Viens prendre un café, alors.

— Non, je peux pas, je...

Matt me dévisage. De près, il est plus grand que dans mon souvenir et a belle allure en short large et veste. Il a un corps bien fait et musclé, un super bronzage d'outre-Manche, et, malgré moi, malgré le fait que je sors tout juste du lit de Jack, je ressens un petit frisson coupable d'excitation. Mais bon, quoi, je ne suis pas de bois.

— Viens. Il n'est pas prêt de refaire surface, murmure Matt.

Je lui souris. Ses yeux bleus semblent danser sur mon visage et j'acquiesce, complice.

Je tire ma chemise sur mes cuisses, serre les genoux et le suis à petits pas telle une concubine japonaise, en admirant ses longues foulées naturelles. Il a de très beaux pieds. Plus beaux que ceux de Jack.

Après le dîner de la veille, la cuisine semble avoir subi des frappes aériennes. Matt extirpe tant bien que mal la bouilloire d'un tas d'assiettes.

— Désolé pour le bordel, je marmonne. Nous n'avons pas eu le temps de... euh... ranger.

Matt éclate de rire.

— La soirée a été bonne, alors ?

Il ouvre grandes les portes-fenêtres, et la cuisine s'emplit d'une lumière chaude et du chant des oiseaux. J'ai l'impression d'être dans une pub.

— Super, dis-je en m'appuyant contre le chambranle de la porte et en le regardant.

Hein ? Pourquoi est-ce que je retiens ma respiration ?

— Jack est un vrai cordon-bleu, dis-je.

Matt remplit la bouilloire.

— Tu trouves aussi ? J'insiste tout le temps pour qu'il s'inscrive dans une école de cuisine.

— Il devrait.

— Je sais. Mais il est trop occupé. Tu sais ce que c'est, ces artistes.

— Oui, avec tous ces modèles, c'est plutôt mouvementé.

Il met en marche la bouilloire.

— C'est dur. Ça lui prend toute son énergie.

— Tu as vu ses tableaux ? Ils sont bons ?

Il opine.

— Excellents. Mais je n'ai pas vu le dernier en cours.

— Oh, le portrait de cette Sally ? (La curiosité l'a emporté.) Elle est comment ?

Matt paraît timide.

— Oh, tu sais, euh... Comment la décrire ?

C'est très gentil de sa part de protéger Jack.

— Ça ira, dis-je. Tu peux dire le fond de ta pensée. Jack m'a dit que c'était une vieille allumeuse.

Matt lance la tête en arrière et éclate de rire,

146

et le soleil éclaire son visage. Quand il s'arrête, il me regarde ct je commence à me sentir toute troublée.

— Oui ? dis-je.

— Cette chemise te va bien.

— Elle est à Jack, dis-je en tripotant l'ourlet.

— Hmm. Je l'aime bien. Normal ou Earl Grey ?

Il flirte avec moi. Il mate mes jambes !

— Normal, s'il te plaît. Je vais faire un peu de vaisselle, dis-je en me déplaçant en crabe vers l'évier.

J'ai tout à fait conscience de ne pas avoir de culotte et je suis convaincue que Matt le sait. J'évite son regard.

Il se penche devant moi pour prendre les sachets de thé dans le placard et je constate qu'il sent bon, pas le genre after-shave pour fiote, mais le genre propre et bien savonné. Il a une cicatrice près du coude et, sans réfléchir, je la touche. Sa peau est chaude.

— Comment tu t'es fait ça ?

— Ma faute.

Nous pivotons tous les deux en même temps et découvrons Jack sur le seuil.

— Je l'ai fait tomber d'une cabane dans un arbre, si tu veux tout savoir.

À en juger par l'expression de Jack, il doit regretter de ne pas l'avoir poussé plus fort. Gênée, je tire la chemise un peu plus sur mes genoux.

Matt balance une serviette sur son épaule comme si tout allait bien, mais je me retrouve prise dans un feu croisé de regards, et Jack le sait. Et Jack sait que je le sais.

— Du thé ? demande Matt.

Jack acquiesce d'un grognement. Hun-hun. La pub est finie.

Matt m'adresse un clin d'œil, roule des yeux ; je me sens piégée. Je me rapproche de Jack, mais il hausse un sourcil en voyant ma tenue légère et regarde le jardin.

Matt met à infuser les sachets de thé. Il faut que je dise quelque chose, que je relance la conversation, comme si tout était normal, mais ma voix tremble un peu :

— Tu disais que t'allais faire quoi, aujourd'hui, Matt ?

Matt hausse les épaules.

— Je pense que je vais traîner un peu ici, prendre le soleil dans le jardin, regarder le foot à la télé. Tu comptes regarder le match, Jack ?

Jack hausse les épaules, visiblement déconcerté.

— J'sais pas. Je pense que je vais travailler aujourd'hui.

— Comme tu veux, dit Matt qui bat en retraite et sort de la cuisine en sifflotant.

Je me retrouve seule dans une atmosphère à couper au couteau.

Comment rétablir le contact avec Jack à présent ? Oh, mais pourquoi, pourquoi suis-je sortie du lit ? Pourquoi ne suis-je pas restée pour me réveiller avec lui ? Il me regarde comme si j'étais une inconnue, mais je ne lui en veux pas. Si je l'avais trouvé dans la cuisine en train de caresser le coude de H le matin qui a suivi notre première nuit, j'aurais fait une crise. Je cherche une remarque désinvolte au sujet de Matt, j'aimerais expliquer que je n'avais pas le choix en allant dans la cuisine, mais même en répétant mon texte dans ma tête, je sais que tout ce que je dirai accentuera ma culpabilité, comme si je voulais cacher quelque chose.

Je demande d'une petite voix :

— Du sucre ?

— Non merci, dit-il en s'asseyant à table.

Je lui apporte son thé. Il a l'air de mauvaise humeur. J'aimerais pouvoir revenir en arrière et tout recommencer. C'est un désastre.

— Tu as beaucoup de travail ?

— Oui.

— Oh.

Je contemple le carrelage.

Jack sirote son thé.

— Et toi ?

Il n'y a pas d'invitation dans sa voix. Je hausse les épaules. Que puis-je dire ? Si on se quitte maintenant, je vais passer la journée à broyer du noir et à pleurnicher. Je ne crois pas qu'il ait envie d'entendre ça.

— Pas grand-chose, je crois.

Je jette un œil à Jack. Il ne voit donc pas que j'ai envie de traverser l'abîme qui nous sépare et de me cramponner à lui, de changer du tout au tout et de jouer les berniques. Je n'y peux rien si j'ai tout gâché.

Il y a une pause tendue, puis Jack dit :

— Il fait un temps splendide dehors.

Il désigne les portes d'un mouvement de la tête.

Non, non, non. Pas le coup de la conversation polie sur le temps qu'il fait, de grâce. Je ne supporte pas. Je déglutis difficilement et suis son regard. Je marmonne en goûtant mon thé :

— Je déteste rester à Londres quand il fait ce temps-là, c'est sur la plage qu'il faut être.

Je lève les yeux vers Jack. Je n'ai rien à perdre. Il faut que je le lui demande sans avoir l'air de mendier.

— Tu n'envisagerais pas de passer la journée à Brighton, par hasard ? On pourrait prendre le train et y être dans deux petites heures.

Ainsi parla la femme désespérée.

Jack plisse les yeux et me regarde. Il n'a pas l'air emballé, mais finalement il hausse les épaules et dit :

— Pourquoi pas ?

Au début je ne suis pas sûre d'avoir bien compris. Je le dévisage, la bouche grande ouverte, jusqu'à ce que je percute.

— Cool ! je m'écrie, comme si je venais de recevoir une décharge électrique.

Je suis si heureuse, j'ai envie de lui baiser les pieds. Comment ai-je pu penser une seconde que ceux de Matt étaient plus beaux ?

Comme nous passons chez moi prendre une robe (les jarretelles et les talons hauts n'étant guère une tenue de plage), je ne cesse de regarder Jack, de vérifier qu'il est bien réel. Qu'il est là.

Il est bien là. Dans ma cuisine. On m'offre une deuxième chance ! Je pense avoir droit au moins aux gros titres des journaux à sensation : MIRACLE À LONDRES : REPÊCHAGE DE

DERNIÈRE MINUTE POUR UNE VIEILLE FILLE.

Je lui laisse le soin d'extraire le bac à glace de la calotte glacière de mon frigo et m'en vais tournoyer dans ma chambre et embrasser mon ours en peluche.

— Ted, il y a un homme qui fait des trucs d'homme dans ma cuisine ! je murmure.

Ted me contemple avec son regard vitré habituel.

— Eh bien, ne reste pas comme ça, qu'est-ce que tu comptes mettre ?

Je me déshabille et farfouille dans la penderie à la recherche de ma robe d'été bleue, mais quand je la passe, je remarque une tache de vin rouge au niveau du sein gauche. Je me rabats sur un short élimé et un petit débardeur. Trop négligé ? Trop *Drôles de dames* ? Ted, à l'aide !

Jack n'emporte rien. Il n'a pris que ce qu'il porte. Comment font les mecs ? Comment se sentent-ils bien sans un nécessaire de toilette complet et un chéquier sur eux en permanence ? Je ne comprends pas. En un rien de temps, j'ai accumulé une pile de trucs sur mon lit qui me serviraient pour un voyage de trois semaines, et il n'y a que le nécessaire : brosse à cheveux, maquillage, bikini (vais-je oser ?), lunettes de soleil, serviette de plage, jeans (au cas où il fasse froid), cardigan et culotte de rechange (je suis la fille de ma mère), déodorant, casquette de base-ball — ça n'en finit pas.

Je fouille dans le tiroir du haut, consciente de fredonner « Voilà l'été voilà l'été » comme si je passais un radio-crochet, et ferais mieux d'arrêter sinon l'air va se transformer en marche nuptiale triomphante, ce qui serait un peu gênant. Je débouche mon flacon de parfum et m'enrobe d'un nuage généreux, gratifiant même mes poils pubiens d'une petite giclée pour la forme.

Je suis sur le point de refermer le tiroir quand j'aperçois les préservatifs. Je m'en empare en faisant un vœu. S'il vous plaît, faites que Jack ait envie de me sauter encore... Zut, des extra-longs ! Merde !

Je sais que Jack est bien outillé, mais pas au point de justifier l'usage de capotes XXL. Je jette un œil dans mon placard à bazar et déniche un grand sac en papier plein de Manix aux parfums différents, cadeau de la coincée du planning familial. Ils sont probablement périmés, depuis le temps, mais je n'ai pas le temps de vérifier.

— Qu'est-ce que tu fabriques là-dedans ? me lance Jack de la cuisine.

— Deux secondes, je gazouille, en me jetant à genoux pour essayer de trouver un sac sous le lit.

Le seul que je trouve est gigantesque, mais ça fera l'affaire. J'entasse dedans mes affaires et vide les boîtes de préservatifs (autant ne pas lésiner sur le choix). Je file dans la cuisine.

— Qu'est-ce qu'il y a dedans ? demande Jack en me tendant un verre de Ribena glacé. Un seau et une pelle ?

— Bien sûr ! (Je souris et vide mon verre.) Allez, c'est parti.

En dépit du fait que j'ai l'impression d'avoir pris du speed, Jack se montre toujours un peu distant, et c'est avec une certaine gêne que nous faisons la queue à la gare Victoria. Il y a dix centimètres d'air incompressible entre nos mains, et je mesure la distance des yeux, en rêvant d'avoir le courage de la franchir. Mais en vain. J'ai on ne peut plus conscience que l'intimité que nous avons partagée hier soir ne peut être recréée dans un endroit public, pas avec les haut-parleurs qui braillent tout le temps.

Donc Jack se montre froid. Très bien, moi aussi je peux jouer à ce jeu.

Enfin, je crois.

Sauf qu'il est si beau dans son T-shirt que je me demande combien de temps je pourrai tenir. Mais bon, j'ai passé un pacte avec moi-même. PLUS DE REMARQUES TARTES et ARRÊTER DE MENDIER.

Quand nous arrivons au guichet, je cherche mon porte-monnaie dans mon sac, mais Jack refuse que je paie et sort sa carte bleue avec désinvolture. Je soupire intérieurement, en additionnant les bons points en sa faveur.

Au kiosque, nous faisons des réserves : une bouteille d'eau, des chewing-gums et des clopes. Je reste derrière Jack, médusée. Il a une telle autorité !

— À quelle heure part le train ? demande-t-il.

Une question plutôt simple, mais je me sens tellement ado que je suis dans tous mes états. Je regarde le tableau des départs, mais tout est flou. Ai-je besoin de lunettes ou est-ce parce que Jack est tout près de moi et que je suis incapable de me concentrer sur autre chose ?

Nous devons courir pour attraper le train. Il me hisse sur le marchepied juste à temps et pendant une seconde je suis dans ses bras. Je pose une main sur son torse et il ne me lâche pas quand nos yeux se croisent. Je suis engloutie par ses yeux, le train démarre et mon estomac fait des siennes. Je pense que Jack sent quelque chose parce qu'il rougit et semble se marrer.

Il me lâche et je le suis dans le wagon en retenant mon souffle. Il y a plein de places libres près des fenêtres.

— Ici, dit Jack en s'emparant de mon sac pour le hisser sur le porte-bagages.

C'est un de ces moments où la vie semble s'écouler au ralenti.

Horrifiée, je le vois le balancer par une courroie, puis tout le contenu se répand par terre. Tout. Y compris les capotes.

Il y a un silence comme nous les regardons.

— Eh bien, euh, Amy, dit-il en se frottant la joue. Nous ne partons que pour la journée. Ce n'est pas un peu... excessif ?

Je me sens mal. Je m'agenouille et commence à tout ramasser. Même les fourches de mes cheveux rougissent.

— Je ne les ai pas tous achetés, ça vient du planning familial...

Je m'arrête, consciente que je ne fais qu'empirer les choses.

— C'est très... prévenant de ta part.

Ben voyons. Il veut dire que c'est très présomptueux de ma part. Je fourre comme je pense les capotes dans mon sac. Je me sens tellement bête, j'ai envie de foncer dans le couloir et de me jeter hors du train. J'ai douloureusement conscience que tout ce que je vais dire ne pourra que m'enfoncer un peu plus.

Jack s'écroule de rire sur son siège. Je m'accroupis et me prends la tête dans les mains. Je ne peux pas le regarder, mais il rit tellement à présent que je finis par entrouvrir les doigts.

— Tu es écarlate !

Je gémis :

— Oh, mon Dieu ! Qu'est-ce que tu dois penser ?

Il me prend sur ses genoux et me câline.

— Je meurs d'envie de les essayer, murmure-t-il.

Et là-dessus il pose une main fraîche sur ma joue brûlante et m'embrasse avec une telle intensité que j'oublie que je suis sûrement en train de l'écraser et me sens transportée de joie, et comme en apesanteur.

Quand nous arrivons à Bristol, il paraît incroyable qu'il y ait jamais eu le moindre froid entre nous. Nous avons bavardé comme de vieux copains, nous racontant nos vacances des années passées et des histoires de famille, et tout paraît normal. Nous discutons encore en traversant la ville en direction de la plage. Le soleil scintille sur l'eau, et un peu partout les gens se mettent en maillot. On peut sentir l'été dans l'air, ainsi que l'odeur des beignets et des barbes à papa qui montent des stands du bord de mer.

Il y a quelque chose dans la chaleur de si

contagieux qu'en un rien de temps je suis retombée en enfance et que je regrette presque de ne pas avoir emporté un seau et une pelle. Je n'ai qu'une envie, faire l'idiote, et Jack aussi manifestement. Je le prends par la main et l'entraîne vers la jetée ; j'ai l'impression d'avoir cinq ans et qu'il est mon complice et qu'on va aux balançoires.

Nous faisons les fous sur la jetée, nous nous empiffrons de sucettes glacées et nous moquons l'un de l'autre devant les miroirs déformants ; nous ne parlons pas de la veille, mais peu importe. C'est vraiment génial d'être ailleurs qu'à Londres, et je commence à me sentir tellement détendue que j'oublie d'être distante ou d'essayer de l'impressionner. Nous sommes ensemble et cela suffit.

Quand nous arrivons aux arcades de jeux électroniques, Jack est dans son élément et je ris de le voir aussi gamin. C'est étonnant tout ce qu'on peut apprendre sur quelqu'un quand la personne en question se livre à un Grand Prix en simulation. Cela distille en quelque sorte la personnalité, et je découvre que Jack :

a) aime la compétition ;

b) est un très mauvais perdant.

Je fais le vœu de ne jamais jouer au Monopoly avec lui.

— Je vais te donner une bonne leçon, ma fille, déclare Nigel Mansell Rossiter en glissant une pièce dans la fente.

— Ah vraiment ? Tu crois ça ? (J'ajuste mon siège.) C'est ce qu'on va voir.

Et c'est parti pour un tour du circuit de Monaco. Je jette un œil en coin à Jack : il est ballotté en tous sens et se mord la lèvre de concentration, parce que je veux le battre. Et, coup de bol incroyable, je le bats. Trois fois de suite.

Merci, Seigneur, je n'oublierai pas.

Jack n'apprécie pas du tout. Il est sérieusement fâché quand je refuse une autre partie, lui ôtant une ultime chance de se refaire.

Je le taquine en retrouvant le soleil :

— Le truc, c'est de savoir s'arrêter. Arrêter la partie quand on gagne.

Jack piétine de rage. Je m'attends presque à ce qu'il s'exclame : « Mais t'es qu'une fille ! » Au fond de lui, il est impressionné.

— Boude pas, Jack.

Et ça marche. Il me court après et je m'enfuis en couinant sur la passerelle, en esquivant les gosses et les mamies ; me voilà dans la kermesse, je cours vers le bout de la jetée et il me rattrape, me coinçant contre la balustrade. Il pousse une sorte de grognement, mais il affiche un grand sourire, et tout d'un coup on se roule des patins comme des gamins de quatorze ans, les dents s'entrechoquent et nos langues parfumées à la glace à l'orange se mélangent. Un gosse nous dépasse en criant « Beuuârk » avec ses camarades. Nous ricanons tous les deux et Jack se dégage. Son short présente le profil d'un tipi et nous éclatons de rire.

Il s'appuie à la rambarde et contemple l'eau qui lèche la jetée. Je me tourne de l'autre côté et prends appui sur mes coudes. Le vacarme des montagnes russes parvient jusqu'à nous, porté par la brise chaude, suivi de hurlements ravis quand le wagon entame la descente.

— Tu es belle, tu es renversante ! dit soudain Jack. Tu as le plus beau sourire que je connaisse.

Je ferme un œil à cause du soleil et le regarde avec l'autre. C'est la première fois qu'il m'adresse un compliment et je suis abasourdie.

— Ça serait sympa de piquer une tête, dit-il en désignant l'eau.

Mais je ne trouve rien à dire car une armée d'endorphines me bloque les terminaisons nerveuses.

Il me prend la main, mais j'ai les paumes toutes moites et j'essaie de fuir sa poigne. Jack s'en aperçoit, mais il serre simplement ma main plus fort et embrasse mes phalanges.

— Allez, viens, allons à la plage, me dit-il avec un clin d'œil.

Je pense qu'être adulte est une des choses les plus difficiles qui soient. C'est pire encore que les examens ou les trucs de ce genre, et le pire c'est que personne ne vous y prépare jamais. Personne ne vous dit qu'un jour, quand vous aurez vingt et quelques années, tout le monde s'attendra à ce que vous soyez différent. Un adulte. Un adulte avec des responsabilités comme des factures, des hypothèques, des décisions à prendre sans faire d'histoires. Et il n'existe qu'une seule chose qui soit pire que d'être adulte, et c'est d'être un adulte célibataire.

Je sais que je ne devrais pas dire ça. Je sais

que je devrais me porter comme un charme. Je lis suffisamment de magazines féminins moralisateurs pour savoir qu'étant une femme dans les années 90 je devrais être, par définition, complètement détendue en ma propre compagnie et complètement indépendante ; me suffire à moi-même dans tous les domaines de la vie, y compris pour les meubles à monter soi-même ; réussir dans ma carrière et être à l'abri financièrement ; capable de résister à toutes les formes de critique ; heureuse en toutes circonstances parce que je veille à ma croissance spirituelle.

Mais c'est des conneries tout ça. La plupart du temps, je ne réussis même pas un truc sur cinq. Ces six derniers mois, je me suis fait parfois l'impression d'être la grosse dont aucune équipe ne veut. Ou alors, quand on m'a invitée dans une équipe, avec des types que je venais de rencontrer, j'ai voulu courir dans la direction opposée le plus vite possible. Ça devrait m'être égal, mais non. Ce n'est pas le cas. Parce que dès qu'on a deux ans, tout le monde sait déjà que jouer seul c'est nul. Ça ne marche pas. C'est ennuyeux.

Quand vous êtes petit, vous pouvez toujours foncer dans la cuisine où votre mère vous filera un gâteau, et tout ira mieux. Et puis soudain, vous êtes adulte, vous ne pouvez courir nulle part, et vous devez rester stoïque et vous comporter comme si de rien n'était. Et alors vous commencez à vous sentir coupable de vouloir que quelqu'un joue avec vous. Et vous en avez de plus en plus envie. Vous traînez au supermarché avec votre panier, en regardant médusé les gens qui poussent des Caddies. Des gens qui vivent en équipe dont vous ne faites pas partie. Et vous vous dites : Pourquoi pas moi ? Qu'est-ce qui ne va pas chez moi ?

Aussi, de temps en temps, vous craquez, et des gens comme H vous disent des trucs du genre : « T'en fais pas, ça arrivera quand tu ne t'y attendras pas. » Le premier qui a dit ça devrait être fusillé sur place, parce qu'on attend. On attend et on cherche.

Et puis, sans prévenir, ça se produit. Comme ça. Vous découvrez la vie à deux. Comme en ce moment, avec Jack qui marche à côté de moi du même pas, un bras sur mes épaules. Ça paraît la chose la plus naturelle au monde. Mais comment en est-on arrivés là ? C'est fantastique, mais c'est aussi tellement injuste. Tous ces mois d'angoisse et, hop, c'est facile. Hyper fastoche. Mais si c'est arrivé si vite, ce sentiment de faire équipe, alors sûrement ça peut disparaître tout aussi facilement.

Tout d'un coup j'ai envie que le temps s'arrête, que ce moment s'immobilise ; j'ai envie que tout le monde nous regarde. Je veux que tout le monde sache que je vais mieux quand je fais partie d'un « nous » que quand je suis ce bon vieux Moi. J'ai envie de sauter sur place et de crier : « Regardez, je suis en couple ! Moi aussi je peux le faire ! »

Jack s'arrête devant un loueur de planches.

— Viens, on va faire du jet-ski, dit-il en me prenant par la main.

Je n'ai pas le temps de discuter car il m'entraîne déjà dans le magasin. Je le regarde et je ris. Je ris parce qu'il n'a pas la moindre idée de ce qui se passe dans ma tête et n'a aucune chance de le deviner. Parce que c'est un mec et que les mecs n'ont tout simplement pas ce genre de pensées. Et il a bien raison. Je suis tellement jalouse de sa vie si peu compliquée. Comme ça doit être merveilleux d'avoir dans son cerveau toute cette place pour se concentrer sur l'instant présent. J'en ferais nettement plus si je ne passais pas autant de temps à ruminer des angoisses existentielles. J'aurais le temps d'être impulsive comme Jack l'est en ce moment et ma vie serait tout le temps marrante.

Je me rappelle ce que je ressentais quand quelqu'un m'a appris à nouer mes lacets correctement pour la première fois. Ça a été une telle révélation. Tout d'un coup, c'était clair. Plus la peine de trébucher en permanence. En regardant Jack dans le magasin, je ressens la même chose, comme s'il m'avait montré la façon d'être heureuse, et j'ai envie de me frapper le front et de dire : « Élémentaire ! »

La vendeuse m'informe que mon bikini est trop fragile et qu'il sera emporté en un rien de temps. Elle me tend une combinaison de plongée qui ne flatte pas vraiment mes hanches de future génitrice. Jack, bien sûr, a l'air de James Bond en mission, et je ressens une pointe de jalousie quand la femme derrière le comptoir le détaille des pieds à la tête.

Eh ! toi, bas les pattes !

Dans l'eau, Jack est dans son élément. Quand je vois la lueur dans ses yeux, je comprends qu'il veut se venger de mon triomphe automobile, et il fend les eaux en soulevant de grosses vagues qui me font osciller.

— N'aie pas peur, fonce, crie-t-il.

Je me propulse vers l'horizon. C'est tellement grisant que je pousse des cris stridents en recevant de l'eau sur le visage. Il me rattrape et me montre comment virer, et en un rien de temps je suis une fille de la série *Alerte à Malibu*. Eh-eh.

Je me marre tellement que le temps passe trop vite. Ma gorge est irritée à force de rire, je me traîne sur la plage et ôte ma combinaison.

Jack passe un bras autour de moi alors que je sors du magasin.

— Ça t'a plu ? demande-t-il.

— Fantastique, mais maintenant je meurs de faim.

Je tapote mon estomac, étonnée que ma paranoïa physique ait disparu.

— Alors c'est moi qui régale, dit-il, grand seigneur.

— Fish and chips ?

— Quelle Anglaise, taquine-t-il. Non, je pense qu'on peut trouver mieux.

Nous déambulons dans les allées et trouvons un restaurant français pas cher et sympa avec des tables dehors. Jack commande deux bières.

— À nous, dit-il en levant son verre.

Je trinque et les bulles me remontent dans le nez.

J'ai passé tellement de temps à me demander ce qu'il pensait de notre nuit ensemble, et maintenant que j'ai une occasion de lui poser la question je laisse passer le moment. Je m'aperçois que je suis nettement plus intéressée à découvrir ce qu'il pense de tout le reste.

— Ça te plaît d'être artiste ? je demande quand on nous apporte les entrées.

— Oui, je crois. C'est la seule chose que je sache bien faire. Et comme ça j'évite les horaires de bureau.

— Tu as vraiment de la chance. J'aimerais bien être bonne dans un domaine.

— J'en vois pourtant un.

Je rougis.

— À part ça.

— Tu veux dire réussir ?

— Je crois que oui. C'est le cas de tout le monde, non ?

— Qu'est-ce que tu voulais faire quand tu étais petite ? demande-t-il en sauçant son assiette avec un morceau de pain.

— Un truc en rapport avec les fringues, je crois. Les vêtements d'homme. J'ai toujours préféré Ken à Barbie.

— Tu voulais lui enlever son pantalon.

J'éclate de rire.

— Exact. Même si Ken n'est pas franchement super bien monté. Non, j'aime les vêtements d'homme. La première fois que je t'ai vu, j'ai remarqué tes habits.

Jack me dévisage.

— Pourquoi tu ne te lances pas dans la mode ?

Je contemple la pointe d'asperge dans mon assiette.

— J'en ai toujours eu envie, mais ça s'est arrêté là. Il y a bien trop de concurrence.

— Tu ne le sauras jamais si tu n'essaies pas.

Il y a des tonnes de gens qui sont doués, et il n'y aucune raison que tu ne sois pas l'un d'eux. Si je m'inquiétais de la concurrence, j'aurais laissé tomber la peinture depuis des lustres.

— Tu dois avoir raison.

— Tu n'as rien à perdre. De toute façon, tu as tout pour toi.

Il me regarde et sourit. Je me sens si soulagée et si heureuse que, sans même y penser, je lui fais confiance. Complètement. Je n'ai parlé de mes projets de carrière à personne à part à H, et j'ai l'impression qu'en exposant mes ambitions à Jack je me suis débarrassée d'un lourd fardeau. Je me sens à nouveau moi-même.

Nous restons là à picoler et regarder les gens passer, et l'après-midi se dissout dans les rires. Plus tard, nous retournons à la plage. Il y a moins de monde et nous nous trouvons un endroit tranquille. Je suis pompette et j'ai l'impression que Jack et moi sommes seuls au monde. Jack fait des ricochets sur l'eau avec des galets et j'observe les mouvements de son corps. Je suis lamentablement amoureuse.

Il se retourne vers moi.

— Et maintenant, on fait quoi ? je demande.

— Tu veux qu'on rentre ?

— Non. Et toi ?

Il fait non de la tête.

Nous nous regardons et éclatons d'un rire nerveux. Il tapote ses lèvres.

— Je connais un endroit où on peut aller. Enfin, si t'as envie.

Oui, j'en ai envie. Je ne suis qu'envie.

Le type du Bed & Breakfast le Casanova se comporte avec Jack comme si c'était un vieux pote. Il lui lance une clef en le gratifiant d'un clin d'œil et lui rappelle que les petits déjeuners ne sont pas servis après 10 heures et demie.

Notre chambre aurait pu être décorée par la grand-mère de Laura Ashley, avec une couverture à motif fleuri et un tapis à longs poils. Mais c'est propre et il y a un choix de mini-sachets de biscuits près de la bouilloire. Je pose mon sac sur une chaise près de la télé et soulève le rideau pour jeter un œil au petit jardin derrière l'hôtel.

C'est étrange d'être dans cette chambre avec Jack. Après la journée que nous avons passée, ça paraît illégal, ça fait adulte. Nous ne nous touchons pas.

Jack se rend dans la salle de bains et relève le siège des cabinets. Je vois son dos pendant qu'il fait pipi et, pour une raison qui m'échappe, je suis choquée. Il est tellement sûr que nous allons coucher ensemble que je suis nerveuse. Bizarrement, ça semble compter plus que la nuit dernière chez lui, et je suis effrayée par l'intimité de la situation.

Jack tire la chasse et se tient un moment sur le seuil. Je remarque qu'il a rabaissé le siège. Quelqu'un a dû le dresser à ça. Je me demande bien qui...

— Je me sens crade, dit-il.

Je fronce le nez et ébouriffe mes cheveux qui sont tout frisés à cause de l'eau de mer.

— Moi aussi.

— Une douche ? propose-t-il.

J'acquiesce.

Il y va le premier et je le vois qui règle la température derrière les portes en verre pendant que je me déshabille. Quand il ouvre la porte, j'ai l'impression de monter dans une capsule spatiale.

Je me sens toute bizarre et gênée. La lumière est crue et, face à Jack, je me sens désespérément exposée. On dirait que c'est la première fois qu'on se voit vraiment. Ce qui est sûrement le cas. J'ai envie de croiser les bras sur mon ventre et de me pelotonner en boule.

Jack me regarde. Et pas pour rire. Il me détaille, comme s'il examinait chaque pore de ma peau, et je sens que je rougis.

J'essaie de l'attraper et de l'embrasser, ce qui serait en quelque sorte moins intime, mais il se dégage et me repousse. Sans rien dire et tout en me fixant droit dans les yeux, il prend la plaquette de savon et la fait mousser entre ses mains.

On a du mal à croire qu'une cabine de douche rose en plastique puisse être particulièrement érotique, mais en ce moment précis ce lieu est en tête de liste de mes fantasmes. Jack commence à me savonner, me changeant en une masse frissonnante de mousse. Tout en me caressant, il fait tellement attention à mon corps que c'est presque comme s'il me dessinait. Je me sens fondre contre lui, nous sommes tous deux enveloppés d'un nuage de vapeur. Et je me sens... FEMME.

Une femme humide.

Une femme vicieuse.

166

Je suis toute tremblante quand il s'accroupit et passe une de mes jambes sur son épaule. Il enfouit la tête entre mes cuisses et c'en est fait de moi. Tout glisse, ses mains sur mon corps, mon dos le long du mur, et tous mes sens dans le plus effrayant orgasme que j'aie jamais eu.

Après, il me faut des lustres pour retrouver mon souffle et je suis encore toute remuée. Nous n'avons toujours rien dit. Je le regarde à travers la vapeur.

C'est mon tour.

Je m'agenouille, il saisit mes cheveux et ma langue fait le reste.

— Amy ? gémit-il au bout d'un moment.

— Mmmmmmm, dis-je.

Je ne peux guère en dire plus, j'ai la bouche pleine.

— Tu es agenouillée sur la bonde.

Nous épongeons l'inondation avec les serviettes puis nous allongeons sur le lit pour sécher naturellement. Jack suit du doigt les marques de bronzage qu'a laissées mon haut de bikini autour de mes seins.

— T'as pris un coup de soleil, dit-il.

C'est vrai. Je me sens toute brûlante. Nous nous regardons dans les yeux et je sais alors que nous allons faire l'amour. Et ce qui me tue c'est que Jack lit dans mes pensées parce qu'il me dit :

— Toute la nuit, toute la nuit et tout le lendemain jusqu'à ce que tu sois incapable de parler.

Et il tient sa promesse.

Quand nous rentrons chez Jack le dimanche, je me sens vannée, comme seul l'excès de sexe, de soleil, de mer et d'alcool peut vous vanner.

— Heureuse ? me demande-t-il en ouvrant la porte.

Nous avons chahuté sur la plage toute la journée et le soleil a fait ressortir ses taches de rousseur. Il est superbe. Je lui caresse la joue.

— Peut-être, dis-je en souriant.

— Seulement peut-être ? Qu'est-ce qu'il faut faire, alors ?

Il fait semblant d'être outré et me prend par la taille, me soulève, puis m'emporte dans la cuisine. Je ricane tellement que je ne remarque pas Chloé et Matt assis sur des coussins par terre dans le salon.

— Tiens, tiens, regardez-moi ça. Les deux tourtereaux, se marre Chloé.

Jack cesse de me chatouiller et sursaute. Je repousse mes cheveux derrière mes oreilles, mon rire meurt à la vue de Chloé. Elle est affalée comme si elle habitait ici, une bouteille de bière à la main.

— Salut les mecs, dit Jack en passant devant moi.

Il s'accroupit et embrasse Chloé sur la joue.

— Servez-vous, dit Matt en désignant les quelques bières sur la table. Vous étiez où ?

— À Brighton, je réponds.

— T'as vu ton nez ! s'exclame Chloé. Ma pauvre.

Jack rigole et me tend une bière. Ce n'est pas drôle. Ce n'est pas ma faute si mon nez a l'air de sortir du micro-ondes. Je regarde Jack, mais il paraît distant et ne prend pas ma défense.

— Alors ? demande Chloé. Racontez !

— On a passé un super moment, on a fait du jet-ski, tout ça, répond Jack en s'appuyant contre le canapé et en ouvrant sa bière.

— Et vous avez passé la nuit là-bas ! Là où est ton nid d'amour, Jack ? le taquine Chloé. (Elle claque des doigts, en me regardant.) Ne dis rien, ne dis rien... le Casanova. C'est ça, hein ? J'espère qu'ils t'ont fait un prix d'ami.

— La ferme, Chloé, dit-il.

Mais il se marre, amusé de passer pour Jack Casanova, et un instant tout paraît clair. Je ne suis qu'une autre de ses conquêtes. Il a déjà fait ça avant et je ne suis pas la première. Pour qui d'autre s'est-il démené dans la cabine de douche en plastique rose ? Le sol semble se dérober sous mes pieds.

— Assieds-toi, assieds-toi, me dit Matt en désignant de sa bouteille les coussins, mais je n'ai aucune envie de m'asseoir près de Chloé de peur de la poignarder accidentellement.

— Oh, Helen m'a appelée hier soir, dit Chloé l'air de rien, en agitant sa bouteille.

Sirène d'alarme. Pourquoi H appellerait-elle Chloé ?

— Elle te cherchait.

— Merde.

— T'inquiète pas, je lui ai dit que tu étais sûrement avec ce bellâtre.

— Elle allait bien ? Qu'est-ce qu'elle a dit ?

— Pas grand-chose. Elle avait l'air un peu agacée.

— Je peux me servir de ton téléphone ? je demande à Jack.

— Bien sûr, appelle depuis ma chambre.

Je suis malade d'inquiétude en les laissant se marrer entre eux.

— H, c'est moi. Allez, allez, décroche !

Le répondeur s'interrompt.

— Alors comme ça tu es rentrée, dit-elle froidement.

Elle a vraiment l'air fâchée.

— J'étais à Brighton.

— Tant mieux pour toi.

C'est horrible. Elle ne prend jamais ce ton avec moi. Je serre le combiné.

— Qu'est-ce qui ne va pas ?

— Je suis sûre que ça ne t'intéresse pas, crache-t-elle, mais sa voix tremble et elle me fait peur.

— Dis-moi.

Elle réprime un sanglot.

— Laisse-moi tranquille.

La ligne est coupée. J'écoute la tonalité, complètement désarçonnée. Elle ne m'a encore jamais raccroché au nez, et il est clair qu'elle est furax. Si j'étais elle, je serais furieuse contre moi. On avait des projets pour samedi soir, je ne l'ai pas rappelée du week-end et je suis coupable. Coupable d'être une sale égoïste, coupable d'avoir fait ce que j'ai toujours promis de ne pas faire à cause d'un mec. Et maintenant elle traverse une crise et je l'ai abandonnée en plein drame. La pensée de la perdre me retourne l'estomac.

— Tout va bien ? demande Jack.

170

Il s'approche de moi et pose une main sur mon épaule.

— Il se passe quelque chose, il faut que j'aille la voir. Ça ne t'embête pas ?

— Non, vas-y, pas de problème.

Sa franchise me révulse. Je voudrais que ça l'embête, je voudrais qu'il soit triste que notre week-end béni ait tourné en eau de boudin, mais il suffit de le regarder pour comprendre que ça ne lui fait rien. Il est avec sa bande à présent et je ne compte plus.

Nous nous disons au revoir devant Matt et Chloé, et Jack donne l'impression de raccompagner à la porte sa vieille tante célibataire. Je scrute son visage, mais le Jack avec lequel j'ai passé le week-end s'est retranché dans sa forteresse. Plus je le regarde, plus il est sur la défensive, et c'est tout juste s'il m'embrasse.

— À bientôt, dit-il.

À bientôt quand ? Demain ? Dans une semaine ? Un mois ? Un an ? Jamais ?

— J'ai passé un bon week-end, concède-t-il.

On dirait un exemple de phrase au passé composé.

— J'espère que Helen va bien, dit Chloé en se rapprochant de Jack sur le seuil.

Sa voix est pleine de prévenance, mais je ne marche pas une seconde, surtout quand elle passe un bras autour de la taille de Jack et le serre contre elle. N'importe qui d'autre y verrait un geste amical, mais quand elle ôte sa main de la poitrine de Jack, je vois presque la marque qu'elle y a laissée : « Propriété privée. Défense d'entrer. » Je m'éloigne à reculons dans la rue et, avant même que je sois hors de sa vue, elle éclate de rire et rentre à l'intérieur avec lui. Je contemple la porte fermée, incrédule.

Mon cœur bat fort alors que je file chez H en métro, et je suis nerveuse quand je la suis dans son salon plongé dans la pénombre. S'il y avait un grand prix de la Tabagie, H raflerait à elle seule les médailles d'or, d'argent et de bronze. Elle est entourée par les vestiges de son malheur et écoute du Leonard Cohen. C'est très mauvais signe.

Au début elle essaie de paraître toujours fâchée, mais en vain ; elle se met en boule dans le fauteuil mou tout bosselé. Comme je m'en doutais, c'est Gav.

— J'ai vraiment merdé, sanglote-t-elle.

Je la console, agenouillée près d'elle :

— Allons allons, mais non.

Quand je parviens à la calmer, elle m'explique en pleurant le drame qui vient de se produire :

— On était au lit et je lui ai demandé s'il avait l'intention de se marier un jour. C'était juste une question. Ce n'était pas une proposition ou je ne sais quoi, mais il est devenu tout bizarre. Il a dit qu'il ne se marierait jamais à moins d'avoir des enfants. Alors j'ai dit, bon, et quand voudras-tu des enfants, et il a dit, pas avant longtemps, d'ici peut-être dix ans, il avait d'autres choses à faire dans la vie avant.

Ça ne m'étonne nullement, c'est une réaction estampillée pur Gav.

— Après ça, tout a dérapé. J'ai dit que dix ans ça paraissait long, et nous alors dans l'histoire ? mais il a pris la mouche et dit qu'il trouvait que je lui mettais la pression, et pourquoi on ne pouvait pas simplement passer du bon temps, mais j'ai dit, à quoi bon ? (Elle prend une profonde inspiration, saccadée, et son menton tremble.) Et à quoi bon, oui ? À quoi bon être avec quelqu'un et l'aimer si tout ce temps on sait qu'il va se barrer avec quelqu'un d'autre et ne voudra pas d'enfant avant que vos ovaires soient devenus comme des petits pois ratatinés ?

J'éclate de rire et sèche ses larmes avec le dernier carré de papier toilette.

— Tu ne peux pas prévoir l'avenir. Tu ne peux pas être sûre de ce que lui ou toi vous ferez.

— Je le sais à présent avec Gav, balbutie-t-elle. Ça ne va nulle part.

— Ce n'est pas vrai. Ça se passait bien avant que vous ayez cette dispute idiote. Vous avez tout pour vous et vous passez de super moments ensemble. Pourquoi ne pas laisser les choses se faire tout simplement ?

— Tu ne comprends pas. Ne me sors pas toutes ces conneries de vivre l'instant présent, je ne suis pas une putain de bouddhiste zen et toi non plus.

Elle refuse d'écouter la voix de la raison. Elle se montre têtue, sous les vraies couleurs de sa nature de capricorne. La seule issue possible est de la pousser dans ses derniers retranchements jusqu'à ce qu'elle rende les armes. Dieu merci, j'ai une licence en gestion comportementale de H. Je soupire et me lève.

— D'accord, d'accord. Reste une pauvre

loque obstinée. Ne sors avec aucun mec, au cas où ça ne serait pas le bon. Je sais, je sais, je sais, j'ai pigé ! Ce que tu pourrais faire, c'est rédiger un questionnaire et le faire remplir par tous les mecs qui te branchent afin qu'ils te donnent la garantie qu'ils te seront complètement dévoués pendant que tu décideras ce que tu veux, parce que ça, ça marchera vraiment.

Un vague sourire se dessine sur les lèvres de H malgré elle.

— Ou peut-être que tu pourrais enchaîner Gav. L'attacher à la table de la cuisine et le fouetter jusqu'à ce qu'il te demande en mariage. C'est ça que tu veux ? Tu es absolument certaine que c'est l'homme de ta vie ?

— Non, reconnaît-elle.

— Très bien.

— Mais je l'aime et je veux que ça marche.

— Et quand a-t-il dit qu'il ne le voulait pas également ? H, tu es ridicule.

— C'est trop tard, à présent. Il est parti.

— Oui, il a dû rentrer chez lui. Il n'est pas parti au bout du monde. Tu riras sûrement de tout ça demain.

Elle va mieux et nous nous serrons dans les bras l'une de l'autre.

— Le pire, c'était de ne pas pouvoir mettre la main sur toi, dit-elle. Je m'inquiétais vraiment.

— Je sais, je sais, je me suis laissé emporter, je suis désolée.

Elle me demande de lui raconter mon weekend à Brighton.

— Alors qu'est-ce qui ne va pas ? Pourquoi cette tronche ?

— Je ne sais pas. J'ai passé un super moment, mais maintenant je me sens toute chamboulée à cause de Chloé. Elle a vraiment été salope.

— Elle a peut-être raison de te mettre en garde.

Je suis immédiatement méfiante.

— Pourquoi ? Qu'est-ce qu'elle a dit ?

H soupire et fait une grimace, l'air de dire, accroche-toi ma cocotte.

— Pas grand-chose. Je ne veux pas que tu te ramasses, c'est tout. Chloé connaît bien Jack. Elle dit que c'est un vrai coureur de jupons et que la seule perspective d'une relation suivie suffit à le faire déguerpir.

— Et toi tu penses quoi ? Tu crois ce que dit Chloé, à présent ?

— Non. Tout ce que je dis, c'est que tu ne devrais pas te faire trop d'illusions.

— Alors c'est ça, hein ? Ça ne va pas marcher. Eh bien, je suis contente que tout le monde ait décidé pour moi et m'ait épargné ce souci.

H me force à m'asseoir.

— Allons allons. Tu es la mieux placée pour savoir ce qui est bien.

Elle a raison, bien sûr, mais je déteste quand elle me rend mes conseils. C'est dur à avaler.

De retour chez moi, je m'allonge à plat ventre sur le canapé et contemple le tapis. C'est confus dans ma tête. Avant mon rendez-vous avec Jack vendredi, j'étais sûre de moi. Je pensais avoir mis au point une stratégie. Je comptais être cool et laisser venir les choses :

il était hors de question de coucher avec lui. D'accord, je le reconnais, j'avais acheté de nouveaux sous-vêtements — même des jarretelles (hyper désagréables à porter) — et craqué sur un nouveau maquillage, du parfum et une robe d'enfer, mais je n'avais aucune intention de tout faire rater. Je voulais juste qu'il me désire et que ça dure, et qu'il s'aperçoive que j'étais quelqu'un avec qui il pouvait avoir une relation.

Et maintenant j'ai tout gâché. Avant même que ça ait commencé.

Mais soudain je me rappelle Brighton, et les souvenirs paraissent si frais que j'en ai les paupières qui me piquent. Était-ce bien ce matin que j'étais serrée tout contre lui ? Comment cela n'aurait-il pas d'importance à ses yeux ? Comment peut-il tirer un trait dessus aussi vite ? Comment peut-il me traiter comme un coup facile qu'on jette après usage ?

Je me fais couler un bain, mais ça ne me fait aucun bien. J'ai froid, j'ai pris un coup de soleil, je me sens abandonnée et, même après m'être emmitouflée dans mes serviettes propres, le sentiment d'abandon persiste. Inutile de lorgner du côté du téléphone, je sais qu'il ne sonnera pas. Pourquoi appellerait-il ? Il a Chloé pour le distraire.

Je m'enduis de crème hydratante, mais j'ai beau être épuisée, le sommeil ne vient pas. Je plie les bras par-dessus le bord de la couette et contemple le plafond, et le week-end défile dans ma tête comme une série de diapositives. Je suis surexposée sur chacune d'elles.

Autant pour mes grandes espérances. J'ai

tout eu et tout perdu en une journée. Dans plusieurs années, quand je serai assise devant mon radiateur comme une vieille taupe, couverte de toiles d'araignée, les gens diront : « Ah, oui, la pauvre, elle a été heureuse ce fameux jour de juin, mais ça s'est arrêté là. »

Et même si Jack n'est pas mort, c'est tout comme. Je me fais du mal en imaginant ce qu'il est en train de dire :

« Amy, c'est un bon coup. On a bien ri, mais bon ça suffit comme ça. »

« Pourquoi je la reverrais ? Mes amis sont plus importants, je veux être jeune, libre et célibataire. À quoi bon se mettre un fil à la patte ? »

C'est insupportable. Je ne peux pas rester couchée avec sa voix dans la chambre, je me traîne dans la cuisine pour me faire un chocolat chaud. Je hume le lait. Ça ira. Ce n'est que quand je referme le frigo que je remarque que les lettres aimantées dessus ont été déplacées. En rose, vert et orange, il y a écrit :

AMY
TU ES
GÉNIALE

J'appuie mon visage sur la porte blanche et souris, parce que je sais que ce message ne peut venir que de Jack. Je reste là, à attendre que le lait bouille, et je ne me sens pas si mal.

5

Jack

Une nouvelle aube

Ma matinée commence par une devinette :

Question : Qu'est-ce qui sent le fromage, a le goût du fromage, mais n'est pas du fromage ?

Réponse : Les pieds de Matt.

Bon, d'accord, Matt est un type charmant. Ou plutôt : Matt est une *perle*. Nous avons traversé pas mal de trucs ensemble ; des cours de piano à Bristol avec miss Hopkins, la mégère indomptable qui détestait les enfants, en passant par la puberté et nos premiers achats de revues cochonnes et de cidre bon marché, jusqu'à notre préoccupation actuelle : faire semblant d'être des membres mûrs et responsables de la société londonienne. Et je peux dire avec certitude qu'il y a peu de sacrifice que j'hésiterais à faire dans son intérêt. S'il ne me restait qu'une seule cigarette dans mon paquet et qu'on se trouvait à des kilomètres du moindre bureau de tabac, je la partagerais avec lui. S'il passait par-dessus bord au cours d'une tempête, je plongerais pour le sauver. S'il avait besoin d'un rein, je lui donnerais un des miens. Et, s'il insistait vraiment, je lui donnerais mon dernier Rolo. Mais même l'amitié la plus forte a ses limites. Et se réveiller en trouvant le gros orteil suant de son pied gauche coincé contre mes dents, ça dépasse franchement les limites.

J'ôte le bout de chair inopportun de ma bouche et m'essuie les lèvres sur le bras. Ou, plutôt, sur ma manche. Parce que je suis tout habillé. Je porte encore les vêtements dans lesquels je me suis écroulé en écoutant « Breakfast in America » de Supertramp (une ironie qui n'a pas échappé à mon cerveau privé de sommeil). Je tente de me redresser et aussitôt chavire, reste allongé sur le côté en attendant que la houle qui s'est emparée de la maison de Matt se calme. Après quelques secondes, ça se stabilise, je me lève, mets le cap sur le divan, réussis à me hisser à son bord et parviens à adopter une position assise. Ce n'est qu'alors que je me risque à faire le point.

Un mot me vient : Apocalypse. Les Quatre Cavaliers sont tous présents et gisent sur le terrain de l'Armageddon qui fut naguère le salon de Matt : Matt, Chloé, Jack Daniels et Jim Beam. Les deux premiers sont allongés à mes pieds, côte à côte devant le canapé, encuillérés comme des amants. Les autres sont des coquilles vides dépouillées de leur âme. Le col en verre de Jim est brisé là où Chloé l'a fracassé contre la table vers les 2 heures du matin, répandant ses tripes sur le tapis. Jack est vide, sa substance spiritueuse définitivement vampirisée, et indique l'endroit où je me tenais quand on jouait au jeu de la Vérité. En contemplant ce spectacle décadent, témoin d'une dépravation et d'une extrême futilité, j'aboutis à la conclusion que ma vie est nulle.

Je prends une décision. Il faut changer quelque chose.

Je fais un rapide diagnostic personnel :

Goût : alcool éventé, tabac et chips parfumées au bacon.

Toucher : Instable/moite.

Vue : Brouillée.

Ouïe : Ronflements de Matt ; battements de mon cœur.

Odorat : Pieds de Matt.

Et mes pires craintes se confirment. Ma vie : de la merde. De la merde : ma vie. Pour l'instant, c'est plutôt difficile de faire la différence. Je bois trop. Je fume trop. Je ne travaille pas assez. Et c'est là l'existence que je mène depuis six mois. C'est comme ça que j'ai choisi de vivre. Et ce n'est plus ce que je veux.

J'entends une vache péter et comprends qu'il s'agit de Matt. Son expression se change en une grimace de douleur quand ses paupières se décollent. Il est impossible de dire s'il s'agit d'une réaction oculaire à son comportement bovin, ou d'une simple déduction, fondée sur la faible lumière qui filtre par les rideaux, que, oui, on est bien lundi matin et, que, non, il n'est pas en état d'aller travailler. Il grogne, consulte sa montre et marmonne quelque chose d'incohérent. Puis, les yeux à nouveau collés, il secoue doucement Chloé.

Matt : Foktutlève.

Chloé : Cékouastodeur ?

Matt : Jvouapadkouatuveuparlé.

Chloé : Oyayaya. Chaipaouchuis.

Matt : Onvaêtenrtaroboulo. Onvaspouintéenrtaroboulo.

Chloé : Menfou. Jveuhmourir. Jélatêtkivaexplozé.

Matt : Ekoutmoua. Tutlaiv. Oké ? Tuvatleuvé ?

Chloé : Dak. Jmeulèv. Enkeurdiminutéjmeuhlèv.

Matt : Dak. Enkeurdiminut. Méaprêonvabossé. Dak ?

Chloé : Dak.

Heureusement, mes talents linguistiques et culturels incluent la capacité à parler couramment le gueuldeboua. Résultat, je suis en mesure de traduire leur échange de vues intellectuelles et de conclure qu'ils ont pris la décision de ne pas bouger pour l'instant. Tant mieux. Parce que ma gueule de bois est en train de passer en surmultiplié. J'ai besoin d'un bain. De mariner longtemps dans de l'eau chaude.

Cinq minutes après avoir immergé mon corps endolori dans la baignoire, je souffre toujours le martyre. En plus de ma gueule de bois, j'éprouve une rare déprime et un profond dégoût de ma personne. La créature de Frankenstein peut aller se rhabiller. Nosferatu, au placard. Je suis le spécimen absolu. Je suis la créature maudite vouée à errer sur terre dans des souffrances interminables jusqu'à la fin des temps. Dante n'avait rien vu.

La preuve physique de ma condition infernale est sensible dans les faits suivants :

a) le percussionniste du London Philharmonic Orchestra joue un solo nourri aux amphètes dans la salle de concert de mon crâne ;

b) mon estomac se révulse et grogne comme si j'avais avalé un chien enragé ;

c) le niveau d'eau du bain s'élève visiblement au fur et à mesure que mon front transpire.

Dans un besoin désespéré de rédemption, je me tourne vers la religion. Je deviens un pèlerin et le bain devient mon Lourdes. Je chante : Louange à Toi ô Seigneur pour l'offrande de cette Eau chaude. Je bénis l'esprit purificateur du Savon et les bienfaits du Bain moussant. Et en vérité je rends grâces à ce bain et à tout ce qui y trempe.

Mais ça ne sert à rien. En cette heure cruciale, le Dieu en lequel je ne crois plus depuis l'âge de douze ans a manifestement décidé de me retourner le compliment. Je me retrouve sans autre choix que d'accepter la sinistre vérité, à savoir que mon corps n'est pas un temple, mais une porcherie. Et une porcherie plutôt minable, pour tout dire. Mais je me rappelle alors le conseil d'Amy de l'autre jour concernant l'ABCDE, et, fort de ce conseil, j'abandonne provisoirement le bain, inonde le carrelage de la salle de bains et attrape deux aspirines sur l'étagère. Je les fais passer avec un verre d'eau du lavabo et retourne dans mon cocon aqueux.

Allongé là, j'attends que le médicament fasse son office, attrape mon masque et mon tuba de derrière les robinets et les mets. Un changement d'environnement pourrait bien être la clef de ma guérison. Certaines personnes recourent à la méditation pour se laver la tête. D'autres aux drogues. Moi, c'est le masque, le tuba et rester allongé dans le bain la tête sous l'eau. Adieu, terre ferme, et vous remèdes terrestres. En route pour l'Atlantide.

Je m'immerge complètement sous l'eau et joue au jeu auquel je joue depuis que je suis gosse. Les yeux fermés, j'imagine un paysage sous-marin dans lequel j'évolue. Des récifs de corail aux couleurs vives en bas, des courants chauds tout autour. Je m'imagine que je suis capable de respirer sous l'eau. Des algues caressent ma peau, des poissons défilent prestement. Et au-dessus de moi, au-dessus des vagues, je devine un ciel bleu et dégagé.

Mais il y a des moments où n'est pas Houdini qui veut. Et ce moment est l'un d'eux. Le paysage imaginaire disparaît et je me retrouve avec une eau bien crade et de la mousse douteuse au-dessus de ma tête. C'est une question de concentration, je suppose. Or je me laisse distraire. Complètement. C'est le vieux problème. Le GROS problème. La vie. Et où est-ce qu'on va. Et comment ça se fait qu'on n'y soit pas encore. J'ai vingt-sept ans et qu'ai-je fait ? Réponse : rien. Le fait que je sois conscient que la paranoïa dont je souffre est largement consécutive à ma gueule de bois ne la rend pas moins réelle. Je gâche ma vie, et je le sais.

Il faut que ça change.

En novembre dernier, j'ai pris une décision. Quitter mon boulot et devenir artiste. Sauter de la proue du brave paquebot Confort, et renoncer à la sécurité du treizième mois, de la pension-retraite et des heures fixes. Naufragé volontaire, j'allais tenter ma chance parmi les requins et atteindre l'île mythique d'Accomplissement. Et donc, le 1er décembre 1997, je me suis levé de mon poste de travail du département artistique de la ProPixel Ltd, à Wembley. Sur l'écran de mon Mac était affiché le dessin d'emballage inachevé des Chick'en'Choc (« Les pilons de poulet préférés des petits »), dessin que, en signe de solidarité envers la gent gallinacée du monde entier, j'effaçai de mon existence. Ma lettre de démission, tapée sur le PC de Matt le soir même, expliquait que la raison de mon départ était simple : je voulais « vivre ma vie ».

Je me suis donné un an pour atteindre ce but. Nager ou couler. Et s'il fallait couler, eh bien je coulerais. J'avais assez d'expérience et de contacts pour me trouver un autre boulot merdique dans une autre boîte merdique. Et ça serait parfait. Parce que, au moins, j'aurais essayé. Au moins je ne me serais pas contenté de la médiocrité. Et, même en ressentant ce que je ressens à présent — la moitié de mon année fatidique déjà écoulée et toujours aucune terre en vue —, ce n'est pas un choix que je regrette. Ce qui me mine, c'est tout ce temps que j'ai perdu cette année. Si l'ambition est nécessaire au succès, alors la mienne, je pense, est gravement atteinte. Et c'est ça qui me mine.

Solution : je dois me mettre au travail. Aujourd'hui. Aujourd'hui, je vais me mettre sérieusement à vivre la vie que je me suis choisie. Un nouveau tableau. Aussitôt, une idée surgit dans ma tête. Je sens un déclic et je me dis que ça pourrait être le début de quelque chose de grand.

Je souris. Une bonne pensée. Une bonne pensée suffit à chasser la paranoïa. Tout comme Peter Pan, une bonne pensée et je peux voler. Et ce n'est pas comme si j'avais une seule bonne idée. J'en ai deux. J'ai mon travail dans lequel m'absorber. Et j'ai Amy. Je me repasse le week-end à Brighton dans ma tête, en faisant une pause sur les bons moments : les galipettes sur la plage, le restau français, la douche de l'hôtel... rien que du très bon. Amy est gentille. Amy est propre. Amy est toutes les choses que, présentement, je ne suis pas. Amy est vraiment quelqu'un que je dois continuer à fréquenter. Une amie. Une amie avec laquelle je couche.

Une petite amie.

Le concept me saute au visage comme un diable à ressort (un ressort du diable, comme dit Chloé). Exactement comme l'autre soir quand on a joué au jeu de la Vérité. Je me rappelle l'instant où Chloé a fait tourner la bouteille de Jack Daniels et que cette dernière s'est arrêtée, pointée sur moi. Matt s'était fait prendre en train de raconter des bobards énormes, et il avait dû, comme gage, avaler trois cuillerées d'huile d'olive, ainsi que se déshabiller complètement. Il était assis près du canapé, ses parties intimes discrètement coincées entre les jambes, on aurait dit une nana. Chloé, plus experte en bobards, avait dû seulement ôter son pantalon. Et moi, qui m'enorgueillis de n'avoir que peu de secrets pour mes plus proches amis, n'avais pas encore eu un seul gage. Jusqu'à ce que la bouteille me désigne. Jusqu'à ce que Chloé m'interroge sur Amy.

— Est-il erroné, demanda-t-elle, un sourire maléfique aux lèvres, de qualifier Amy de petite amie ?

— Oui.

— Menteur, fut sa réponse, et elle chercha le regard de Matt pour sa confirmation.

— Menteur, dit-il.

Chloé tendit la main.

— Le caleçon. Vite.

— Hors de question. Je dis la vérité. On vient juste de faire connaissance. On est potes, d'accord ? Rien de plus.

— Teu-teu-teu, fit Chloé en jetant à nouveau un coup d'œil à Matt. Trop il s'insurge ce me semble.

— Certes oui, fit Matt. Puis-je plaider ?

Chloé se laissa aller confortablement en arrière et l'engagea à poursuivre.

— Faites, mon éminent confrère. Après tout, c'est vous l'avocat.

Matt se leva pour plaider, puis, se rappelant sa nudité, se rassit et posa les mains sur son triangle pubien.

— Monsieur Rossiter, je vous accuse d'avoir passé tout un week-end en compagnie de la dénommée Amy Crosbie. Je vous accuse également d'avoir enfreint au cours de ce

186

week-end les règles usuelles du comportement célibataire, à savoir, si vous me passez l'expression triviale (ici sa bouche se tordit de dégoût) : draguer, peloter et tripoter ladite personne dans l'intention expresse de la sauter. Car, oui ou non, avez-vous ou n'avez-vous pas invité ladite Amy Crosbie à votre domicile (et là il s'éclaircit la voix avec emphase)... à dîner ?

— Je l'ai invitée.

Matt fronça les sourcils.

— C'est bien ce que je craignais, mesdames et messieurs du jury. Et n'avez-vous pas aggravé votre cas en emmenant la susnommée Amy dans un endroit de douteuse réputation à Brighton répondant au nom de Casanova ?

— Oui, reconnus-je, et alors ? Vous savez tous les deux que ce n'est pas la première fois que j'emmène une fille là-bas. Ça ne veut rien dire du tout. Ça ne fait pas d'elle ma petite amie, quand même ?

— En ce cas, reprit Matt, auriez-vous la bonté d'expliquer aux personnes ici présentes comment il se fait que, quand nous vous avons rencontré un peu plus tôt dans la journée, vous chahutiez et gloussiez et portiez ladite Amy Crosbie dans vos bras ?

— C'était juste pour rigoler.

Matt réprima un ricanement, se reprit, et baissa la voix :

— Oh ! non. C'était loin d'être ça. N'était-ce pas là le geste d'un homme doué d'émotions — que dis-je, de sentiment — pour la femme qu'il serrait si étroitement ?

— Non.

— Arrête tes salades, dit Chloé en se moquant de moi. T'es amoureux d'elle. C'est du sérieux. Pourquoi ne pas le reconnaître ?

J'évitai son regard.

— Parce que c'est faux.

— Donc, continua Matt, même à la lumière du témoignage apporté devant ce tribunal, vous refusez d'ôter votre caleçon ?

— Oui.

— Outrage à magistrat, dit Chloé.

— Oh, et puis zut, dis-je. Quel jeu à la con.

Petite amie.

Le mot est toujours là, en dépit de mes protestations de la veille au soir. C'est bizarre, mais sur le moment j'étais sincère quand je disais qu'Amy n'était qu'une copine et tout ça. Mais maintenant je ne sais plus. Je me sens coupable d'avoir parlé d'elle en ces termes à Matt et Chloé. J'ai l'impression de l'avoir en quelque sorte trahie — ce qui, je pense, est le cas. J'étais saoul, mais ce n'est pas vraiment une excuse, non ? Je savais alors, comme je le sais maintenant, que c'était un bon week-end. Conneries, oui : c'était un super week-end. Alors comment se fait-il que j'aie dit tout ça sur elle ? Comment se fait-il que j'aie changé du tout au tout quand on est rentrés de Brighton et que j'ai joué les indifférents ? Quel intérêt ? Peut-être est-ce parce qu'elle a filé ventre à terre auprès de sa copine, et que je me suis retrouvé avec Matt et Chloé ? Le triumvirat ! Retour à la normale, la biture et les âneries habituelles.

Petite amie.

Ça ne veut pas disparaître. Parce que je sais

que je vais revoir Amy. Parce que je le veux. Bientôt.

Je me dis que, peut-être, j'aurais dû filer mon caleçon à Chloé.

Je respire à fond, mais rien ne se passe. Paniqué, je pivote et remonte à la surface. Chloé est assise sur le bord de la baignoire, une main coupable en l'air.

— T'as vu des sirènes, joli marin ? demande-t-elle.

Matt, une serviette autour des reins, déboule dans la salle de bains en titubant et me regarde avec méfiance.

— Pourquoi tu fais ça ? demande-t-il.

J'ôte l'embout de ma bouche.

— Fais quoi ?

— Te lever. T'arracher à la moquette et t'efforcer d'atteindre le stade du réveil. Pourquoi tu fais ça alors que tu ne dois même pas aller bosser ?

— Parce que, mon ami, dis-je en me dépouillant de mon costume d'homme amphibie, redevenant un jeune homme doux et policé, j'ai du travail.

J'ouvre la bonde de mon océan imaginaire et sors de la baignoire, frôle Chloé qui détourne les yeux et attrape une serviette.

— Et c'est exactement ce que je vais faire maintenant.

La vie au parc

Le jeudi matin débute par une surprise : je rêve d'Amy. Nous sommes sur une plage tropicale et le soleil se répand sur la mer en tirant derrière lui un ciel étoilé comme un rideau. Il fait chaud, mais je la serre contre moi.

— On est bien, murmure-t-elle en posant la tête sur mon épaule.

Ses cheveux me chatouillent la joue. Je pourrais rester ici toute ma vie.

— Ouais, c'est...

Mais avant que je puisse dire quoi que ce soit — et il y a des choses que j'ai envie de lui dire — j'entends une espèce de bourdonnement strident. Je me retourne, mais je ne vois que la ligne des palmiers au loin sur la plage. Puis le bourdonnement se change en aboiement furieux. Je me tourne vers Amy, et je la vois qui lève les yeux. Au début, je suis trop estomaqué pour exprimer ce que je vois : une tête de loup qui saille du cou d'Amy, des crocs dégoulinant de salive. Je suis paralysé par cette vision et le son qui sort de sa bouche et qui se change à présent en ululement. Soudain je la repousse, me tourne et m'enfuis, j'appelle à l'aide, je fuis, je fuis.

Je me réveille le front trempé de sueur sur l'oreiller que j'étreins. Même là, les yeux grands ouverts, dans ma chambre, le hurlement continue. Puis les battements de mon cœur se calment et je comprends de quoi il s'agit : c'est Gros-Toutou, mon réveille-matin. Je tends une main, l'attrape sur la table de chevet et le balance à l'autre bout de la pièce. Il pousse un gémissement de douleur en heurtant le mur et retombe. Silence.

Gros-Toutou est un cadeau que mon frère, ce fou de gadgets, m'a fait l'an dernier à Noël. Quand il se déclenche, ça commence par une respiration haletante, puis ça devient un grognement, et enfin un aboiement furieux, avant d'atteindre les aigus déchirants. La carte qui l'accompagnait disait : « Une nouvelle petite amie pour toi. » Ah ah ah. Sacré Billy. Quel gros malin, mon frangin. Mais pour un cadeau de Billy, ça pourrait être pire. Et c'est certainement mieux que le précédent, un chauffe-chaussettes électrique.

Quant à l'intrusion dans le rêve, ce n'est pas la première fois que Gros-Toutou joue les guest star. C'est un soulagement, car sinon ce serait facile de jouer les apprentis Freud. Il serait tentant, par exemple, d'interpréter mon rêve comme suit :

a) la plage tranquille représente mon besoin fondamental de sécurité et d'échange émotionnel ; la métamorphose d'Amy en loup, alors que je suis sur le point d'exprimer une émotion, représente ma peur de renoncer à mon indépendance ; par conséquent, je suis immature sur le plan émotionnel et je crève de trouille à la seule idée d'envisager une relation suivie ;

b) Amy a un côté canin et elle ne me plaît guère.

La corrélation directe entre la rigidité de mon pénis et le temps passé à me rappeler mes cabrioles sexuelles avec Amy ces derniers jours rend caduque la seconde interprétation. Ce qui me laisse la version (a). Mais je ne peux m'y résoudre. Je ne suis pas immature sur le plan émotionnel. J'ai autant d'émotions que n'importe qui. C'est juste que je suis difficile quant à leur usage, c'est tout. Et je n'ai pas peur. De quoi aurais-je peur ? C'est moi qui menais la barque jusqu'à présent, pas Amy, non ? Enfin quoi ! C'est elle qui m'a appelé mardi après-midi. D'accord, c'est moi qui n'avais pas envie de raccrocher et ne cessais d'aborder de nouveaux sujets pour qu'on continue de discuter. Mais c'est tout à fait normal ; je suis du genre sociable. Je suis là-dedans autant que je le veux, pas plus. Je peux retirer mes billes à tout moment. C'est pas difficile. Renoncer à mon indépendance ? Foutaises. Je suis aussi indépendant que le jour où j'ai fait sa connaissance.

Freud peut aller se rhabiller.

Je décroche le téléphone.

— Salut, Amy. C'est Jack. Ça te dit qu'on déjeune ensemble ?

Il y a un long, doux — et, oui, il faut bien le dire, très sexy — gémissement à l'autre bout de la ligne.

— Jack ?

— Ouais, tu sais, le mec avec qui tu as passé ton week-end.

De nouveau le gémissement, puis :

— Quelle heure il est ?

— Vers les 8 heures et demie.

Elle s'éclaircit la voix.

— Et... et comment tu vas ?

J'entends Matt qui sort de la salle de bains.

— Oh, tu sais, très bien. Comment ça se fait que tu sois encore au lit ?

— Je travaille pas aujourd'hui. Top-Temps m'a laissé tomber.

Elle paraît abattue.

— Désolé, dis-je. (Puis :) Merde, j'ai gâché ta grasse matinée, hein ?

— Non, non — euh, si. (Elle rit.) Mais ça va. C'est bon de t'entendre.

Il y a un silence, et je l'entends qui remue dans son lit. Je l'imagine couchée, les cheveux sur l'oreiller, les yeux tout bouffis. J'aimerais être avec elle.

— Déjeuner, dit-elle. Ouais, ça serait super. Où ça ?

Je regarde par la fenêtre.

— Eh bien, Amy, j'ai l'impression qu'on va encore avoir droit à une belle journée de soleil. Et si on allait à Hyde Park ? Pique-niquer. Se faire bronzer.

— Génial ! Quelle heure ? Et où ça ? Hyde Park, c'est grand.

— Exact. Passe me prendre au boulot.

À peine ai-je dit ça que je comprends que j'ai merdé.

Et ça ne rate pas, elle paraît troublée.

— Quoi, ta maison, tu veux dire ?

— Euh, non... (J'improvise :) C'est une galerie à Mayfair. La galerie d'un copain. Il est pas là, et je lui ai dit que je m'en occuperais. Juste un service.

— Oh, d'accord. Donne-moi l'adresse.

Nous parlons encore quelques minutes, puis je raccroche, m'étire et me lève. Je bous. Hyper réveillé et l'esprit clair. C'est à cause de ce qui se passe depuis lundi, ce tourbillon permanent. Lundi, je me suis mis à travailler dans l'atelier à 11 heures et, sauf pour déjeuner et prendre un rapide café avec Matt quand il est rentré du boulot, je suis resté là jusqu'à 22 heures passées. Pas de télé. Pas de glandouille dans le jardin. Rien que bosser.

Je suis parti d'une idée qui m'est venue dans le bain pendant que je soignais ma gueule de bois. J'ai fouillé dans la collection de revues branchées de Matt et j'ai découpé des tas de photos d'accessoires de mode que j'ai punaisées ensemble sur une planche. Puis j'ai emprunté la voiture de Matt et j'ai récupéré une toile chez ArtStart à Chelsea. 0,90 × 2,40. J'ai dû relever la capote de la Spitfire pour la ressortir. J'ai passé le reste de la journée à faire des esquisses préparatoires, afin de pouvoir recopier les découpages sur la toile. Et puis je m'y suis collé. Et c'était le pied, comme si j'avais conscience de changer enfin de cap. Pareil pour mardi et mercredi soir, une fois que je suis rentré de la galerie. Pas de détour par le pub. J'ai même laissé tomber Gete et Paddy et la virée qu'ils me proposaient dans le West End. Rien que le travail. Rien que ce que j'aurais dû faire ces six derniers mois.

— Pourquoi t'as l'air aussi content de toi ? demande Matt quand j'entre dans la cuisine.

— La vie, Matt. Juste la vie.

J'attrape un bol, m'assois en face de lui, me verse du muesli et du lait.

— Ah ouais ? T'as prévu quelque chose pour aujourd'hui ?

194

— Pas vraiment. Un petit saut à la galerie. Comme d'hab'.

— Hun-hun. Ah, au fait, ajoute-t-il, il y a un message sur le répondeur pour toi.

Je contemple mon bol, pas du tout intéressé.

— Qui ça ?

— S&M.

Je le sens qui m'observe.

— Qu'est-ce qu'elle veut ?

— Eh bien, pas ton corps, apparemment. Elle voulait savoir si ça tenait toujours pour demain. Poser, tu sais.

— Oh.

Il attend que je dise quelque chose, mais pas folle la guêpe.

— Donc, tu penses toujours que t'as tes chances ? demande-t-il.

On verra bien, non ?

Il hausse les sourcils.

— Ouais.

— Ça veut dire quoi ?

— Devine. Trois lettres. Ça commence par un À et ça finit par un Y.

Amy. Je fixe à nouveau mon bol.

— Qu'est-ce qu'elle vient faire là-dedans ?

— Tu dois le savoir mieux que moi.

— Comment ça ?

— Donc, tu ne comptes pas la revoir ?

— Je n'ai pas dit ça.

— Donc tu comptes la revoir.

Je pose ma cuiller sur mon bol, termine ma bouchée. Quand je le regarde, je n'arrive pas à décider s'il plaisante ou s'il est sérieux.

— Je n'ai pas dit ça non plus.

— Et tu dis quoi, alors ?

— J'sais pas. Je n'ai pas pris de décision.

— Donc tu ne déjeunes pas avec elle à midi ? (Il éclate de rire en voyant mon expression surprise.) Désolé, mais je n'ai pas pu m'empêcher d'entendre votre conversation...

Ça m'énerve.

— D'écouter aux portes, tu veux dire.

Mais Matt ne réagit pas. Il se contente de me sourire.

— Y a pas à dire...

— Quoi ?

— Pique-niquer dans le parc. Très romantique.

Il prononce le mot pique-nique comme si c'était une maladie contagieuse.

— Un pique-nique, j'explique, est une forme de repas. Un parc est un endroit où les gens pique-niquent. Il n'y a rien de particulièrement romantique là-dedans.

Il hausse les épaules avec nonchalance.

— Comme tu voudras. (Il termine son café.) Personnellement, j'appelle ça un rendez-vous romantique. Personnellement, j'y vois une nouvelle preuve qu'Amy est en train de devenir un peu plus qu'une simple copine. Personnellement, je te conseille, si tel est le cas, d'être très prudent dans ton comportement avec S&M.

— Mais encore ?

Matt se lève et enfile sa veste.

— L'heure de la décision est peut-être venue, dit-il en se dirigeant vers la porte.

Je me rends en vélo à la galerie de Paulie. Il me faut deux minutes pour ouvrir. Quelqu'un a essayé sans succès d'entrer par effraction mardi soir et a complètement déglingué la porte. Maintenant il y a une nouvelle porte et de nouvelles serrures et, ce qui est plus important, Paulie me doit le fric que j'ai allongé pour les payer. Je n'ai pas eu de nouvelles de lui de toute la semaine, pas depuis qu'il est parti en jet faire de l'escalade au Népal. Hormis cette dette, je n'ai pas à me plaindre. Paulie, pour être franc, est assez con. La quarantaine passée, anciennement dans les affaires, multimillionnaire, avec une propension à l'arrogance de la taille du canal de Panama et une personnalité grosse comme une merde de rat. Quand il m'a fait passer un entretien pour la place, il m'est apparu clairement qu'il n'avait rien à battre de l'art, et la seule raison pour laquelle il possédait une galerie était que ça lui donnait un sujet de conversation dans les dîners. Toutefois, comme Chris, avec lequel je bossais chez ProPixel, me le conseillait à l'époque : « C'est un travail. Ça paie. Fais-le, c'est tout. »

Je me dis que le conseil de Chris n'est pas moins valable maintenant qu'à l'époque. Qu'est-ce que ça peut faire que ce boulot soit assommant au possible ? Ça paie le loyer. Ça me convient. J'entre, me prépare un café, m'installe à la table près de la porte, souris aux gens qui regardent par la vitrine, et me concentre pour avoir l'air professionnel et aimable.

Ça dure cinq bonnes minutes. Ensuite je fais les cent pas dans la cuisine à l'arrière de la galerie, la radio allumée, en fumant une cigarette et en réfléchissant à la conversation que j'ai eue avec Matt ce matin. Il a raison, bien sûr, en ce qui concerne McCullen. Ou, plutôt, il a raison en ce qui concerne McCullen et Amy. Parce que c'est la même chose. C'est la question épineuse par excellence. La fidélité.

Pendant les deux ans que j'ai passés avec Zoé, la fidélité n'était pas un problème ; je lui étais fidèle et, pour autant que je sache, elle m'était fidèle en retour. Mon point de vue sur la question était très clair :

a) la différence entre coucher avec quelqu'un avec qui on sort et coucher avec quelqu'un avec qui on ne sort pas, c'est le contenu émotionnel ;

b) si vous couchez avec quelqu'un et que vous ressentez quelque chose, alors c'est que cette personne compte pour vous ;

c) si cette personne compte pour vous, pourquoi vouloir la tromper ;

d) si vous trompez allègrement la personne avec laquelle vous sortez, alors c'est qu'elle ne compte pas pour vous ;

e) si elle ne compte plus pour vous, alors vous ne devriez pas sortir avec elle ;

f) si la personne avec laquelle vous sortez vous trompe, alors c'est qu'elle ne valait pas la peine que vous lui accordiez de l'importance.

Ça ne veut pas dire que je désapprouve l'infidélité à cent pour cent ; ce n'est pas le cas. Et ça ne veut pas dire que je n'ai pas eu affaire aux infidélités d'autres personnes ; c'est le cas. Entre Zoé et aujourd'hui, j'ai couché avec une femme mariée et deux autres qui avaient des petits amis. Mais dans chacun de ces cas, ce n'était pas moi qui prenais la décision d'être infidèle, c'étaient elles. Selon moi, la trahison s'arrête à leur porte, pas à la mienne. Les célibataires sont des prédateurs par définition. Une fois que j'ai rompu avec Zoé, je suis devenu libre et indépendant. Je ne devais fidélité sexuelle à personne.

Mais j'ai pleinement conscience que mon statut de célibataire est aujourd'hui menacé. Je ressens vraiment quelque chose pour Amy. Je ne dis pas que ce soit énorme. Ce n'est pas comme si j'étais un chevalier éperdu d'amour sur le point de s'empaler sur son épée ou je ne sais quoi. Mais quand même, la pensée de la voir dans quelques heures m'est agréable. Et tout doit bien commencer quelque part. Et si c'est là qu'Amy et moi nous commençons, alors la chasse à la McCullen en marquera sûrement la fin. Donc, il faut choisir. Exactement ce que Matt m'assenait ce matin. La question que je dois considérer est la suivante : ai-je envie de m'engager avec Amy ? Parce que si c'est le cas, alors le temps que ça durera, je lui serai fidèle. Ce qui veut dire ne pas poursuivre McCullen de mes assiduités. Ce qui veut dire ne plus draguer personne d'autre.

Et ça, c'est vraiment une décision de taille.

Amy arrive à la galerie de Paulie à 13 h 04. Je le sais parce que ça fait neuf minutes que je surveille l'horloge, depuis que j'ai mis au point ma pose artiste en prévision de sa venue : les pieds sur le bureau, un ouvrage illustré sur l'histoire du dadaïsme studieusement posé sur mes genoux. Elle tapote sur le carreau, poing fermé, et je lève les yeux, l'air de rien, puis souris et me lève. Elle porte des sandalettes et une robe aux motifs lumineux qui lui descend jusqu'aux genoux, et ses cheveux sont attachés. La règle vestimentaire de mon pote Andy s'applique à cent pour cent : « On voit qu'une femme est bien fringuée quand on est incapable de l'imaginer autrement que nue. » Je vais lui ouvrir. Nous restons là une seconde, à sourire nerveusement, puis je me penche et nos lèvres se rencontrent.

Quand elle se recule, je caresse son nez du doigt.

— Le coup de soleil a disparu, à ce que je vois...

Elle rougit, fait la grimace.

— Cinq pots de crème Nivéa plus tard. (Elle jette un œil à la galerie puis me sourit.) Alors, quel effet ça fait de s'offrir une petite journée de travail ?

À ce stade, la brigade de la Conscience tranquille prend position sur les lignes du front, toute de blanc vêtue et armée de serpillières et de seaux d'eau chaude et savonneuse. *Non mais regardez un peu dans quel état est cet endroit,* murmure ladite brigade d'un air dégoûté. *Il est grand temps de nettoyer toute cette merde, non ?* Ce en quoi elle n'a pas tort : je me sentirais nettement mieux dans ma peau si je disais la vérité à Amy et lui avouais que je bosse ici trois jours par semaine.

Mais alors que je suis sur le point de parler, de lâcher le morceau et de reconnaître que je l'ai baratinée, car je sens que je peux à présent lui dire la vérité, qu'elle ne m'en voudra

200

pas, voilà que je me déballonne. Et si elle prend mal la chose ? Et si elle se dit : il m'a menti une fois, il me mentira encore ? Alors ça sera fini. Ça sera fini avant même d'avoir commencé. Qui plus est, je ne vais pas non plus faire ce boulot toute ma vie. C'est juste un pis-aller. Et les gens qui sont au courant, Matt et Chloé, ont l'habitude d'assurer mes arrières. Amy n'a pas besoin de savoir.

— Tu sais quoi, dis-je, préférant ignorer sa question plutôt que de mentir effrontément, plus tôt on sera sortis d'ici, mieux ce sera.

Je retourne le panneau sur la porte pour indiquer que c'est fermé, et nous prenons la direction de Hyde Park. Nous reparlons du weekend et de ce que nous avons fait depuis. Puis nous achetons des sandwiches et du soda. Comme nous marchons, nos mains se frôlent, et voilà que nos doigts s'enlacent. Je ne peux m'empêcher de tressaillir. Pas effrayé, non. C'est bête, parce que nos mains ont déjà touché des parties de nos corps autrement plus intimes. Mais cela s'est passé derrière des portes fermées, ou en état d'ébriété, ou loin de Londres. Pas ici en plein soleil sur mon terrain. C'est le sens de ce geste, je suppose, qui me fout les jetons. C'est ce côté salut-tout-le-monde-nous-voilà-on-est-ensemble.

— Quoi ? demande-t-elle en riant.

Elle s'est arrêtée et regarde nos mains jointes.

Je me mords l'intérieur de la joue et dis :

— Rien, ça fait bizarre, c'est tout.

— On n'est pas obligés, si tu ne veux pas.

En fait, ajoute-t-elle avec espièglerie, c'est probablement mieux de ne pas le faire.

Je reste là, troublé, me sentant soudain déboussolé, avec le sac des courses dans ma main gauche et rien dans la droite.

— Comment ça ? je fais finalement.

Elle fronce les sourcils, me défie :

— Quoi ? Tu crois que je suis bête ? Je sais où ça mène, ces trucs-là.

Je ne pige toujours pas. Je n'arrive même pas à savoir si elle est sérieuse ou pas.

— Quels trucs ?

— Se tenir la main, par exemple. Ma mère m'a mise en garde contre les hommes dans ton genre. D'abord on se donne la main, puis on se bécote, et après tu voudras coucher avec moi, je tomberai enceinte et tu iras te maquer avec une autre pouffe. (Elle me fait la moue.) Eh bien, sache, Jack Rossiter, que je ne suis pas ce genre de fille.

Je ricane de soulagement.

— Compris, dis-je. Tu marques un point.

Je tends ma main, mais elle se contente de hausser les sourcils en attendant que j'en dise plus.

— S'il te plaît, dis-je. Ça me ferait plaisir.

— Vraiment ?

— Vraiment.

Et, comme elle remet sa main dans la mienne et que nous marchons, je dois reconnaître que c'est très agréable.

La partie du parc en bordure des allées principales est bondée quand nous arrivons. Tous les ronds-de-cuir profitent de leur pause-repas et se farcissent leur dose quotidienne d'oxygène impur et de soleil. Ce ne sont que jupes relevées, manches retroussées et cravates dénouées. Des bouteilles vides d'Évian et des emballages de sandwiches jonchent l'herbe, et Amy et moi nous frayons un chemin parmi ces obstacles jusqu'à ce qu'il y ait moins de gens et que nous trouvions un endroit tranquille au centre du parc. Nous nous installons à l'ombre d'un arbre et pique-niquons en bavardant.

Au début, tout cela me paraît assez irréel. J'ai l'impression de jouer un rôle, je ris aux plaisanteries d'Amy, je réponds du tac au tac, je la sonde et m'efforce de lui faire trouver ça agréable. Bref, je fais ce dont les filles raffolent — en tout cas ce que j'ai appris à leur faire aimer chez moi. Mais, au bout d'un moment, la comédie s'achève. Ce n'est plus moi qui joue le rôle de Jack Beau Gosse, ou Jack Vous Écoute, ou un des quatre personnages que j'ai mis au point depuis que j'ai rompu avec Zoé. Je suis enfin Jack Lui-Même. Et c'est un soulagement. Je me détends. On est allongés côte à côte, à regarder les motifs des feuilles qui se détachent contre le ciel, et soudain, il y a une conversation que j'ai envie d'avoir avec elle, une conversation que je n'ai pas eue avec quiconque depuis ma rencontre avec Zoé.

— Ce truc de se tenir la main, je commence.

Elle pose le bout de ses doigts contre les miens.

— Ce truc ?

— Ouais, dis-je en refermant ma main sur la sienne. Celui-là.

— Eh bien ?

— Je ne sais pas. C'est juste que... tu sais... ça veut dire quelque chose. C'est un lien. Je veux dire, quand tu regardes deux personnes qui se tiennent la main, tu fais des déductions, non ?

— Genre, ils sont ensemble...

— Plus que ça. Tu supposes que la situation les rend heureux, qu'elle les satisfait.

Sans me lâcher la main, elle se redresse sur un coude et me regarde dans les yeux.

— Et toi ? C'est ce que tu ressens quand tu es avec moi ?

— Je crois que oui.

Son front se plisse légèrement.

— Tu le crois seulement ?

J'essaie d'expliquer.

— Eh bien, on ne sait jamais, non ? C'est un peu tôt. (Je m'embrouille.) En ce qui me concerne, en tout cas.

Elle paraît déçue, mais quand elle parle, sa voix est ferme.

— Tu ressens ce que tu veux, Jack. C'est aussi simple que ça. Ce n'est pas quelque chose que tu prévois. C'est juste quelque chose que tu sens.

Elle a une façon de parler, on dirait qu'elle est déjà passée par là une centaine de fois.

— Je merde un peu, hein ?

— Tu t'attends à quoi ? T'es un mec. Ça fait partie de tes attributions.

— C'est juste que c'est bizarre de m'ouvrir ainsi à toi. Ou plutôt de ne pas m'ouvrir.

— Tu n'as pas à me dire des choses que tu n'as pas envie de dire.

— Je sais. Mais il se trouve que j'ai envie de te dire des trucs.

— Quels trucs ?

— Que j'ai passé un week-end fantastique et que je passe en ce moment une journée fantastique... et que je veux que ça continue. Je veux que ça recommence.

Elle ne dit rien, parce qu'elle sait que je n'ai pas fini. Et elle a raison. Mais je suis encore sur mes gardes. Ce n'est peut-être pas ce dont elle a envie. Elle est gentille, bien sûr, mais encore ? Peut-être que pour elle ce n'est qu'une aventure. Et si je lui dis que je veux davantage, que je suis enfin prêt pour quelque chose de plus sérieux qu'une partie de jambes en l'air, ça va l'effrayer. Et puis il y a moi. J'ai peur de moi, aussi. Peut-être que j'ai pris un coup de chaleur et que d'ici quinze jours je vais me retrouver prisonnier d'une relation dont je ne veux plus.

Sa main se serre sur la mienne.

— Tu sais ce que je ressens ?

— Non, dis-moi.

— Je me sens à l'aise. (Elle secoue la tête, sourit.) Putain, super à l'aise. Je me sens bien. (Elle lève ma main devant mon visage.) Ça c'est génial. C'est agréable. C'est ce que je veux.

— Et si ça ne mène nulle part ?

— Alors ça ne mènera nulle part.

Et voilà. Une vague de soulagement me submerge. Il n'y a aucune pression. On laisse faire les choses. On fait ce que des millions de gens font tous les jours : on jette les dés et on attend de voir sur quelle face ils s'arrêtent.

— Très bien, dis-je, alors quand les gens nous regardent nous tenir la main et pensent qu'on est ensemble, ils auront raison, hein ?

— Oui.

Quand on s'embrasse, c'est différent des fois d'avant. Losque nos lèvres se touchent, c'est comme si on apposait un sceau physique sur le pacte verbal qu'on vient de conclure. *C'est la fin d'une partie de ta vie et le commencement de la suivante.* Alors que nos langues se mélangent, je m'aperçois qu'il en va de même pour nos vies. Mais quand ce baiser finira, nous ne finirons pas. Cela n'arrivera que si l'un d'entre nous le décide. Cela ne se produira que si nous cessons de croire aux mots que nous venons de prononcer. Et qui sait ? Peut-être qu'il y a de grandes chances pour que ça arrive. C'est ça qui est excitant, je suppose. Mais il y aussi des chances pour que ça soit réel. Et c'est là une éventualité qui me fait sourire alors que nous nous enlaçons sur l'herbe et nous laissons gagner par le sommeil.

Je retourne à la galerie vers les 16 heures, encore abruti par le soleil et tout chamboulé par ce qui s'est passé. Il y a une enveloppe enfoncée dans la boîte aux lettres, je l'ouvre et je lis le message qui est dedans. Il y a écrit : *Appelle-moi immédiatement sur mon portable. Paulie.* Merde. Merde, merde, merde. J'ai vraiment une chance de salaud. Le seul jour où je mets les bouts, il faut qu'il se pointe. J'entre, je respire à fond et je compose son numéro. Il n'est pas de bonne humeur. Il est même d'une humeur massacrante. Avec force jurons expressifs, il m'explique qu'il est passé pour un cré-

206

tin devant sa nouvelle petite amie parce qu'il n'a pas pu entrer dans sa propre galerie vu qu'on avait changé les serrures. Mais je découvre que ce n'est là que les prémices à de mauvaises nouvelles.

Moi : Écoute, Paulie, j'ai merdé, d'accord ? Et je suis désolé. Et ça ne se reproduira pas.

Paulie : Et comment que ça ne se reproduira pas, tu veux que je te dise pourquoi ?

Moi : Pourquoi ?

Paulie : Parce que t'es viré, merde, voilà pourquoi. Je veux que tu fermes la galerie tout de suite, que tu déposes les clefs chez Tim Lee à la boutique d'à côté, et ensuite je ne veux plus jamais te voir ou entendre parler de toi. Est-ce que c'est assez clair comme ça ?

Moi : Et c'est tout ?

Paulie : C'est tout.

Moi : Eh bien, en fait, il y a un truc que je ne comprends pas.

Paulie : Lequel ?

Moi : Comment ça se fait que la réception soit aussi mauvaise sur ton portable ?

Paulie : Parce que je suis dans un hélicoptère. Mais putain quel rapport avec...

Moi : Et tu es où exactement ?

Paulie : En route pour Paris.

Moi : Ah.

Paulie : Ça veut dire quoi, ah ?

Moi : Ça veut dire, ah, ben tu devrais rebrousser chemin parce que je vais laisser tes clefs de merde sur ta porte de merde, et je vais laisser grande ouverte ta porte de merde.

Je ne porte pas ma menace à exécution, bien sûr. En partie parce que Paulie peut se payer un meilleur avocat que moi, et en partie parce que je me sens plus déprimé que furieux. Et donc je verrouille consciencieusement la porte pour la dernière fois et dépose les clefs chez Tim.

À côté de ça, la guerre de Cent Ans ressemble à une brouille inoffensive. Les conséquences sur ma vie sont à peine quantifiables. Pas de revenu = impossible de maintenir mon choix de vie actuelle = impossible de faire autrement que d'accepter le premier boulot venu = fin de mes ambitions et début d'une existence pénible et absurde.

Le peu de contrôle que j'avais sur ma vie vient de disparaître et, comme je monte sur mon vélo et m'en retourne vers un appartement que je n'ai plus les moyens de me payer, je suis submergé par un sentiment d'impuissance. Je n'ai encore jamais ressenti ça. Enfin, presque.

*

Confession n° 4. Impuissance
Lieu : ma piaule d'étudiant, Édimbourg.
Date et heure : 2 octobre 1991, 23 h 30.
Ella Trent était canon. C'est peu de le dire. Ella Trent était top canon. Les jambes de la doublure de Julia Roberts dans *Pretty Woman*. Le visage d'Uma Thurman quand elle danse avec John Travolta dans *Pulp Fiction*. Les seins de Jamie Lee Curtis dans *Un fauteuil pour deux*. Et le charisme tranquille de Lauren Bacall. S'il existait une école où la condition d'admission était la beauté plutôt que le

QI, alors Ella Trent serait la fille dont ils mettraient la photo sur les publicités. Cette femme ne filait pas simplement le torticolis aux types quand elle entrait dans une pièce, elle leur faisait se rompre le cou.

Et c'est moi qui l'avais décrochée.

Cela n'aurait jamais dû avoir lieu, bien sûr. Il y avait elle, et il y avait moi. Le Nord & le Sud. La Douce & l'Amer. La Belle & la Bête. Oncques les deux n'auraient dû se croiser. Ella Trent n'était pas destinée à des hommes dans mon genre. Une star de rock ou de cinéma ? Oui. Un rendez-vous dans le dernier café à la mode de Hollywood ? Oui, bien sûr. Mais Jack Rossiter devant *Le Dernier Verre* sous l'averse ? Non. Pas une chance sur un milliard.

Non que je me plaignais de ce tour imprévu du destin. J'avais dix-neuf ans, et j'étais en deuxième année des beaux-arts à Édimbourg. L'unique raison pour laquelle j'avais fait une première année c'était qu'Ella Trent travaillait au même étage de la bibliothèque que moi. Quand je ne regardais pas mes manuels, c'est elle que je regardais. Je la matais et je gambergeais et je faisais des plans sur la comète. Et, finalement, j'ai trouvé le courage de lui parler. Après une approche subtile (emprunt d'un stylo, ce genre de trucs), j'ai réussi à instaurer une relation d'estime réciproque fondée sur des hochements de tête.

Mais ce n'était pas à ces cartouches d'encre que je m'intéressais. Mes cinq fantasmes sexuels de l'époque — par ordre croissant, pour des raisons d'excitation — étaient :

5. Me retrouver au lit avec les deux jumelles de ma classe Hayley et Becky.

4. Être fait prisonnier par une tribu d'Amazones dans un but de reproduction.

3. Me faire fouetter à coups de flétan mouillé par Mlle Chaptal, ma prof de français.

2. Être le seul survivant de sexe masculin d'un accident d'avion sur une île tropicale déserte, où les survivantes seraient des prétendantes au titre de miss Monde.

1. Avoir un orgasme simultané avec Ella Trent après une joute sexuelle acharnée.

Hormis le coup du poisson en troisième position (attribuable, je le soupçonne aujourd'hui, au fait que je bouffais du hareng et des frites à tous les repas), je trouve que c'était une liste assez banale pour un jeune homme de mon âge. Mais l'ordre est éloquent. Ella Trent l'emportait sur un cheptel illimité d'Amazones. Impressionnant, non ? Elle était en tête de liste. Et c'était plus fort que moi.

Et donc j'étais là, dans ma chambre, après lui avoir roulé des patins devant le bar *Le Dernier Verre* et dans le taxi qui nous avait ramenés. Je la regardais tandis qu'elle se déshabillait, savourant chaque seconde. Pour moi, c'était l'occasion de réaliser le fantasme d'une vie. Et si, pour elle, c'était parce qu'elle était stoned, qu'elle avait perdu ses lunettes et m'avait confondu avec Brad, un étudiant australien qui lui plaisait, qu'est-ce que ça pouvait bien faire ? Sur le moment, en ce qui me concernait, sa présence dans ma chambre à coucher était le résultat direct d'une campagne superbement gagnée. J'avais fait mon travail de sape dans la bibliothèque. Je l'avais repérée au *Dernier Verre*. Je l'avais bousculée accidentellement au bar. Et je l'avais baratinée et draguée comme si ma vie en dépendait.

Et mon plan avait marché.

Elle était dans ma chambre, allongée sur mon lit, nue. J'avais vaincu. J'avais vu. Et bientôt j'allais baisu. Et j'espérais bien qu'on allait, comme dans mon fantasme, jouir ensemble. Me la faire était dans le sac et tout allait bien se passer. Ça serait le coup du siècle, ça serait sextraordinaire, sexceptionnel, sexcellentissime, ni plus ni moins. J'allais être son Clint Eastwood, son Sean Connery et son Richard Gere. Elle se souviendrait de moi. Mon ego l'exigeait.

Et, au début, tout se passa exactement comme ça. On s'est roulés, bousculés, mélangés sous les draps. On s'est caressés, pelotés, tripotés. C'était le pied. L'arrache-pied. Je ne l'avais jamais eue aussi dure de ma vie.

— Maintenant, dit-elle. Maintenant. Mets un préservatif. Vite, s'il te plaît.

Mais si mon plan pour mettre en œuvre mon fantasme numéro un fonctionnait, quelque chose d'autre, m'aperçus-je atrocement en mettant le préservatif, ne fonctionnait pas. C'était peut-être dû aux huit pintes de bière qu'il m'avait fallu ingérer pour trouver le courage de faire le premier geste. Ou c'était l'incrédulité, le fait de voir ce corps incroyablement beau et de savoir que je ne serais jamais à la hauteur. Ou alors c'était le choc, le fait d'accomplir quelque chose que je n'aurais jamais cru possible.

Mais quelle qu'ait été la cause, les conséquences étaient les mêmes : une sensation de
perdition dans mes entrailles, accompagnée
d'un rétrécissement entre mes jambes. Je regardai ma bite encapotée se racornir comme un
ballon crevé. Non. C'était impossible. Pas
maintenant. Pas avec elle. C'était hors de question. Je me mis à paniquer, et me repassai en
esprit les fantasmes numéros deux à cinq. Mais
ma bite pensait à autre chose. Pour la première
fois depuis ma naissance, elle refusait de monter au créneau. Elle battait retraite. Et pas
qu'un peu. Ella et moi l'avons regardée se voû-
ter et reculer, se tasser et agoniser.

— J'y crois pas, dis-je.

— Ne dis rien, répondit-elle en se levant et
en prenant ses baskets qui traînaient par terre.
C'est la première fois que ça t'arrive.

Je me couvris le visage des mains.

— Tout ça c'est la faute de maman.

— Quoi ?

Mon accent australien se fit plus prononcé.

— Elle n'aurait jamais dû m'appeler Brad.
J'ai jamais supporté.

*

Images parlantes

Je crois que tout changement prend du
temps. Tellement de temps que vous ne vous
apercevez pas que ça se produit. Comme la
puberté. Un moment vous avez onze ans sans
le moindre poil où que ce soit, et puis, dix ans

212

plus tard, non seulement vous voilà velu comme un tapis afghan, mais en plus ça pousse sur vos jointures et dans vos narines. Et vous vous demandez : comment suis-je devenu comme ça ? À quel moment, précisément, ai-je cessé d'être un gamin à la peau de pêche pour devenir un homme au ventre poilu ? Et vous n'avez pas de réponse à ces questions, parce que ça ne s'est pas passé pendant la nuit, ça a pris des années.

Mais parfois, c'est différent. Parfois le changement est un train express, qui vous prend à un arrêt et vous dépose plus loin en quelques secondes. Et qui vous laisse chancelant. Chancelant et hébété, parce que vous vous rendez compte de la distance parcourue et vous savez que vous ne pourrez jamais revenir en arrière.

Prenez maintenant. Je suis là dans ma chambre, il est 8 heures du matin. Je suis dans les bras d'une jolie fille, sa tête est posée sur ma poitrine, et le bruit de sa respiration est synchrone avec la mienne. Il y a de ça quinze jours, ma réaction aurait été probablement :

a) il y a une *fille* endormie dans mon lit ; parfait ;

b) il y a une fille endormie dans mon lit ; merde, ça veut dire que je ne peux pas m'éclipser ;

c) il y a une fille *endormie* dans mon lit ; vaut mieux la réveiller — mais mince comment elle s'appelle ?

Mais il se trouve que je connais le nom de cette fille. Cette fille s'appelle Amy. On est dimanche. Cela fait une semaine et demie que je me suis fait virer de la galerie de Paulie.

213

Cela fait une semaine et demie que j'ai eu cette conversation avec Amy à Hyde Park et que nous sommes passés de Elle & Moi à Nous. Et ma réaction à sa présence ici est maintenant :

a) Amy dort dans mon lit ; parfait ;

b) Amy dort dans mon lit ; bien, je n'ai pas envie que ça soit dans le lit d'un autre ;

c) Amy dort dans mon lit, génial, parce que me réveiller sans elle les nuits où on est séparés ne me plaît pas du tout.

En dépit de ma résistance initiale, j'en suis venu à la conclusion que le changement n'est pas nécessairement une mauvaise chose. C'est tout aussi bien, vraiment, parce que le changement ne se limite pas au fait de me réveiller avec Amy à mes côtés. Le changement, comme l'ont fait intelligemment remarquer les hippies, est partout autour de nous. Autour de ma chambre, au moins. Les vieux fidèles — mes pin-up *FHM* préférées, le carreau de la fenêtre avec sa collection d'insectes écrasés et mon caleçon fantaisie — ont été respectivement arrachées, nettoyé et abandonné à la machine à laver. Et si le changement a du bon, c'est surtout côté literie. Mes draps, ma couette et mes oreillers sentent encore la lessive. Le cendrier de ma table de nuit contient quatre, plutôt que quarante, mégots. Et mon numéro de *Playboy* de mars 71, cadeau d'anniversaire de Matt pour mes vingt-cinq ans, a été retiré de sous le matelas et rangé dans une boîte au-dessus de la penderie.

Mais le changement, ça fait chier aussi. Et

quand le changement concerne mon boulot, ça craint.

Ma première idée quand je suis rentré chez Matt après avoir été viré a été de construire une effigie de Paulie avec de la merde de chacal, de dessiner un pentagramme sur les pierres de la cour intérieure, et de planter des aiguilles à tricoter dans ses organes vitaux tout en chantant la messe à l'envers. Ayant renoncé à ce rituel pour des raisons pratiques (la merde de chacal est une denrée rare à cette période de l'année), j'ai adopté une attitude plus réaliste. Je me suis gonflé l'ego, je me suis dit que je touchais ma bille dans ma partie et ne devrais pas avoir de mal à me trouver un job en free-lance. Il y a des fois, néanmoins, où le monde prend un malin plaisir à broyer votre ego comme s'il s'agissait d'une fourmi. Dix coups de fil à de vieilles relations et dix refus plus tard, j'en conclus que c'était, effectivement, une de ces fois. J'ai encaissé tant bien que mal. Il ne me restait qu'une solution : mendier.

J'ai dressé une liste des bienfaiteurs potentiels :

1. Mon père. Papa a dit au revoir à Kate, Billy, maman et moi environ une semaine après mon huitième anniversaire. Deux enfants et une femme qu'il n'aimait plus, ajoutés au stress de la navette entre Londres et Bristol, l'ont rendu sensibles aux douteux appas de Michelle Dove, sa secrétaire d'alors. En dépit des prédictions contraires de ma mère, papa et Michelle sont toujours mariés. Ils habitent une belle demeure dans Holland Park et partagent leur temps entre dépenser les sommes d'argent

phénoménales que la société immobilière de papa a amassées pendant le boom des années quatre-vingt, et élever leurs deux enfants, Davie (quatorze ans) et Martha (treize ans). Papa et moi nous voyons deux fois par an (anniversaire et Noël). Chances qu'il me donne de l'argent : zéro. Chances qu'il me prête de l'argent : minces. Chances qu'il me propose à nouveau de m'aider à démarrer dans les affaires : fortes.

2. Mon frère : Billy Boy, fidèle à sa fascination pour tout ce qui relève de la technologie, fait du marketing pour une boîte de logiciels dans les Docklands. Billy a un emprunt-logement et une famille sur le dos. Il s'en sort bien et il est heureux. Mais il a un avenir. Il doit penser à ses enfants. Je ne dois pas le réinstaller dans le rôle du père qu'il a pris si au sérieux quand Kate et moi on était petits.

3. Ma mère. Demander de l'argent à maman me mettrait dans la même catégorie que Néron au niveau de la bienséance. Elle travaille comme dactylo dans une banque de Bristol et, une fois payés le loyer et les factures, il ne lui reste pas grand-chose. Bien sûr, elle trouverait l'argent, comme elle l'a fait quand j'étais étudiant, mais je ne serais pas franchement fier de moi.

4. Ma sœur. Étudiante. Autant demander à un cadavre des conseils de santé. Laissons tomber.

5. Matt. Pas évident. Matt est bourré de fric, et c'est mon meilleur ami. Je ferais la même chose pour lui, mais il est tellement généreux,

je me sentirais mesquin de le taper. Question de respect de soi, je suppose.

Pas vraiment ce qu'on pourrait qualifier de sélection idéale. Mais à situation désespérée, remèdes désespérés. Partant du principe qu'une chance mince est mieux que pas de chance du tout, c'est papa qui a droit au coup de fil. Sa standardiste est hostile, mais papa, assez bizarrement, a bien accueilli ma proposition de nous voir. Nous sommes convenus de déjeuner ensemble mardi prochain.

Ça s'est bien passé. Relativement bien. Ça s'est bien passé pour une entrevue avec le seul membre de la famille incapable de ne pas soupirer à ma seule vue. Nous avons bavardé un moment, nous nous sommes raconté nos vies. Puis j'ai filé droit au but et lui ai demandé s'il pouvait me prêter de l'argent, et il m'a dit que je devais apprendre à me débrouiller tout seul. Je lui ai dit alors que j'avais perdu mon boulot et il m'a dit qu'il pouvait me présenter à une excellente société de valeurs en Bourse. Puis je lui ai dit que je voulais réussir dans l'art, il a soupiré et reporté son attention sur sa salade au homard. Puis il a fait quelque chose qu'il n'avait encore jamais fait si ma mémoire est bonne ; il a trouvé une solution qui éviterait d'entraîner un compromis de notre part. Il m'a dit qu'il allait me passer commande d'une toile pour le hall d'accueil de leurs nouveaux bureaux de Knightsbridge. Et j'ai fait quelque chose que je n'avais encore jamais fait : je l'ai remercié et je lui ai dit que je ne lui ferais pas défaut.

On est vendredi matin, et Willy Ferguson,

le directeur marketing de papa, s'est pointé — ou, plutôt, traîné — chez Matt. J'avais annulé la séance de pause de Sally pour la deuxième semaine consécutive, en lui disant que je devais me rendre à Bristol pour un enterrement. La semaine dernière, enlisé dans une dépression post-limogeage, je n'avais pas été en mesure de la voir du tout. Et, bien sûr, il y avait ce qui s'était passé avec Amy : notre pacte. J'avais besoin de temps pour faire le point dans ma tête avant de voir Sally et de risquer de me mettre en pilotage automatique et oublier que je n'étais plus disponible. Elle était d'accord là-dessus et c'était un soulagement, car en dépit de ma décision de ne pas essayer de conclure avec elle, je voulais finir son portrait.

Willy avait la cinquantaine passée, le crâne dégarni, et une bedaine que seule une vie de plantureux repas avait pu produire. Un truc ressemblant à un haricot trop cuit saillait dans son épaisse moustache, juste au-dessus de sa bouche. Je l'ai conduit dans l'atelier, où j'avais exposé mon travail en vue d'obtenir son avis critique. Il a examiné les tableaux comme s'il parcourait un menu McDonald.

— Trois mille livres, dit-il finalement. Mille tout de suite et le reste à la remise. Faites un grand tableau, on est une grosse boîte. La taille, c'est ce qui compte. De la même taille que celui-ci, reprit-il en désignant ma toile avec les collages. Mais pas aussi bizarre.

— Vous avez une idée du genre de chose que vous recherchez ? demandai-je pour l'aider.

— Quelque chose de clair. Quelque chose qui rende les gens gais.

— Quelque chose de clair...

— Jaune.

— Jaune ?

— Ou orange. Orange ça serait parfait.

— Et citron vert ? demandai-je, estomaqué à l'idée que j'avais la chance d'assister à un cours sur la théorie citrique de l'art par le Pr Willy Ferguson.

Il étudia la chose un moment, avant de décider :

— Non, citron vert ça n'ira pas. On penserait à du moisi. On n'a pas envie que les clients qui viennent pensent que nos murs sont rongés par l'humidité. Restez-en au jaune ou à l'orange. On ne peut pas trop se tromper avec ça.

Je décidai d'appeler le rayon bricolage de la plus proche grande surface pour leur commander un pot de couleur jaune le plus satiné.

— C'est qui l'oiseau ? demanda Willy, en avisant le portrait de Sally.

Il se pencha pour mieux le voir.

— Un modèle, c'est tout.

Il pencha la tête d'un côté et resta abîmé dans une intense contemplation pendant un long moment.

— Étonnant, conclut-il enfin.

Je me sentis gonflé de fierté.

— Ça vous plaît ?

— Et comment. Ça fait des siècles que je n'avais pas vu des seins aussi coquins et un petit cul aussi ferme.

C'est donc ça. Après l'agréable (Amy), vient

le désagréable (demander de l'aide à papa), puis l'immonde (la monstruosité jaune que je vais torcher pour décorer le hall d'accueil de la boîte de papa). Mais je ne dois pas me plaindre. Je vais toucher de l'argent. Je peux de nouveau vivre. Je voulais du changement, me voilà servi.

Donc, il faut faire avec.

Je regarde Amy. Elle dort toujours. Ce serait agréable de l'imiter, mais j'ai trop gambergé pour espérer regagner le joli pays des rêves. Il est tentant, bien sûr, de me glisser sous les couvertures et de la réveiller par un petit cadeau du matin, mais on s'est couchés tard et ça ira comme ça. Au lieu de ça, je sors du lit et m'habille, et je vais à l'épicerie au coin de la rue. De retour dans la cuisine, je découpe des tranches de saumon fumé que je dépose sur des bagels. D'accord, c'est extravagant. Tout comme insister pour payer cette robe qu'Amy a essayée hier. Mais c'est le genre de geste qui rend la vie agréable. Comment mieux dépenser son argent ?

Amy a déserté le lit quand je reviens dans la chambre ; je pose le plateau sur les draps tire-bouchonnés et vais voir dans la salle de bains. Là encore, pas trace d'Amy. Je m'aventure dans le couloir et l'appelle, mais pas de réponse, aussi je descends au rez-de-chaussée.

Je la trouve finalement dans l'atelier. Les portes-fenêtres sont fermées et il règne une chaleur suffocante, comme dans une jungle. Elle est assise en tailleur par terre, vêtue de mon T-shirt noir Jimmy Hendrix et d'une petite culotte blanche. Très yin-yang. Mais ce n'est pas ce qu'elle porte qui retient mon attention. C'est ce qu'elle regarde fixement. La peinture encore inachevée de Sally McCullen. La peinture à moitié finie de la très belle Sally McCullen. La peinture inachevée de la très belle Sally McCullen, avec une paire de seins et un cul comme Willy Ferguson n'en a pas vu depuis des années.

— Je peux tout expliquer, dis-je.

Amy ne se retourne pas.

— C'est Sally, hein ? C'est Sally, ton modèle.

— Vraiment, dis-je, ce n'est pas ce que...

Amy lève une main.

— Je me trompe peut-être, dit-elle en regardant McCullen, mais ne m'avais-tu pas dit qu'elle était, je cite, « une mocheté de première. Je ne la toucherais pas avec un bâton merdeux. Mais c'est ça les nus, non ? Ils sont censés être intéressants, pas attirants. Sinon c'est juste de la pornographie. Un sale petit pervers qui prend son pied en matant une fille nue ».

Elle se tourne finalement vers moi. Son expression pousserait n'importe quelle troupe d'assaut à envisager un repli stratégique imminent.

— C'est bien ce que tu as dit, non ?

— Euh, oui, mais...

— Mais quoi, Jack ? Tu m'as menti ? Elle n'est pas renversante ? Tu n'es pas un triste pervers ? Hein ? C'est quoi ? Allons, j'aimerais savoir. Qu'est-ce qui se passe, Jack, t'as perdu ta langue ?

Je contemple mes pieds. Je n'ai pas perdu

ma langue. Je l'ai jetée dans les toilettes, j'ai tiré la chasse et éteint la lumière derrière moi. Que pourrais-je dire ? Oui, je lui ai menti. Oui, Sally McCullen est renversante. Et, oui, je suis probablement un peu pervers.

Finalement, je dis la seule chose que je peux dire vu les circonstances :

— Je suis désolé.

Je la regarde et j'espère qu'elle me pardonnera de m'être comporté aussi stupidement.

6

Amy

Je n'ai jamais été aussi humiliée.

Jamais.

Je suis la fille illégitime d'Attila et de Darth Vader. J'ai les nerfs.

Je regarde la porte par laquelle on m'a éjectée et lui adresse des signes cabalistiques, histoire de m'empêcher de donner un coup de pied dedans.

Je remonte la rue sous des nuages couleurs d'ecchymoses et marmonne dans ma barbe inexistante. Le temps que j'atteigne la gare, les cieux se sont ouverts et je suis trempée.

Amy Crosbie : lessivée.

Je ne pensais pas qu'il était possible de se faire virer d'un boulot d'intérim. Je pensais que j'étais intouchable et pouvais continuer à caboter tranquillement d'un emploi à l'autre. Mais je me trompais, manifestement.

Me tromper semble un de mes nouveaux talents.

Ça ne me plaît pas.

D'accord, je n'aurais pas dû baratiner Elaine et lui dire qu'aucun standard n'avait de secret pour moi. J'aurais dû dire la vérité, mais on ne va nulle part si on ne ment pas sur ses compétences. C'est la règle numéro un de l'intérimaire : cochez toutes les cases « oui » sur le formulaire de présentation. Quand Elaine m'a appelée pour m'annoncer qu'il y avait un boulot de deux semaines très bien payé au siège social d'un grand cabinet juridique, je lui ai tout de suite dit que j'acceptais. Elle a jeté un œil à mon dossier.

— C'est bon. Tu as déjà travaillé sur un Elonexic 950 XPCZ 150 de système 2, a-t-elle dit gaiement. Tu n'auras pas de problème.

— Oui, oui, ai-je aquiescé sans écouter un mot, tout en calculant mon salaire et en pensant aux chaussures géniales que j'avais repérées la semaine dernière.

Après tout, ça ne peut pas vraiment être compliqué. L'accueil ? Les doigts dans le nez, oui.

En traversant Londres pour le quartier des affaires puis en foulant les hectares de l'atrium moquetté jusqu'à mon nouveau bureau, il ne m'est pas venu à l'esprit que je pourrais ne pas être qualifiée pour ce boulot. Pas davantage quand je me suis hissée en tortillant du cul sur le fauteuil de la Nasa en me présentant à Angela.

Mais j'y ai pensé quand je me suis retrouvée seule face à quelque chose qui ressemblait à un système de contrôle de trafic aérien. Je me suis alors dit que j'avais bariné une fois de trop. Des lumières rouges, orange et jaunes clignotaient furieusement, et seul le bourdonnement insistant des lignes encombrées interrompait le grand silence de la salle d'accueil.

« D'accord », ai-je murmuré en le regardant et en me frottant les mains, mais je pouvais déjà sentir des secousses sismiques miner les fondations de ma confiance intérimaire. Vingt minutes plus tard, je n'avais toujours pas réussi à prendre un seul appel et je commençais à paniquer. Au bout d'une heure, Angela a dû se douter de quelque chose. De retour d'un des nombreux étages supérieurs, elle a déboulé de l'ascenseur dans son tailleur à rayures.

— On a un problème ? a-t-elle demandé.

— Non, non, ai-je répondu en souriant et en m'apercevant que mes écouteurs étaient à l'envers. Tout va bien.

Elle a hoché la tête, visiblement peu convaincue. Je l'ai regardée s'éloigner. J'étais bien décidée à ne pas baisser les bras. J'ai toujours eu vingt sur vingt en physique. Cela ne devait pas être compliqué.

Ça l'était.

Je me retrouvai bientôt face à une marée d'interlocuteurs frustrés et une crise téléphonique majeure. À 11 heures, le standard avait l'air sur le point d'exploser. Je me suis mise à appuyer sur n'importe quel bouton au hasard.

— Merde, chiottes ! Cassez-vous, débiles. Arrêtez d'appeler ! Téléphonez ailleurs ! Dégagez la piste !

Deux minutes plus tard, l'ascenseur s'est ouvert et un type chauve dans un costume immaculé a foncé vers moi. Au début j'ai cru qu'il y avait un début d'incendie, vu qu'il battait des bras, mais il est vite devenu évident que le seul danger dans l'immeuble, c'était moi.

— Mais qu'est-ce que vous fichez, bon sang ? s'est-il écrié en pilant devant moi. Comment osez-vous jurer dans le système de télécommunications ? Vous vous rendez compte que nous avons des clients importants dans la salle de conférence ? On a entendu vos insanités à tous les étages ! À tous les étages !

Ses sourcils broussailleux tremblaient d'indignation et ses yeux globuleux paraissaient sur le point de jaillir de ses orbites.

Je me suis levée sèchement, mais le cordon de mes écouteurs m'a retenue au système et j'ai dû me rasseoir.

— Vous sortez d'où ? a-t-il aboyé comme je tentais de me débrancher.

— Shepherd's Bush, ai-je glapi en remarquant pour la première fois l'intercom.

J'ai appuyé dessus et il s'est éteint, comme la lumière verte sur le micro juste au-dessus de ma grande bouche.

Angela a déboulé par les portes de l'escalier. Elle tenait une main contre sa poitrine comme si elle avait du mal à respirer.

— De quelle agence vient-elle ? a demandé l'homme en me désignant pendant qu'Angela se précipitait à ses côtés.

— Top Temps, a-t-elle dit dans un hoquet. Ils vont avoir de nos nouvelles.

On ne m'a même pas laissé une occasion de m'expliquer et le type m'a entraînée par le bras vers la sortie.

— Aïe ! ai-je crié.

— Dehors ! a-t-il dit en me regardant comme si je venais de pisser sur la moquette. Je ne veux pas vous revoir. Vous rendez-vous compte...

Il n'a pas pu finir sa phrase, et un instant j'ai cru qu'il allait me botter l'arrière-train en me faisant passer la porte.

Je me précipite dans le métro, soulagée d'être sous terre. Cela semble le meilleur endroit pour moi. Je change de lignes au hasard, laisse le chassé-croisé de visages et d'affiches me calmer pendant que je réfléchis à toutes les choses que j'aurais dû dire. Je finis par trouver cinq reparties bien acérées qui auraient rivé le bec à Angela et à son acolyte.

Mais à quoi bon ? On ne me laissera jamais une chance de m'expliquer. Je dois le reconnaître : j'ai perdu la partie.

Je décide de changer de décor, et je sors à Green Park. Je lambine dans les allées de gravier en sentant le poids du monde sur mes épaules. Le ciel est toujours nuageux, mais au moins il ne pleut plus. Je serre ma veste trempée autour de moi et m'affale dans une chaise longue.

Je ferme les yeux et regarde flotter les points lumineux à l'intérieur de mes paupières. Je sais que je vais devoir me confesser à Elaine. Je remonte les genoux et les serre entre mes bras. Pourquoi n'a-t-on pas encore inventé la téléportation ? C'est un de ces moments où j'aimerais qu'on me téléporte. Une île lointaine au large de l'Amérique du Sud ferait l'affaire.

H n'est pas dans les parages et je ne veux pas appeler Jack. Après avoir découvert le portrait de Sally, je me sens légèrement détachée de lui. Même s'il a passé au moins une heure à tout m'expliquer et à s'excuser, je suis toujours furieuse qu'il ne m'ait pas dit la vérité avant. Il a dû penser que j'étais trop fragile pour encaisser le fait qu'il peignait une fille qu'il trouve manifestement séduisante. Qu'at-il pensé ? Que j'allais me changer en monstre de jalousie ? Cela aurait été peut-être le cas, mais la question n'est pas là. Aussi, maintenant, j'essaie d'être cool. Mais, là, comme ça, je n'y arrive pas. J'ai l'impression d'être une platée de gelée.

Je ne peux solliciter la compassion de personne d'autre. J'ai bel et bien brûlé tous les ponts. Depuis une semaine, j'ai passé la moindre de mes heures libres à appeler tous les gens que je connais pour leur chanter les louanges de Jack et me répandre sur la vie merveilleuse qui était la mienne. Maintenant que je suis officiellement une « petite amie », j'ai inondé de vibrations positives tous les gens qui ont la chance de figurer sur mon Filofax. C'est ce que je me suis dit, en tout cas. Mais pour qui je me prends ?

Regardons les choses en face. Il n'y a rien d'attentionné, d'honorable ou de généreux dans mes intentions. J'ai juste envie de rendre les gens verts de jalousie.

J'ai carrément fanfaronné auprès de Susie, ma meilleure copine de fac, qui s'est montrée plutôt insensible, vu qu'elle se débat dans une liaison avec un homme marié. J'ai monologué sur le fait d'avoir trouvé un sens au monde, et Susie a soupiré lamentablement dans le combiné.

— Tu en as de la chance.

— Toi aussi tu pourrais être heureuse. (J'ai marqué un temps pour l'effet. Elle savait ce qui allait suivre. On avait déjà eu cette conversation des centaines de fois.) Il ne la quittera jamais. Tu le sais, non ?

— Je sais, mais je l'aime.

Elle a dit cela avec un accent cockney pathétique, telle une héroïne de sitcom, et, comme d'habitude, nous avons fini par éclater de rire.

— Je suis vraiment contente que tout se passe aussi bien pour toi, a-t-elle reconnu à la fin de notre coup de fil. Même si je suis verte de jalousie. Je serais au septième ciel si un type se montrait aussi romantique. Ne le lâche pas, Amy, quoi que tu fasses.

Tout en éprouvant un sentiment de supériorité, je me sens coupable d'avoir fait une description de ma relation avec Jack riche en moments dignes d'un oscar hollywoodien. En outre, je le gratifie allègrement de nouvelles qualités qu'il a peu de chances de posséder. Pour commencer, j'ai dit à Susie que Jack s'était pointé chez moi avec un énorme bouquet de roses et qu'on avait dégusté du caviar et du champagne.

Le pique-nique était parfait, pourtant. Et en plus, le caviar me fait vomir.

Mais je sais pourquoi j'agis ainsi. Je voudrais tellement que Jack soit l'homme idéal que j'ai inventé et exagéré des choses à son sujet afin de convaincre mes amis, et du coup moi-même, que c'était le cas.

Je regarde les arbres et écoute la sonnette lointaine d'un marchand de glaces. Je respire à fond.

La vérité, c'est que ma vie n'est pas merveilleuse et que Jack n'est pas parfait.

Je réfléchis à tout cela un moment, puis, histoire d'enfoncer le clou, j'ajoute un « parce que » à ma constatation : ma vie n'est pas merveilleuse *parce que* Jack n'est pas parfait.

Si je pense tout ça, c'est sans doute parce que j'ignore si je vais passer le restant de mes jours avec lui. Ce qui est normal, je suppose, pour une relation aussi récente, mais ça ne m'empêche pas de paniquer. Cela fait si longtemps que j'attends le mec idéal que j'ai perdu tout sens de la réalité. J'ai cru que, quand l'amour daignerait faire surface dans ma vie, tout serait simple. Amour. Mariage. Bébés. Fini les embrouilles.

Mais le type que j'attendais n'est pas Jack. Le type que j'attendais est parfait.

Il est aussi le fruit de mon imagination.

Et au lieu de ça, j'ai Jack. Et si Jack est réel, il n'est assurément pas parfait. Il y a des choses chez lui qui me gênent vraiment. Suffisamment pour faire une liste.

1. Il est vaniteux. Je barre mentalement ce premier point. Ce n'est pas juste. Je pense ça uniquement parce qu'il a l'habitude de redresser le menton et de tourner la tête à droite et à gauche comme s'il passait une pub pour Wilkinson. Ridicule, mais pas vaniteux.

2. Il est ridicule.

3. Il est puéril. Il pète et trouve ça drôle, il tripote ses couilles quand il sort de la douche

et il boude quand il n'arrive pas à faire quelque chose. Mais bon, je ne suis pas non plus un modèle de maturité.

4. Son pied. Chaque fois que j'essaie de m'endormir, il remue son pied. C'est un gaspillage d'énergie, mais du coup j'ai l'impression de dormir avec un pilote de formule un. Quand il le fait contre ma jambe, ça me gêne encore plus parce qu'il n'entretient pas bien ses pieds. Pourquoi seules les filles se liment-elles les ongles des doigts de pied ?

5. Il semble faire plus de cas de ses amis que de moi.

6. Il peint de belles filles nues pour gagner sa vie.

Grrrr.

Donc, Jack n'est pas parfait. Il faudra que je m'en accommode. Je ne peux pas lui reprocher ma tristesse. Le fait que ma vie soit nulle est de ma faute. Et c'est à moi de redresser la barre si je ne veux pas couler.

Je remonte vers Oxford Street pour l'inévitable épreuve de force avec Elaine. Elle ne rayonne pas de joie. Elle est assise sombrement derrière son bureau dans le « salon privé » où nous sommes entrées pour « discuter ». Elle me dit que je l'ai laissé tomber, qu'elle est extrêmement déçue et elle se demande comment il est possible d'être aussi inconséquente, etc. Je reste les mains humblement croisées devant moi, à hocher et secouer la tête au rythme de ses remarques jusqu'à ce que ça tourne en rond, me confondant en excuses et adoptant un profil bas. Finalement, l'engueulade d'Elaine touche à sa fin. Elle écrase sa

cigarette dans le gravier qui entoure le caoutchouc en plastique. Il y en déjà environ une
dizaine. Elle a peut-être passé déjà une mauvaise journée.

— C'est très sérieux, Amy, dit-elle en se
mordant l'intérieur des joues, comme si elle
allait décider d'une punition. (Son épais fond
de teint s'interrompt en une ligne sombre sous
le menton.) Vu les circonstances, je me vois
mal te placer ailleurs.

Un glas funèbre sonnait jusqu'à présent dans
ma tête, mais je lève les yeux, nos regards se
croisent, et voilà que résonne un gong assourdissant, comme si Big Ben venait juste de faire
le grand saut.

Elaine ne le sait pas, mais en prononçant
cette phrase elle vient de dissiper le brouillard
dans lequel baignait ma vie. Elle continue à
déblatérer, mais je ne l'entends pas.

Tout est devenu incroyablement clair.

Un seul mot.

Ça a suffi.

Placer. Elaine se voit mal me *placer*.

Je n'ai pas besoin qu'Elaine me place !

Je suis étonnée qu'il ait fallu ce déclic pour
que je comprenne ce qu'est devenue ma vie.
Quand j'ai fait la connaissance d'Elaine, je lui
ai fait de la lèche, mais en dépit de tous mes
sourires et de mon zèle, je savais que j'allais
me servir d'elle. Faire de l'intérim serait un
pis-aller pendant une quinzaine de jours
jusqu'à ce que j'y voie clair, et ensuite je
n'aurais plus à la revoir. Mais au fil des
semaines, puis des mois et des années, Elaine
est devenue un élément permanent dans ma

232

vie. J'ai compté sur elle pour me trouver du travail, ma suffisance m'empêchant de penser par moi-même. Quand cela s'est-il passé ? À quel moment ai-je abdiqué pour me reposer entièrement sur elle ?

J'ai fait comme si j'étais détachée de tout ça, comme si j'étais au-dessus de la condition d'intérimaire. J'ai adopté une attitude méprisante envers tous les boulots qu'elle m'a trouvés, envers tous les gens que j'ai rencontrés, y compris Elaine, mais ce n'était qu'un écran de fumée. Le mépris ne visait que ma personne.

Donc il faut que ça cesse. Tandis que je me fais l'effet d'une écolière prise en faute, je dois reconnaître que H avait raison depuis le début. J'avance en roue libre dans l'existence et je me sers de Jack pour me donner l'impression d'être normale. Quel genre d'attitude est-ce là ?

L'attitude de quelqu'un de faible.

Or je refuse de continuer à être faible. Pas moi. Je ne suis peut-être pas capable de me servir d'un standard, mais j'ai plein de capacités. Et à partir de maintenant, je vais voler de mes propres ailes.

Amy Crosbie, cette vie est la tienne.

Après avoir calmé Elaine, je quitte le bâtiment, m'achète un Kit & Kat et une revue et saute dans le 94 pour rentrer chez moi. En route, je fais le test « Connaissez-vous vraiment votre petit ami ? ». Je devine la plupart des réponses. Quand je fais le compte, je me retrouve dans la catégorie « Une majorité de C ».

Vous ne lui faites pas encore confiance. Vous avez besoin de passer plus de temps à connaître votre homme et découvrir ce qui le branche vraiment. Votre relation s'épanouira si vous la basez sur la franchise et la vérité.

Je sais que ces tests sont la plupart du temps ridicules, mais ma bonne humeur en prend un coup. Une fois à la maison, je me déshabille, prends une douche puis appelle Jack.

— Tu rentres tôt, dit-il en bâillant. Attends une seconde.

Il pose la main sur le combiné et j'entends des bruits. Puis il reprend l'appareil.

— Alors, pourquoi tu n'es pas au boulot ?

— Ça n'a pas marché. Mais la bonne nouvelle, c'est que j'y retourne plus. Qu'est-ce que tu fais, toi ?

Vous l'appelez à un moment où il ne s'y attend pas. Il n'a pas l'air emballé de vous entendre. Vous :

A. acceptez le fait qu'il soit en train de faire autre chose et paraisse dérouté ?

B. le provoquez en lui demandant ce qui ne va pas ?

C. le soupçonnez d'être avec une autre fille ?

— Je bossais un peu. Je peux passer, si ça te dit.

Je ne pensais pas cocher la case C. J'avais opté pour A. Depuis le début. Honnêtement.

Sortir avec un mec est nettement plus stressant que dans mon souvenir. Ça prend tellement de temps. Je vis à présent dans un état permanent de « au cas où ». Au cas où je doive

234

voir Jack, je me rase les aisselles et les jambes presque tous les jours, ce qui entraîne une crise dans la gestion des poils ras ; je me taille la toison au-dessus des toilettes, un vrai cauchemar vu que les poils pubiens mettent des lustres à disparaître quand on tire la chasse ; je fais le ménage dans ma chambre et range mes vêtements dans la penderie au lieu de les laisser traîner par terre, je re-lave ma housse de couette plutôt que de mettre celle de rechange qui a des motifs floraux ; je fais des courses au supermarché pour avoir des provisions, plutôt que de survivre avec des nouilles en barquettes et du pain de mie ; je porte des sous-vêtements en bon état.

C'est ce dernier point qui me cause de loin le plus de soucis. Durant la VAJ (Vie Avant Jack), ça ne me gênait pas du tout d'enfiler un slip troué de mamie et un soutif en loques. J'ai également un choix immonde de strings miteux qui, à défaut d'être agréables, sont un équivalent de fil dentaire pour parties génitales.

J'ai lu un jour un article sur les célibataires qui portent des sous-vêtements sexy pour leur propre plaisir. Ben voyons ! Selon moi, soit elles meurent d'envie de se faire sauter, soit elles ne savent pas quoi faire de leur fric. En tout cas, je n'en ai jamais rencontré. Je ne connais pas une fille qui refilerait ses petites culottes cradingues à la Croix-Rouge, même s'il y avait une pénurie internationale de slips.

Je ne sais pas pourquoi je fais autant d'efforts au niveau lingerie intime. Après tout, j'ai vu sécher les fringues de Jack sur un fil dans son jardin l'autre jour. Et je n'ai pas manqué de repérer son caleçon à pois rouges usé jusqu'à la corde. Ce n'est pas non plus un saint.

Quoi qu'il en soit, je suis résolue à ne pas être prise de court, et du coup ma carte Visa et moi-même sommes allées faire le plein de lingerie la semaine dernière. Aux deux tiers de cette expédition, je suis interceptée par une vendeuse moustachue de chez M&S qui s'exclame :

— Quelle taille de soutien-gorge faites-vous ?

— 90B, je réponds en plaquant mes mains sur mes seins.

— Jamais de la vie ! Vous faites plutôt du 85B, et je m'y connais.

— 85B ! je me récrie pendant qu'elle me pousse dans la cabine d'essayage et commence de prendre la mesure de mon dos.

Elle tire sur le mètre-ruban qui me comprime les nichons.

— C'est bien ce que je pensais, fait-elle en hochant la tête.

— 85B ! Mais j'ai toujours fait du 90B, depuis que j'ai des seins. Quand la métamorphose a-t-elle eu lieu ?

J'enfile mon nouvel étui à poires et le règle. Je me sens ficelée comme un gigot. Je regarde dans la glace et me sens paumée.

Que porter d'autre ?

S'habiller pour sortir n'est pas un problème, mais comment s'habiller pour rester chez soi ? Je traîne d'ordinaire en caleçon long et T-shirt ultra-large, mais Jack va venir. Que faire ? Vais-je :

a) m'habiller sexe ;

b) mettre mes fringues d'éboueur ;

c) me mettre sur mon trente et un ?

Je me rappelle ma résolution (a) et opte pour une culotte Calvin Klein et un débardeur blanc. Je laisse tomber le soutif.

Je passe des heures à me maquiller pour qu'on n'ait pas l'impression que je le suis, je fais le ménage dans la chambre et les cent pas dans la cuisine. J'envisage de préparer quelque chose à manger, mais finis par renoncer. Ça raterait à tous les coups, or j'ai décidé que plus rien n'ira de travers aujourd'hui. Je fais peau neuve. Je suis indépendante. Et Jack va s'en apercevoir.

Je mets du vernis sur mes ongles de doigts de pied, regarde la télé et attends qu'il arrive. Je suis en train de somnoler quand la sonnerie de la porte retentit. Je vire les bouts de coton entre mes orteils tout en me dépêchant d'aller appuyer sur l'interphone. Je ressens une bouffée d'excitation en l'entendant monter les marches.

— Salut, dis-je, en me collant à la porte alors qu'il surgit sur le seuil.

Il m'embrasse et sourit.

— Tu comptes rester dans cette tenue ? demande-t-il en voyant ma culotte.

— Bien sûr que non, je bafouille. J'allais juste, euh...

Je désigne ma chambre.

— Ne me laisse pas te retarder, dit-il en souriant.

Il hausse les sourcils et j'ai l'impression

d'avoir été démasquée. Je me défile pour qu'il ne voie pas mes joues rouges.

— J'ai pensé qu'on pourrait sortir, dit-il en s'avançant dans le salon.

Il s'empare de la télécommande et zappe.

— Entendu, dis-je, depuis la chambre.

Comme j'ouvre d'un coup sec ma penderie et farfouille à la recherche de mon jeans, j'entends la télé. Jack regarde une chaîne sportive, des infos, puis un match de foot. Un instant, je pense qu'il va rester planté devant, mais il finit par s'arracher à l'écran et vient s'asseoir sur mon lit.

— Et si tu mettais la robe que tu portais l'autre jour ? demande-t-il. Tu étais super avec.

— Entendu, dis-je en la décrochant du cintre.

Je lui tourne le dos et enlève mon haut. Soudain je le sens juste derrière moi. Il est manifestement accroupi, car je sens ses lèvres en bas de mon dos. Ses baisers escaladent ma colonne vertébrale, puis je sens son souffle sur ma nuque. Il me contourne et referme ses mains sur mon 85B tout neuf.

— Tout bien réfléchi..., murmure-t-il.

Il fait nuit quand nous avons fini de faire l'amour. Je me lève et vais chercher une bouteille de vin dans le frigo et des allumettes. Je tâtonne dans le noir à la recherche des bougies.

— Pourquoi tu n'allumes pas ? demande Jack qui me regarde en ouvrant la bouteille.

— Parce que je déteste cette pièce. Il faudrait refaire la déco, mais je n'ai pas encore trouvé le courage.

— Qu'est-ce que tu voudrais faire comme changement ?

— Je ne sais pas. Que ça soit différent. Maintenant j'ai du temps à moi. Je vais y réfléchir.

Je m'allonge à côté de lui et nous nous étalons sur la couette, nos membres nus entrelacés dans la pénombre.

— Comment se fait-il que tu aies autant de temps tout d'un coup ? demande-t-il.

Je lui raconte ma journée et il rit tellement qu'il me renverse du vin sur le ventre. Il se penche et le lèche, avant de poser son menton sur mon nombril. Il me regarde.

— Je me suis fait virer une fois, dit-il, si ça peut te consoler.

J'ai du mal à imaginer la chose. Quand je lui demande des détails, il m'explique qu'il a travaillé dans une galerie il y a de ça deux ans et qu'il a dû changer les serrures après une effraction. Apparemment, son patron est revenu et a piqué une crise parce qu'il ne pouvait pas entrer.

— Qu'as-tu fait ?

— Je l'ai laissé tomber. C'est la meilleure chose qui me soit jamais arrivée, franchement, dit-il en traçant un cercle sur mon ventre. Du coup j'ai compris quelques trucs. Que je voulais être un artiste et que c'était là-dedans que je devais mettre toute mon énergie.

Je prends une gorgée de vin.

— Tu sais que c'est vraiment excitant.

— Quoi donc ? demande-t-il.

— Le fait que tu réussisses comme artiste. C'est un des trucs que j'aime le plus chez toi.

Jack pousse une sorte de grognement et enfouit sa tête dans mon cou. J'adore quand il fait le timide et je le serre fort contre moi.

— La question c'est, que vais-je faire maintenant ?

— Tu vas trouver, dit-il. Je le sais. Et sinon, tu feras tes bagages, parce que je t'emmènerai faire le tour du monde en bateau.

— Finalement, je ne vais peut-être pas taper mon CV, dis-je en riant.

Mais, en dépit des propositions alléchantes de Jack, je tape mon CV. Je passe la semaine suivante à dénicher des noms et des adresses de sociétés et à peaufiner mon plan d'approche. À ma grande surprise, Jack se révèle incroyablement présent et m'aide à mettre en page mon CV sur le PC dernier cri qu'il a emprunté à Matt. Au début, ça me gêne de partager ma petite bio avec lui, mais il déborde tellement d'enthousiasme pour moi que je n'ai pas le temps de me sentir menacée.

— Tu devrais organiser des séminaires sur l'Attitude Mentale Positive, je le taquine, quand il m'appelle pour la troisième fois dans la soirée que nous avons décidé de passer séparés. Ou en tout cas, fonder ta propre religion. Tu es très crédible.

— Très bien, maligne. Quelle est la règle numéro un du jackisme ?

— Éclaire-moi, grand gourou.

— Tous mes disciples doivent coucher avec moi.

240

— J'aurais dû m'en douter.

— Ah, mais tu es pour l'instant mon unique disciple. Et je t'attends chez moi dans une demi-heure.

— Tu as de la chance. Je ne donne pas dans le religieux.

— Allez, viens. Je sais que tu en as envie.

Et le fait est que j'en ai envie, parce que la vérité, c'est que j'adore passer toutes mes nuits avec Jack. Si j'ai osé penser qu'il était du genre tiède dans les relations, je me suis trompée dans les grandes largeurs. Au bout d'une semaine, il fait tellement partie de ma vie que je n'arrive pas à me rappeler ce que je faisais avant de le rencontrer. Je ne sais pas trop également comment j'ai pu trouver du temps pour bosser.

Je suis si heureuse de ma nouvelle vie que c'est un sacré choc quand Elaine appelle le mardi suivant à 9 heures. Elle ressemble déjà à un fantôme du passé.

— Je te donne une seconde chance, annonce-t-elle. Mais uniquement parce que je suis aux abois.

Je suis complètement larguée. Au cours de la semaine dernière, j'ai mentalement déserté Top-Temps. Je ne peux supporter l'idée d'être à nouveau aspirée dans le tourbillon intérimaire. Jack roule sur le côté et écrase un oreiller sur sa tête.

— Je ne suis pas vraiment disponible en ce moment, Elaine, dis-je. Désolée.

— Laisse-moi finir, dit-elle.

Je l'entends qui tire une bouffée sur sa cigarette. Je caresse le bras de Jack qui repose en travers de mon ventre et fixe le plafond en roulant des yeux. Ma vie est tellement plus paisible sans Elaine et le stress qu'elle y met. Je n'ai qu'une envie, me coller contre Jack et me rendormir.

— Bon, écoute ça, dit-elle. C'est chez Friers. Ils ont une sorte de département mode. J'ai besoin que tu y ailles au plus vite. La fille que j'avais contactée ne s'est pas pointée...

— Tu plaisantes ! *Friers* ?

Je me redresse d'un bond. L'oreiller remue et Jack sort la tête.

— Qu'est-ce qui se passe, marmonne-t-il, le visage tout chiffonné de sommeil.

Je porte un doigt à ma bouche et sors du lit pour trouver un stylo. Je note les détails au dos d'une enveloppe.

— Elaine, tu es un ange, dis-je avant de raccrocher.

Jack s'assoit dans le lit et s'étire.

— Pourquoi est-ce que tu as l'air si contente ?

— Friers.

J'agite l'enveloppe sous son nez.

— Qui ça ?

— Je les ai démarchés il y a environ trois ans et ils ne m'ont jamais répondu. J'ai un poste. Merci Elaine.

J'embrasse l'enveloppe.

— Je croyais que c'était fini l'intérim.

— Moi aussi, mais là ça pourrait être la chance de ma vie. Il faut que je sois là-bas dans une heure.

Je m'habille en quatrième vitesse et prépare

une tasse de thé à Jack, mais il n'a pas l'air très enthousiaste à l'idée de bouger. J'extirpe mon double de clefs des profondeurs de la coupe à fruits dans la cuisine.

— Tu peux rester au lit, dis-je en déposant un baiser sur la partie de sa tête qui émerge de la couette et en faisant tinter les clefs à son oreille.

Il se redresse sur un coude et les prend.

— Tu es sûre ?

J'éclate de rire.

— Oui. Je ne te propose pas d'emménager, si c'est ce qui t'inquiète. C'est juste pour des raisons pratiques, mais tu n'as qu'à les garder. Je ferme toujours à clef derrière moi quand je pars.

— Super, dit-il en souriant. Je vais pouvoir fouiller partout. Où est ton journal intime ?

— Tu ne trouveras rien, dis-je en le regardant dans le miroir pendant que je me mets du rouge à lèvres. Alors ne cherche pas des choses qui te poseraient un problème.

— Est-ce que c'est mon genre ? dit-il, l'air faussement vexé.

— Oui. Mais je te fais confiance. Alors pas de bêtises.

Il m'attrape et m'enlève mon rouge à lèvres d'un baiser.

— Jack !

— Je ne sais pas pourquoi tu t'en fais. Ton rouge à lèvres me va mieux qu'à toi.

— T'es gentille, dis-je en riant et en le serrant contre moi.

— Bonne journée au bureau, chérie, lance-t-il en se glissant sous la couette. Ne t'en fais pas pour les gosses, j'irai les chercher à l'école et je ferai les courses.

Les mains sur les hanches, je le regarde depuis le seuil.

— Alors c'est donc ça ? Tu ne m'as aidée à trouver du boulot que pour être un homme au foyer ?

— Merde, Ted. On est démasqués, dit-il à mon ours en peluche.

Les bureaux de Friers sont situés au-dessus d'un café dans Charlotte Street. Quand j'y arrive, je suis très nerveuse. C'est un sentiment inhabituel et je respire à fond pour me calmer avant de sonner. Je ne sais pas du tout à quoi m'attendre, mais si jamais j'aperçois l'ombre d'un boulot permanent, je tente ma chance. C'est la deuxième et je ne vais pas la gâcher.

L'endroit est plein de bureaux, de tringles, de mannequins à moitié vêtus. Une radio braille dans le fond par-dessus les sonneries de téléphone.

— Putain de merde !

Un grand type, qui porte un gilet rose à carreaux et des lunettes de soleil ridicules avec des visières teintées jaunes, lève les mains en signe de frustration et traverse le bureau.

— Où est l'intérimaire ?

— Je suis là, dis-je.

Il trotte vers moi.

— Enfin ! J'espère que vous êtes fiable, ma belle, dit-il en me détaillant du regard.

— Je ferai de mon mieux, dis-je.

— Jenny, Jenny ! lance-t-il. On est sauvés ! Tu t'en occupes ?

244

Il fonce dans un petit bureau et claque la porte derrière lui.

— Ne fais pas attention, dit la femme qui s'avance vers moi. C'est Fabian. Il aime brasser l'air, mais ne te laisse pas intimider. Je m'appelle Jenny.

Elle me sourit et me plaît aussitôt.

— Bienvenue à l'asile de fous.

Elle me fait faire le tour de la boîte et me présente à tout le monde. Ils sont environ une dizaine à partager le bureau, et tous ont l'air sympa et détendu. Jenny a environ trente-cinq ans et, d'après ce que je comprends, a passé toutes ces dernières années à s'adonner à des fiestas infernales qui, moi, m'auraient laissée sur le carreau. Elle vient du Lancashire et a un accent prononcé que, bien sûr, je ne peux m'empêcher de prendre quand je lui parle. Ça n'a pas l'air de la déranger.

Elle me prépare du thé dans la cuisine avant de me montrer mon bureau. Je dois répondre au téléphone et taper du courrier.

— C'est du secrétariat assez chiant, j'ai bien peur, dit-elle. Mais on te trouvera autre chose à faire plus tard. On est un peu débordés.

— Pas de problème, dis-je. Je m'y colle tout de suite.

Jenny travaille avec Sam dans l'atelier de couture, juste à côté. Comme dirait H, ce sont des GCN — des Gens Comme Nous —, et c'est un vrai soulagement. Vers les 11 heures, Sam pousse brusquement les portes battantes, tout sourire. Elle porte une minijupe en cuir et un pull trop grand qui donne l'impression que ses seins sont énormes. Après le scandale du 85B, je semble obsédée par les seins des autres.

— Comment ça se passe ? demande-t-elle.

— Très bien. Je peux faire autre chose pour aider ? J'ai fini le courrier. Tiens.

Je lui tends les lettres.

Elle les feuillette d'un air approbateur.

— Parfait. Enfin quelqu'un qui parle notre langue.

Notre langue ! Elle ne le sait pas encore, mais je suis Super-intérim-girl.

Sam porte une grosse pile de revues sous le bras.

— J'ai apporté ça pour toi, dit-elle. (Elle sort une liste de noms des pages de la première revue.) Peux-tu vérifier toutes les photos prises par ces types ?

— Bien sûr.

— C'est pas marrant, mais ça nous aiderait vraiment.

— Pas de problème.

— Viens d'abord faire une pause-cigarette.

Je la suis sur l'échelle d'incendie en fer forgé à l'arrière de l'atelier. Jenny est déjà là. En me joignant à elles, je sais que j'ai été acceptée dans leur bande. Cool.

J'ai tellement pris l'habitude de rester dans mon coin à chaque nouveau job que j'en ai la marque du mur dans le dos, mais ce boulot-là pourrait fort bien être différent. J'ai envie de connaître ces gens. Je ne suis là que depuis quelques heures, mais je sais déjà que ça pourrait être un boulot pour moi. On discute un peu. Elles sont toutes les deux remontées contre Fabian.

Sam ôte avec difficulté ses lunettes de soleil du nœud de mèches sur sa tête. Jenny la regarde faire puis vient à sa rescousse.

— Je ne sais pas ce qui se passe, mais j'ai comme l'impression qu'il ne va pas rester ici très longtemps, dit Jenny.

— Pourquoi ? je demande.

Jenny tapote son nez et nous nous rapprochons pendant qu'elle livre son secret. J'adore être mise au parfum comme ça.

— Je crois qu'on va être rachetés, et si c'est le cas, Fabian va se faire éjecter.

Sam émet des petits sons choqués de circonstance. Je suis sur le point de poser d'autres questions quand le téléphone sonne.

— J'y vais, dis-je en écrasant ma cigarette.

Je passe le restant de la journée à trier du courrier urgent, à aider Andy quand son ordinateur débloque, à aller chercher des échantillons à Berwick Street et, en général, à aider autant que je peux. J'ai dû tourner une nouvelle page, car je n'appelle personne de la journée. Je suis étonnée quand je m'aperçois qu'il est 6 heures et demie.

— Tu me promets d'être là demain ? dit Jenny.

— Je serai là.

— On n'aurait pas pu se débrouiller sans toi aujourd'hui.

Je suis encore en train de sourire quand je descends la rue. Je suis vannée, mais je n'ai pas envie de rentrer. J'ai passé la journée à me renseigner sur Friers. J'ai une vague idée du genre de fringues qu'ils vont sortir cette saison. Ils font surtout des vêtements sport pour les hommes, mais ils ont aussi leurs propres produits dans une boutique de Covent Garden.

Je décide d'aller y jeter un œil et je traverse Soho puis remonte St Martin's Lane. Je regarde chaque vitrine de boutiques de fringues et prends des notes mentales sur les fringues exposées, afin de me faire une vue d'ensemble de ce qui est à la mode en ce moment.

Je piétine un bon moment devant chez Friers. J'aime bien leur ligne, mais seuls les modèles les plus extravagants sont en vitrine. Je suis étonnée de voir à quel point tout est classique quand je rentre dans la boutique. J'écoute la conversation des vendeuses et des caissières, avant de comprendre qu'ils attendent que je parte pour fermer.

Il est tard quand je rentre à la maison, et ma tête bourdonne d'idées. Jack a fait le lit et la vaisselle. Il y a pas de mot ni de message de lui sur le répondeur, mais j'aime l'idée qu'il est resté un moment chez moi. J'emporte la grosse pile de revues pour hommes que j'ai achetées, me mets au lit et étudie toutes les pages mode. Pour la première fois depuis des lustres, je me sens vraiment sûre de moi. Quand j'éteins la lumière et pose ma tête sur l'oreiller, je sens l'odeur de Jack et je m'endors, le sourire aux lèvres.

Les deux jours suivants passent sans que je m'en aperçoive — je suis heureuse. J'ai le sentiment d'être faite pour Friers.

— Quel dommage que Karen rentre la

semaine prochaine, dit Sam quand nous allons déjeuner au pub le jeudi. Ça serait génial si tu pouvais rester.

— Je n'ai pas envie de partir, dis-je. Il n'y a pas d'autre poste, n'est-ce pas ?

— Crois-moi, s'il y en avait, tu serais la première à être mise au courant. Tu as un CV qu'on peut garder ?

— Bien sûr. Je viens juste de le refaire. Je te le déposerai cet après-midi.

— Je verrai ce que je peux faire, dit-elle.

J'espère qu'elle est sincère. Je n'ai pas envie de partir. J'ai été tellement accaparée par le travail de secrétariat que je n'ai pas eu l'occasion de leur montrer combien le reste m'intéressait aussi.

Le vendredi matin, ils vont tous en réunion et je me retrouve seule dans le bureau. Je regarde autour de moi et ressens déjà de la nostalgie. Cet endroit va vraiment me manquer.

Elaine m'appelle.

— Ils t'apprécient, dit-elle, comme si elle m'apprenait quelque chose.

— Moi aussi je les aime bien. Tu n'aurais pas d'autres boulots dans ce genre pour moi, par hasard ?

— Rien. Tout est super calme.

Je pense alors : retour à la case départ, quand on sonne à la porte.

— Ils sont tous en réunion, dis-je à l'homme qui entre. Je peux vous aider ?

— Je viens voir Fabian, dit-il en examinant les bureaux déserts. Ça vous dérange si j'attends ici ?

— Pas du tout.

Je lui montre en souriant le canapé près de la fenêtre.

Il peut attendre autant qu'il veut. Il est d'une beauté extraordinaire, avec des cheveux blonds coupés court, une barbe de trois jours très sexy et un léger bronzage couleur miel. Il doit approcher la quarantaine, à en juger d'après les rides expressives autour de ses yeux.

— Vous voulez du café ?

— Volontiers, dit-il en se mettant à l'aise.

Un mannequin. Ça ne fait pas de doute. Peut pas être autre chose. Je comprends que Fabian veuille le voir, il sera parfait pour la nouvelle collection de Jenny.

Ça ne sert à rien de faire semblant de travailler quand tout le monde est en réunion, aussi, quand je reviens avec le café, je m'assois sur le bord du bureau et lui souris.

— Alors, c'est comment, Friers ? demande-t-il.

— C'est une maison de couture brillante. Les fringues sont géniales — la ligne classique, en tout cas — et les gens sont super. Je ne suis là que depuis quelques jours et je regrette de devoir partir.

— Partir ?

Je hausse les épaules.

— Je suis juste une intérimaire.

Il lève un sourcil. Je sais que je ne devrais pas lui parler, c'est un parfait inconnu, mais je me sens tellement déprimée après ma conversation avec Elaine que je cède à ma frustration. Je lui explique que j'ai envoyé un CV ici il y a trois ans et que j'espérais que

250

l'intérim pourrait déboucher sur un poste permanent.

— Et pourquoi ici et pas ailleurs ? demande-t-il au bout d'un moment.

— Question de potentiel. Il y a tellement de choses que j'aimerais faire ici.

— Du genre ?

Je lui fais part de mes idées et de ma virée au magasin. Comme il ne cesse de poser des questions, je lui balance mes théories sur l'habillage des vitrines, lui explique que Friers devrait faire du haut de gamme. Je lui parle des conversations que j'ai surprises dans la boutique et de mes recherches dans les revues. Je lui parle même des vêtements que porte Jack.

Il hoche la tête pendant que je bavasse et je me sens énormément flattée que quelqu'un m'écoute enfin. Dommage qu'il ne soit que mannequin.

— Juste quelques idées, dis-je quand mon monologue s'achève.

— Vous en avez parlé à Fabian ? demande-t-il.

— Fabian ! Grands dieux, non ! Il ne m'a pas dit deux mots. Je suis juste une intérimaire.

— Vous vous gâchez, dit-il sincèrement.

J'acquiesce, puis mon attention est attirée par les autres qui reviennent dans la pièce. Je descends du bureau.

— Désolée de vous avoir accaparé, dis-je en lissant ma jupe.

— Tout le plaisir était pour moi, fait-il en inclinant la tête.

J'aime son accent américain.

— Vous vous appelez comment ?

— Oh, euh, Amy. Je vais dire à Fabian que vous êtes là.

Je me dirige vers le bureau de Fabian, puis me fige. Je me retourne lentement et fais la grimace.

— Ça serait peut-être bien que je sache votre nom.

Il se lève.

— Jules. Jules Geller.

Tout le monde a repris son poste, et il est clair que l'ambiance a changé. Dès que l'occasion se présente, je me rends dans la salle de confection. Jenny, Sam, Andy et Louise sont dehors, sur l'échelle d'incendie.

— Qu'est-ce qui se passe ? je demande, sur le seuil.

— C'est bien ce qu'on pensait, dit Jenny. Friers a été racheté par A&M.

— C'est quoi, A&M ?

— Une autre maison de couture. Ils sont essentiellement basés en Amérique, mais leurs collections se sont bien vendues ici, explique Sam. Ils nous envoient un nouveau patron.

— J'arrive pas à croire que ça va être lui ! dit Jenny tout excitée. Il est fantastique.

— Je suis sûr qu'il va se débarrasser de Fabian s'il prend la direction à Londres, ajoute Andy.

— Tu as vu la collection qu'il a exposée à Paris ? demande Louise.

— Oui. Il est vraiment bon. J'espère qu'il va nous garder.

— Qui ça ? je demande tandis qu'ils continuent leur conversation.

— Jules Geller, dit Jenny qui me remarque enfin. Jules Geller est notre nouveau patron. C'est pas génial !

Je titube jusqu'à mon bureau. Jules Geller est le nouveau patron.

Le même Jules Geller à qui j'ai tout déballé.

Bien joué, Amy. Franchement, bien joué. Tu as fait vraiment bonne impression, sur ce coup-là. L'intérimaire arriviste qui expose ses brillantes idées au type qui règne quasiment en maître sur la profession.

Et merde.

Je garde profil bas le reste de l'après-midi. La réunion de Fabian semble s'éterniser, et Jenny et Sam sont appelées dans son bureau. J'évite de croiser les regards, m'efforce d'ignorer la tension qui règne dans le bureau. Quand je reviens de la poste, je ne sais pas si Jules est parti ou non, mais j'ai décidé que, quoi qu'il arrive, je me planque sous le bureau.

À 17 h 30, Jenny entre et je lui remets la dernière fournée de paperasses que je viens de faire, ainsi que ma fiche-horaire.

— Pour être franche, c'est aussi bien que je m'en aille, dis-je avant d'expliquer ce que j'ai fait.

Elle secoue la tête et éclate de rire.

— Ce n'est jamais aussi grave qu'on le pense.

— Non, c'est pire, dis-je en fourrant ma fiche dans mon sac.

— Tu ferais mieux d'aller dire au revoir à Fabian avant de partir.

Elle me serre dans ses bras et tout le monde me remercie. Ils semblent tous me regarder bizarrement. Soit j'ai un timbre collé sur le menton, soit je deviens parano. Je touche mon menton.

C'est de la parano.

— On reste en contact, promet Sam en croisant les doigts.

Ils sont plantés devant la porte et me sourient pendant que je frappe à la porte de Fabian.

— Il est encore là ? je demande en me tournant vers eux.

Ils ont l'air d'être sur le point d'exploser de rire.

— Vas-y, me presse Jenny.

Je pousse la porte.

— Ah, juste la personne que je voulais. (Jules est derrière le bureau de Fabian.) Entrez, dit-il.

— Je venais voir Fabian, dis-je.

— J'ai bien peur que Fabian ne soit parti. C'est à moi que vous devrez vous adresser.

Je m'assois dans le fauteuil en face de lui. Je sais que je rougis et il me sourit, sincèrement amusé.

— J'aurais mieux fait de me taire tout à l'heure, dis-je. J'ignorais que vous étiez le nouveau patron. D'habitude, je ne...

Jules lève une main et m'interrompt.

— Tout va bien, Amy. Vous n'avez pas à vous excuser.

— Mais...

— Pas de mais. Il se trouve que vos idées me plaisent beaucoup. Il se trouve aussi que vous êtes exactement ce que je recherche. J'ai besoin d'une assistante personnelle pour m'aider à organiser les choses et je pense que vous feriez tout à fait l'affaire. Vous savez taper vite ?

Je suis sur le point de me faire mousser, mais je me ravise. Je referme ma bouche brusquement. C'est du sérieux, il s'agit de ne pas tout faire foirer ce coup-ci.

— Pas terrible, je réponds. Mais je suis sûre de pouvoir me remettre à niveau.

— Je viens de parler à Jenny et à Sam, et toutes deux semblent penser que vous êtes la meilleure assistante qu'ils aient jamais eue ici. J'ai également jeté un œil à votre CV. (Il me le montre.) Je suis impressionné.

Merci, Sam.

— Alors, vous en dites quoi ? Je dois me farcir cinquante entretiens avec d'horribles secrétaires, ou vous me donnez une chance ?

Moi, lui donner une chance ?

Après avoir fêté la chose au pub en compagnie de Jenny et Sam, je fonce chez Jack avec une bouteille de champagne.

— Tu ne devineras jamais, j'annonce quand il ouvre la porte.

— Quoi ?

Je sors la bouteille de derrière mon dos.

— Tu peux être homme au foyer, finalement !

Jack et Matt sont enchantés par la nouvelle. Nous allons boire dans la cuisine et je leur parle de Friers.

— Tu commences quand ? demande Matt.

— Accroche-toi. Pas avant deux semaines. Ce qui veut dire qu'on peut partir en vacances.

— En vacances ? demande Jack.

— Bien sûr. Pourquoi pas ? Une fois que j'aurai commencé ce boulot, on n'aura plus le temps. J'y ai pensé en venant. Allons dans un endroit chaud pour une semaine.

— N'est-ce pas un peu précipité ?

— Eh bien, tu as une semaine pour y réfléchir, dis-je. Allez, Jack. Tu peux te l'offrir, on va bien se marrer.

Jack n'a pas l'air convaincu.

— Tu ne peux pas t'absenter la semaine prochaine, dit Matt. Il y a la fête d'Alex.

— Je sais, dit Jack.

Je suis tellement partie, au niveau émotion et alcool, que je rate presque l'échange de regards entre eux. J'ai le sentiment de louper un truc.

— Je trouverai une solution, dit Jack, sans s'adresser à quelqu'un en particulier.

Il se lève et se dirige vers le frigo.

— Je me casse, dit soudain Matt.

— Ne pars pas, dis-je.

— Désolé. Je suis obligé. Amusez-vous bien, dit-il avant de partir.

Il referme la porte derrière lui.

— J'ai dit quelque chose qu'il ne fallait pas ? je demande.

— Non, t'inquiète pas.

— Tu n'es pas obligé de partir en vacances si tu n'en as pas envie.

— Bien sûr que j'en ai envie. Alex est plus un ami de Matt que de moi. J'arrangerai les choses avec lui.

— Excellent. (Je descends du tabouret et serre Jack dans mes bras.) Je suis si excitée.

— Moi aussi, dit Jack, mais il n'a pas l'air aussi convaincu que j'aimerais qu'il le soit.

Comment se fait-il que je n'aie une vie sociale que 7 jours sur 365 dans l'année, et qu'à chaque fois j'ai quarante milliards de trucs à faire ? Ce samedi en est un exemple frappant.

Je suis stressée avant même de me réveiller. Et la gueule de bois ne facilite rien.

Il y a une fête pour les cinquante ans de tante Vi à Hemel Hempstead. Un événement auquel j'ai été conviée avec Jack (les manigances de maman, je soupçonne), mais je préférerais crever plutôt que de le présenter à mes cousins et cousines. Je ne veux pas qu'il tire de conclusions hâtives sur mon bagage génétique déficient. Tante Vi est très marrante, et en temps normal j'aurais envie de la voir. Elle a installé un trampoline dans le fond du jardin.

J'ai dit à maman que j'irais, mais en rentrant chez moi le samedi matin, je sais que je vais devoir l'appeler pour me défiler. Elle ne va pas être contente.

La fête de tante Vi tombe en même temps que le repas que donne H pour l'anniversaire de Gav. Ça fait des mois que H se plie en quatre pour mettre au point le menu et la liste des invités, et elle sera furieuse si je ne viens pas. Je lui ai également promis que je l'aiderais à faire la cuisine.

Quoi qu'il en soit, le vrai problème, c'est que Chloé organise un barbecue et que Jack a vraiment été furax ce matin quand je lui ai annoncé que j'allais à la fête de H.

— Mais tout le monde sera là-bas, a-t-il dit. Il faut que tu viennes. C'est Matt et moi qui cuisinons.

— Mais j'ai promis à H.

— Ce n'est pas son anniversaire. Ce n'est qu'un dîner. Elle ne se formalisera pas s'il y a une bouche de moins à nourrir.

— Oh que si.

— Vas-y, alors, dit Jack, fâché. Mais je te trouve un peu égoïste sur ce coup-là. Je laisse tomber un week-end pour partir en vacances avec toi, le moins que tu puisses faire c'est de venir cette fois-ci avec moi. J'ai envie que les gens te voient avec moi.

Il y a trois messages de H sur mon répondeur quand je franchis la porte de l'appartement. Je sais que je vais aller à la fête de Chloé mais je ne peux pas lui dire la vérité. Ça me met mal à l'aise, mais je vais devoir mentir.

Quand elle rappelle, je prends ma voix la plus pitoyable.

— Où tu étais ? demande-t-elle. J'ai essayé de te joindre toute la matinée. On doit faire des courses, tu te rappelles ?

— Je ne me sens pas très bien, dis-je.

— Jack est là ? demande-t-elle, sceptique.

— Non. J'ai vomi.

— Trop bu ?

Je meurs d'envie de lui parler de mon nouveau boulot, mais j'ai déjà commencé à mentir.

— Je ne crois pas être en état de faire des courses.

— Mais t'avais promis.

— Je sais, mais je suis vraiment pas bien. Franchement.

Elle soupire. Je sens qu'elle est furieuse.

— Entendu, mais sois en forme pour ce soir. Jack vient, n'est-ce pas ?

— Il ne peut pas. L'anniversaire de sa tante, un truc comme ça.

— Mais j'ai tout prévu ! Tu aurais pu me le dire !

— Désolée. Faut que je te laisse, je crois que je vais encore vomir.

Je file dans la salle de bains et me tire la langue dans la glace. Je suis en train de me rendre vraiment malade. Je me suis mise dans le pétrin et j'ai comme qui dirait l'impression que ça va empirer. Je n'ai jamais menti à H. Et de toute façon j'ai acheté un cadeau d'anniversaire pour Gav. Il faudra que j'aille « mieux » ce soir. Jack devra encaisser.

Je flemmarde toute la journée, de mauvaise humeur. Jack téléphone à 6 heures. Il appelle sur le mobile de Matt.

— Tu en es où ? demande-t-il.

— Je me prépare...

— Dépêche-toi. Le repas a l'air délicieux. J'ai dit à Chloé que tu venais.

— Jack...

Mais il a déjà raccroché.

Un instant, j'envisage d'aller à la fête de H puis de passer ensuite chez Chloé, mais plus j'y réfléchis et plus je sais que ça ne fera qu'aggraver les choses.

Je vais devoir poser un lapin à H. Je ne peux pas laisser tomber Jack. Pas après tout ce qu'il a fait pour moi récemment. Je répète mon texte avant de composer le numéro de H.

— Comment tu te sens ?

— Pire.

— Tu as pu avaler quelque chose ?

— Non. Je peux rien garder. Ça doit être un virus. Il y en avait au boulot.

— Tu veux que je vienne te chercher ? Tu peux rester ici si tu veux. C'est pas grave si tu manges rien.

— Je peux pas, H.

— Mais c'est l'anniversaire de Gav.

— Je sais, mais je me sens super mal. Je ne serai pas drôle. Tu t'amuseras mieux sans moi.

— Donc tu ne viens pas ?

— Je crois qu'il vaut mieux que je reste couchée.

— Je te rappellerai plus tard pour voir si tout va bien.

— Ne t'inquiète pas. Je dormirai sûrement. Amuse-toi bien. Embrasse Gav de ma part.

Et voilà. Le mal est fait.

Ça me prend un temps fou pour arriver chez Chloé, et je ne suis pas d'humeur à faire la fête. Son appart est au rez-de-chaussée d'une vaste demeure de style victorien. Elle vient m'ouvrir et je la suis jusque dans le jardin. En chemin, je jette un œil au salon. Plancher décapé et œuvres d'art choisies. Même le jardin est parfait.

Jack et Matt s'activent près du barbecue, et il y a une quarantaine de personnes dans le jardin. La stéréo passe à fond du Aretha Franklin, et tout le monde a l'air de se faire chier.

— Content que tu sois venue, me dit Jack en m'embrassant.

— Oui, dis-je.

Je regarde autour de moi et j'aperçois le frère de H, Martin. Il est avec plusieurs personnes et, quand il me voit, il lève son verre dans ma direction. Je lui rends son salut, hyper mal à l'aise. J'ai vraiment merdé ce coup-ci. Il dira forcément à H qu'il m'a vue.

Je me retourne vers Jack.

— T'as faim ? demande-t-il, après avoir mordu dans une saucisse chaude.

— Non merci, ça va.

Jack passe un bras autour de moi.

— Fais pas cette tête. Amuse-toi.

M'amuser ? Avec ma vie sociale qui vient de partir en fumée ?

Je lui souris vaguement.

— Qui sont tous ces gens ?

Il me désigne quelques personnes dans le jardin :

— Ça c'est Stringer, il travaille au gymnase. Damien, un vieux copain de l'école. (Il me sort toute une liste de noms dont je ne vais jamais me souvenir.) Oh, et voici Jons, dit-il enfin après avoir fait un tour de jardin.

Il me désigne un mec en pantalon de cuir. Il est pas mal du tout, mais le sait manifestement vu sa façon de se tenir.

— Fais gaffe à lui. Il est complètement défoncé. Et merde, ils viennent par là.

La fille qui se dirige vers nous avec Jons me dit vaguement quelque chose, mais je n'arrive pas à savoir où je l'ai déjà vue. C'est peut-être un mannequin, elle est très mince avec de longs cheveux blonds et un super physique qui vous donne envie de changer de sexe.

— Jack, tu te débrouilles comme un chef, dit-elle en souriant. Tu ne nous présentes pas ? dit-elle en me regardant avec curiosité.

Jack a l'air mal à l'aise. Il retourne un steak sur le gril.

— Bien sûr. Amy, voici Jons.

Il agite une tranche de poisson entre nous.

— Salut, dis-je en regardant Jons.

Jack a raison. Rien qu'en le regardant on devine qu'il a pris trop de coke.

— Et voici Sally, marmonne Jack.

Je ne réagis pas tout de suite, puis un horrible sentiment me noue l'estomac. C'est elle que Jack a peinte ? Nue ?

— Oh ! je fais. C'est toi, Sally ? Celle du tableau. Je me disais bien que je t'avais reconnue.

Je suis étonnée de ne pas me donner une claque sur la cuisse pour accompagner le faux éclat de rire qui jaillit de ma bouche. Sally regarde ses pieds, mais elle peut crever si elle croit que je vais me sentir gênée.

— De quel tableau s'agit-il ? demande Jons.

— Oh, tu sais bien ! dis-je en souriant comme si mon visage allait s'ouvrir en deux. Le nu qu'est en train de faire Jack. C'est vraiment très bien...

— Ouuuah ! fait Jons en levant une main.

Il a une bague en argent ornée d'un crâne particulièrement vicieux à l'index de sa main gauche.

— Ouuuah ! répète-t-il en agitant sa crinière.

— Zut ! dis-je en portant les mains à mon visage. Ce devait être une surprise ? Tu comptais le lui offrir ? (Je grimace à Sally.) Bien sûr c'est plutôt... euh... intime.

Ça sonne faux.

Très faux.

Très très faux.

Sally fusille Jack du regard. Il y a une brève seconde de silence puis Jons pète les plombs. On a l'impression que sa tête va exploser. Il attrape Jack par le col de son T-shirt.

— ESPÈCE D'ENFOIRÉ DE MES DEUX ! hurle-t-il en lui expédiant son poing dans la gueule.

J'entends des cris autour de moi alors qu'il rate sa cible et s'écroule sur le barbecue. Il agite une main et renverse la table, envoyant voler les burgers et se couvrant de sauce barbecue. Il y a un raffut énorme quand le barbecue s'effondre sous son poids, suivi du sifflement de son pantalon de cuir qui grésille sur le gril. Il hurle.

— T'es contente de toi, hein ! crie Sally en me poussant si violemment que je tombe en arrière et m'empale sur un rosier.

Elle se précipite vers Jons qui se relève en titubant.

— Calme-toi ! crie Jack.

Jons repousse Sally.

— Sale pute ! gueule-t-il en se redressant.

Puis il attrape la fourchette à barbecue et se précipite vers Jack. Les gens derrière courent se mettre à l'abri. Jack s'empare de la chaise de jardin en plastique et ils se battent un moment jusqu'à ce que Jack fasse tomber la fourchette de la main de Jons. Jack plie les genoux et avance les mains en avant comme s'il allait faire une prise de kung-fu.

— Calme-toi ! crie-t-il à nouveau.

Jons se détourne un instant. Ses bras retombent sur les côtés et Jack se redresse.

— On va parler un peu, dit Jack en s'avançant vers Jons.

Mais il ne voit pas le visage de Jons. Je sais d'instinct ce qui va se passer et tente de me précipiter, mais ma robe est retenue par les branches épineuses.

— Attention ! je crie, ce qui a pour effet de détourner un moment l'attention de Jack.

C'est bien sûr l'occasion qu'attendait Jons pour balancer son poing. Je le regarde s'écraser sur la pommette de Jack. Je m'entends crier en voyant la joue de Jack se fendre, puis il titube en arrière, envoyant valdinguer bouteilles et assiettes.

Matt, Damien et Stringer se jettent sur Jons et le retiennent par les épaules.

Je m'extirpe du rosier et me traîne jusqu'à Jack.

Jons crie toujours des obscénités pendant que Damien et Stringer l'entraînent vers le portail. Sally court après eux, puis les bruits s'estompent.

Je m'accroupis à côté de Jack qui se redresse tout juste.

— Ça va ?

Ça n'a pas l'air. Il se tient le visage et fait

264

remuer sa mâchoire. Je tends une main pour le toucher mais il l'écarte brusquement.

— Laisse-moi tranquille ! siffle-t-il, avec une telle violence que j'en perds le souffle et bascule en arrière sur l'herbe.

Je le vois tituber et disparaître dans la maison.

— Jack !

Je me couvre le visage. Matt s'accroupit près de moi.

— T'inquiète pas, dit-il. Donne-lui quelques minutes, le temps qu'il se calme. Il vient de se prendre un coup. Il ne pense pas ce qu'il t'a dit.

Tout le monde a l'air sous le choc. Matt m'aide à me relever et passe un bras autour de mes épaules tandis que Chloé arrive à grands pas. Elle est furieuse. Tout est gâché. On dirait qu'un ouragan a dévasté le jardin.

— Où est Jack ? demande-t-elle sèchement.

Je désigne la maison d'un mouvement stupide de la tête.

— Et merde !

Elle me fusille du regard avant de traverser le jardin à la recherche de Jack.

Quelques minutes plus tard, je me réfugie dans la salle de bains et referme la porte derrière moi, encore toute tremblante de l'incident dans le jardin. Je ne sais pas combien de temps je reste assise sur la cuvette des toilettes, mais soudain j'entends quelqu'un qui frappe doucement à la porte.

— Amy ?

C'est la voix de Matt. Il frappe à nouveau.

— Amy, laisse-moi entrer.

— C'est ouvert.

Il entre, et quand je vois son visage je me mets à pleurer.

— Allons, dit-il en s'asseyant sur le rebord de la baignoire près de moi. Allez, c'est fini.

Il passe un bras autour de moi et me tends le rouleau de papier toilette. Je me mouche.

— Je suis désolée, dis-je en reniflant.

— Y a pas de quoi. Tout va bien. Moi aussi ce genre de trucs me fiche la trouille.

La porte s'ouvre brusquement.

— Ah, tu es là, dit Chloé en pinçant les lèvres. Ça vaut mieux. On peut pas dire que tu sois en odeur de sainteté.

Matt et moi nous levons.

— Comment il va ? je demande.

— Ne t'inquiète pas. Je m'occupe de lui, moi.

Jack apparaît sur le seuil, une main sur son visage. Son œil enfle déjà. Chloé passe devant Matt et ouvre l'armoire à pharmacie.

— J'ai de l'antiseptique là-dedans, dit-elle avant de sortir un flacon et de prendre un gros morceau de coton. Viens là, Jack.

— Ça va aller, dit-il. (Il ne me regarde pas.) Vous pouvez nous laisser seuls une minute ?

Il regarde Matt qui hoche la tête, puis Chloé, qui a l'air sur le point de taper du pied. Elle le fusille du regard, tandis qu'il prend le flacon et le coton de ses mains.

— Y a un peu trop de monde, c'est tout, ajoute-t-il.

Chloé me regarde comme si j'étais un insecte qu'elle voulait écraser avant de suivre Matt et de claquer la porte. Jack met le ver-

266

rou derrière elle. Il s'adosse contre le chambranle et ferme les yeux un moment. Puis il me regarde.

— Je suis désolé, dit-il. Je ne voulais pas te repousser comme ça.

— Tu n'as aucune raison d'être désolé. Tout est de ma faute. Oh, bon sang, Jack, je suis navrée.

— Viens ici, dit-il. Non mais quel connard !

Je le regarde. Son œil me fait grimacer. Je le fais asseoir sur le rebord de la baignoire. Je prends l'antiseptique et le coton et m'agenouille devant lui.

— C'est très douloureux ?

Jack ne répond pas. Il se penche en avant et passe un bras autour de mes épaules ; son front touche le mien.

— Quelle histoire ! soupire-t-il.

— C'est fini, maintenant.

— Je ne voulais pas...

— Chut.

Je pose un doigt sur ses lèvres. Nous nous regardons dans les yeux. Et tout d'un coup, tout est clair. Rien d'autre n'importe, ni Sally, ni Chloé, ni Jons. Rien sinon Jack.

— Je t'aime, dis-je.

7

Jack

Elle m'aime, et moi ?

Non pas, *Je t'aime bien*. Non pas, *Tu me plais*. Ni même, *Tu es mon ami*.

Rien de tout ça.

Juste, *Je t'aime*.

Ce n'est pas un aveu à la légère. Ça se place dans le peloton de tête des *Avant qu'on aille plus loin, je pense que tu devrais savoir que je n'ai pas toujours été une femme...* (Michaela/Mike à Matt, 1995) ; *Quand je t'ai dit que je n'étais pas marié, je ne disais pas exactement la vérité...* (Graham King à Chloé, 1997) ; et *Je pense qu'il est temps que nous commencions à réfléchir sérieusement au mariage...* (Zoé à moi, 1995).

Bref, c'est du sérieux.

En cet instant critique, diverses tactiques de diversions traditionnelles sont à ma disposition :

a) le « Mmmmm » contemplatif (accompagné de préférence d'un lent hochement de tête et d'une expression constipée) ;

b) le « Moi aussi je t'eûmmrl » incompréhensible (bourré c'est mieux) ;

c) le « Oh, mon Dieu, je crois que je vais vomir » paniqué *(idem)* ;

d) le « Merci de m'en avoir fait part » thérapeutique (poignée de main complémentaire essentielle) ;

e) le « Je sais » arrogant (yeux dans les yeux, sourire suffisant/ricanement facultatif).

Mais je ne me sens pas très tactique pour le moment. Je suis bien trop bouleversé. Je regarde Amy et je me dis, ouais, peut-être que c'est des mots que j'ai envie d'entendre dans sa bouche. Je me sens flatté et je crois que le fait qu'elle me le dise ça signifie qu'elle a pris une monumentale décision féminine : je suis l'homme de sa vie. Il y a une part en moi qui veut avoir le courage de ses opinions, lui prendre la main, la regarder dans les yeux et dire : « Oui, c'est moi l'homme de ta vie. Oui, je t'aime. Oui, je suis heureux car toi aussi tu m'aimes. » Enfin quoi, c'est ce que tout le monde veut entendre quand arrive le moment crucial : aimer et être aimé. Que l'équation n'ait qu'un seul élément, ça ne va pas.

D'accord ?

Mais je pense aussi à d'autres trucs. Des trucs inquiétants. Des trucs que je n'aime pas admettre, même à moi-même. Du genre : est-ce que je la connais vraiment ? Suffisamment pour prendre au sérieux sa déclaration ? Est-ce que je lui fais à ce point confiance ? Et qu'est-ce qui va se passer si je le fais et que je me trompe ? Qu'est-ce qui va se passer si je colle l'étiquette Amour sur ce fatras d'émotions que je ressens ?

Mes états de service en la matière, comme en pas mal d'autres matières, ne me remplissent pas franchement d'assurance. Pour commencer, je n'ai dit qu'une seule fois « je t'aime » à quelqu'un (parents et animaux familiers exclus). Et c'était à Zoé. À l'aéroport de Heathrow. On est restés coincés là-bas six heures à attendre notre vol pour Ibiza. La fatigue s'était manifestée depuis déjà trois heures. L'ennui total. J'étais assis sur un siège en plastique, à regarder le tableau d'information et attendre que les lettres changent et affichent EMBARQUEMENT IMMÉDIAT. Zoé dormait, la tête sur mes genoux. Je me souviens que je la regardais, ses cheveux étaient sur mes cuisses, ses yeux clos, un immense élan protecteur m'envahissait. Elle était belle, apaisée. Je n'avais encore jamais autant apprécié une aire d'attente. Je me suis penché et je l'ai embrassée sur le front, puis les deux syllabes magiques ont franchi mes lèvres en un murmure. Cela faisait six mois qu'on était ensemble et j'avais apprécié chaque minute.

Mais aujourd'hui, là, dans la salle de bains de Chloé, avec l'antiseptique qui me brûle la joue et mes yeux qui enflent et me vaudraient la première place dans un concours d'œil au beurre noir, j'éprouve autre chose. Je ne suis plus un gosse. L'amour n'est pas un besoin de protection. L'amour n'est pas le confort et la suffisance. L'amour est un choix. C'est arriver à la conclusion que c'est ce qu'on voulait et qu'il n'y a rien d'autre. Je ne suis pas un de ces types qui disent ça parce que c'est plus facile que de ne pas le dire. Et je ne suis pas un de ces types qui s'en servent comme d'un code d'accès pour s'immiscer dans la culotte d'une fille. (Je dirais n'importe quoi, mais pas ça.) Mais, dans le même temps, ça ne me fait pas peur. Je le dirai quand je serai prêt. Je regarde Amy, et je sais que je ne suis pas prêt.

Notre avenir est encore un *si* et pas un *quand*.

Donc, au lieu de répondre à sa déclaration par le prévisible « Je t'aime moi aussi », j'emprunte le chemin qu'empruntent depuis des générations les hommes indécis : je me dégonfle.

— Ta robe est déchirée, lui dis-je.

Je cesse de la regarder dans les yeux pour me concentrer sur le tissu. Il y a quelques secondes de silence, j'entends mon cœur battre et je me demande si, elle aussi, peut l'entendre. Finalement, elle demande :

— Comment te sens-tu ?

— Complètement décalqué.

Heureusement, elle comprend que je fais référence à ce qui s'est passé dans le jardin et non à ce qu'elle vient de dire.

— C'était stupide de ma part.

Je resserre mon étreinte, l'attire tout contre moi et l'embrasse sur la tempe.

— Non, c'était stupide de ma part. Stupide de te mentir sur le physique de Sally. Stupide de sa part de ne pas en parler à Jons. Et stupide de la part de ce taré bourré de coke de péter les plombs et d'essayer de me casser la gueule.

Amy baisse la tête.

— Oui, mais tu peux comprendre pourquoi...

— Mon cul, oui. Personne n'a le droit de se comporter ainsi. Trop de ça, dis-je en reniflant et en désignant mon nez, et pas assez de ça, j'ajoute en me tapotant le front.

Je sens ma respiration devenir difficile, et le visage de Jons se matérialise en pensée devant moi.

— Et si tu te trouvais dans ce genre de situation ? Si tu découvrais que quelqu'un peint un nu de moi ? Tu serais furieux ?

C'est, bien sûr, une question sensée, mais pas une question sur laquelle j'ai envie de m'appesantir. Je secoue la tête catégoriquement.

— Non, je ne serais pas furieux, parce que je ne suis pas débile. Et... parce que j'ai confiance en toi.

— Tu savais qu'elle ne lui avait rien dit ? Avant ce soir, je veux dire.

J'envisage de mentir, de lui dire que je pensais que Jons n'y verrait aucun inconvénient. Mais à quoi bon ? Il suffit de voir Jons, même de loin, pour comprendre qu'il n'est pas du genre à supporter de voir Sally assise à côté d'un type dans le bus, sans parler d'un rapport plus intime. Alors je lui dis la vérité :

— Ouais. Elle a dit qu'il serait furieux s'il l'apprenait.

— Ouais, comme moi quand j'ai vu le tableau.

— Oui, je soupire, comme toi.

— C'est une question de franchise, finalement, dit-elle. J'étais méfiante et j'ai imaginé le pire.

Je me tourne sur le rebord de la baignoire pour lui faire face. Ses yeux sont bouffis par les larmes. J'ai l'impression que tout est de ma faute. D'ailleurs, c'est le cas.

— C'est ce que tu as pensé quand tu as vu le tableau.

— Quoi, que tu couchais avec elle ?

— Ouais.

— Eh bien, je mentirais si je disais que ça ne m'a pas traversé l'esprit. (Elle me passe une main dans les cheveux.) C'est le cas. Vraiment. (Elle penche la tête et me regarde.) Ça t'énerve que j'ai pensé ça ?

— Non.

— Pas même un peu ? insiste-t-elle.

— Bon, d'accord. Un peu.

— Je suis désolée. C'est de la jalousie. Je te fais confiance, Jack. Complètement. Tu le sais, n'est-ce pas ?

Je me sens péteux sur ce coup-là. Et quand je dis péteux, je pèse mes mots. Le degré ultime du péteux. Du genre qui souille son froc au point de rivaliser avec une vache diarrhéique. Exactement comme quand on s'est réconciliés dans l'atelier après qu'elle a vu le tableau. C'est le moment ou jamais de me refaire une virginité et de dire à Amy qu'elle avait raison de penser que mes motivations de peintre concernant Sally relevaient davantage de la luxure que de la peinture. Autant tout déballer et passer à autre chose.

Mais à quoi bon ? Pourquoi devrais-je me justifier auprès d'Amy de choses que je pensais avant elle ? Pourquoi lui faire encore de la peine ? Ce n'est plus d'actualité, à présent. C'est Amy qui m'intéresse, pas Sally. Elle n'a pas besoin de savoir que les choses auraient pu être différentes.

— Je ne sais pas, lui dis-je. N'empêche que tu as réagi comme Jons.

— Je ne t'ai pas frappé, dit-elle. Ça compte, non ? Je souris malgré moi.

— Je suppose. Et je n'ai pas fait rôtir ton pantalon de cuir. Ça aussi ça entre en ligne de compte.

Elle grimace.

— Ça a dû être douloureux.

— Épouvantable, dis-je, incapable de m'empêcher de sourire. Comme du bacon dans une poêle.

Elle retrouve son ton sérieux.

— Il faut qu'on soit clair là-dessus, Jack.

— Quoi, sur cette histoire de confiance ?

— Oui. Mais pas que ça. Tout le passé. Pour qu'il n'y ait plus de secrets ou de mensonges. Pour qu'on ne se retrouve pas dans une galère de ce genre.

Et elle a raison : il faut qu'on mette les choses au clair. Mais pas ici. Pas maintenant. Pas quand les émotions sont à ce point exacerbées.

Quelqu'un frappe à la porte. C'est Matt.

— Tu te sens mieux à présent, Elephant

Man ? demande-t-il en grimaçant au spectacle de mon visage.

— Ouais, dis-je en me retournant et en souriant à Amy. Que la fête continue !

Les bagages

On est mardi soir et Amy est déjà en train de lire à la terrasse du Zack quand j'arrive. Nous avons décidé de prendre un verre ici avant de nous rendre à la fête d'une de ses copines. Parvenu à quelques mètres d'elle, je profite qu'elle ne m'a pas encore vu pour m'arrêter et la regarder. C'est un jeu auquel je jouais avec Zoé quand on se donnait rendez-vous quelque part. Ça s'appelait : Me plairait-elle si elle n'était pas ma copine ? Je reste là et j'essaie d'imaginer que c'est une parfaite inconnue et que je suis juste en train de me promener. Maintenant que j'ai posé les yeux sur elle pour la première fois, la question pertinente est la suivante : Est-ce que j'aimerais également la sauter ?

Les informations sur le physique en premier : cheveux, silhouette, vêtements. Tout est compatible avec mon genre. Elle n'a pas une permanente luisante, le crâne rasé ou la barbe. Aucun signe apparent de dégénérescence, d'obésité ou d'abus de stéroïde anabolisant. Côté fringues, elle ne porte ni jambières en lycra fluorescent, ni talons aiguilles, ni T-shirt du fan-club de Michael Bolton. Elle est également dans la bonne tranche d'âge : pas plus de cinq ans de moins que moi (ce qui autorise du coup les plans nostalgie sympas sur les programmes télé culte des années soixante-dix et quatre-vingt — *Shérif, fais-moi peur, Deux Cents Dollars plus les frais, Chips,* etc.), et pas plus de dix ans de plus que moi (ce qui réduit du coup la possibilité d'un bagage sérieux — mariage raté, enfants, vinyles de Pink Floyd/ David Soul, etc.). Jusque-là, pas de lézard. On passe ensuite aux informations dites annexes. Elle lit un magazine sur papier glacé (elle sait lire, un bon point), porte des lunettes de marque sur le sommet de la tête (goûts de luxe, un mauvais point), et il y a devant elle deux verres et une bouteille de vin glacé (elle attend quelqu'un, sûrement un petit copain — très mauvais). Analyse globale : vrai potentiel ; dommage pour le petit ami.

Si c'était *vraiment* la première fois que je voyais Amy, alors je serais obligé de passer mon chemin à contrecœur. Mais ce n'est pas la première fois. Et le fait qu'elle ait un petit ami ne me dérange pas outre mesure. Parce que c'est moi le petit ami en question, et il y a mon nom d'écrit sur ce second verre de vin. Je m'approche d'elle, le sourire aux lèvres, car la réponse à ma question de départ est un Oui éclatant.

La première chose que je réalise après l'avoir embrassée, m'être assis et versé un verre, c'est que la revue qu'elle lit, en fait, est un dépliant touristique. La deuxième chose qui me frappe, alors qu'elle me demande si j'ai passé une bonne journée, c'est que la brochure concerne Hawaii. La troisième chose, quand Amy déclare que ça fait des années qu'elle n'est pas partie à l'étranger ; c'est qu'elle est victime d'une illusion : elle croit que je suis bourré de fric et que je passe ma vie dans des endroits comme Hawaii. Mais ce que je réalise surtout, alors qu'elle me fait remarquer que j'ai de la peinture jaune dans les cheveux, c'est que je suis bel et bien dans la merde.

— Alors qu'est-ce que t'en penses ? demande-t-elle en retournant le dépliant et en me montrant une photo d'une station particulièrement chère.

Ce que j'en pense ? Ce que j'en pense vraiment ? Je pense qu'une fois que j'aurai comblé mon découvert, payé mon loyer et le tout-venant avec le fric que j'ai touché en peignant l'Étude *en putain de jaune* pour la boîte de papa, il ne me restera même pas de quoi m'acheter un ticket de bus pour Pétaouchnok, sans parler d'un lieu plus exotique. Je pense qu'il fait super beau ici et que ce n'est pas la peine d'aller à l'étranger. Je pense que dans un monde idéal Amy devrait avoir une trouille bleue des voyages en avion et qu'on serait très bien à se les geler l'été en Angleterre. Mais Amy n'a pas envie d'entendre la vérité. Ou, du moins, je n'ai pas envie qu'elle l'entende. Je suis sur le point d'ouvrir la bouche pour parler quand je me fais la réflexion, et ce n'est pas la première fois de ma vie, que mentir c'est un peu comme se masturber : une fois que vous avez commencé, c'est assez dur d'arrêter. En dépit de ces réflexions, je parviens, ô miracle, à ne pas arborer une expression horrifiée, et au lieu de ça adopte un ton trivial et blasé, et dis :

— Je sais pas trop. L'ennui avec Hawaii c'est qu'une fois qu'on y est allé ça perd un peu de son attrait.

— Oh. (Elle s'efforce de dissimuler sa déception.) Je ne savais pas que tu y étais allé.

— Eh si, dis-je.

Et c'est la vérité. J'y suis déjà allé. Ce n'est pas parce que j'avais six mois à l'époque et que j'ai passé tout le temps dans un landau lors d'un voyage d'affaires de papa que ça ne compte pas. Quand on parle de cette île, je suis capable de siffloter l'air du feuilleton *Hawaii, Police d'État* comme un pro. Ce que je fais aussitôt en mimant le geste de pagayer, dans l'espoir que mon petit numéro distraira Amy de sa mission.

Ça ne marche pas. J'ai à peine fini de chantonner *ba-ba-ba-ba-baaa-baaa* qu'elle m'interrompt et me demande :

— Et tu n'as pas envie d'y retourner ?

J'en reste les bras ballants.

— Eh bien, là-bas c'est le soleil, la plage et le surf, et guère plus.

— Pas génial, en effet.

Elle dépose une nouvelle brochure sur la précédente. Je regarde la première page. Les forêts tropicales.

— Et ça, alors ? Est-ce que quand on en a fait une on les a toutes faites ?

Un rapide coup d'œil aux nombreuses et luxueuses brochures touristiques qui dépassent de son sac m'apprend que je ne vais pas pouvoir jouer très longtemps les globe-trotters. Il faut trouver une parade, et vite, sinon je ne m'en sortirai jamais. Je lui ai déjà dit qu'on allait partir en vacances ensemble, et toute rétractation maintenant serait certainement perçue comme une indication que tout ne va pas pour le mieux chez Rossiter & Crosbie. Et je n'ai aucune envie d'une prise de tête proto-conjugale. Parce qu'il n'y a pas péril en la demeure. Hormis les mensonges que je peux lui sortir sur le fric que me rapportent mes tableaux. Hormis le fait que je continue à lui mentir là-dessus alors que je lui ai juré que je ne lui mentirais plus. Une crise ? Hein ? Quelle crise ? Ce sont des détails, des bavures de rien du tout sur la grande toile de la vie — pas de quoi paniquer.

J'écarte doucement la brochure et lui dis :

— Je pensais à un endroit un peu moins éloigné.

— Pourquoi ?

— Eh bien, euh... (Et paf, le déclic :) Parce que quand on aura nos billets, il ne nous restera qu'une semaine avant que tu commences ton nouveau boulot.

Mais on ne la lui fait pas aussi facilement.

— Pas de problème, dit-elle en ouvrant une brochure vantant les charmes des Bahamas.

Son doigt parcourt une longue liste de forfaits qui ressemblent à des estimations de produit national brut, puis elle trouve les dates de départ et d'arrivée.

— Tu vois, ils proposent des tas de forfaits à la semaine.

Des forfaits. Ah ! Faudra que j'en parle à mon banquier, tiens.

— Je sais, mais pense à la durée des vols. Le décalage horaire, ça fatigue, tout ça. Le temps qu'on aille là-bas et qu'on atterrisse, il faudra déjà rentrer. (Elle ouvre la bouche, prête à répliquer. Je fonce :) L'Europe. C'est très bien l'Europe. Surtout à cette époque de l'année. L'Europe, je sais pas, moi, c'est marrant l'Europe.

Elle plisse les yeux et répète :

— Marrant ?

— Oui, des tas de trucs à faire. Des endroits à voir... Marrant, quoi.

Elle se laisse aller contre le dossier de sa chaise. Son corps essaie de m'envoyer des signaux. Il me dit, et très clairement : L'Europe ça n'a rien de marrant. L'Europe ça n'a rien de marrant parce que j'y suis déjà allée des tonnes de fois et que j'ai envie de connaître Hawaii.

— Entendu, dit-elle, et quel parc à thème as-tu envie de visiter qui soit marrant ?

Je pense : vols pas chers, logements pas chers, bouffe pas chère et biture bon marché, et le mot « Grèce » franchit mes lèvres.

— La Grèce ?

Ses lèvres sont tellement serrées quand elle prononce le mot que c'est un miracle qu'il sorte entier.

— Ouais, la Grèce. Le berceau de la culture occidentale. Le Parthénon, Homère et tous ces trucs grecs géniaux.

Elle réfléchit un moment à ma proposition, et son regard fait la navette entre ma personne et les dépliants dans son sac. J'ai le sentiment que, si elle devait faire le choix entre eux et moi, j'arriverais bon deuxième.

— Très bien, dit-elle enfin. Donc, la Grèce. Tu t'occupes des réservations, ou je le fais ?

— Je m'en occupe, dis-je.

La perspective de négociations avec les agences de voyages me ravit à l'avance.

Coup de chance, la conversation passe à autre chose. Enfin, « chance » n'est peut-être pas l'adverbe de circonstance vu mes sentiments face à ce qui suit. Les termes « sur le gril » et « brûlant » me viennent à l'esprit. Car le sujet qu'Amy vient d'aborder est celui-là même auquel j'ai échappé de justesse lorsque nous étions tous les deux dans la salle de bains de Chloé : le passé.

Personnellement, j'ai une attitude assez bizarre vis-à-vis du passé. D'un côté, il ne me pose pas de problème. Je suis où je suis/qui je suis en raison de ce qui m'est arrivé — une somme d'expériences, tout ça. Comme le premier soir où j'ai rencontré Amy. On a parlé du passé et c'était épatant. Mais il s'agissait d'un passé propre, d'un passé censuré, du genre qu'on peut montrer à un gosse sans craindre que ça lui donne des cauchemars. D'un autre côté, il y a certains trucs que j'ai faits et qu'il vaut mieux ne pas remuer. Comme le sexe. Ou les personnes avec qui j'ai couché au cours des dernières années. Le sexe est un sujet dangereux. Quand vous parlez à quelqu'un de votre vie sexuelle, il en tire vite des conclusions.

Prenez Christine. Christine est une fille dont j'étais complètement fou au début de l'an dernier. C'était une copine, une vraie copine, on se disait tout, on se racontait nos histoires d'amour comme d'autres échangent des vignettes de foot. Et c'était génial. C'était ouvert et sincère. L'ennui, c'est que, quand je lui ai demandé de sortir avec moi, elle n'a pas voulu. Pourquoi ? Non parce que je ne lui plaisais pas — elle a reconnu que je lui plaisais —, mais parce qu'elle ne se voyait pas devenir la nouvelle conquête de Jack Rossiter.

Et c'est ce qui me pose problème avec Amy. Va-t-elle me juger ? Si j'admets que j'ai passé mon temps à tirer mon coup puis à me défiler aussitôt, va-t-elle prendre exemple sur moi et décamper ? C'est un risque, mais c'est un risque que je vais devoir prendre. Parce que les mensonges, c'est fini, on est d'accord ? Si Amy m'accepte, alors elle doit m'accepter tel que je suis. C'est une situation du genre à prendre ou à laisser.

J'espère que ça sera à prendre.

Aussi après quelques *euh* et quelques *eh bien,* on en vient à parler de nos amours passées. Mais j'ai conscience que nous ne parlons pas vraiment de nos liaisons ; nous les utilisons comme modèles ; pour tester le terrain et savoir si on est compatibles. Dans toutes les questions que nous posons à l'autre, il y a un sens premier et un sens caché. Amy, par exemple, me demande :

As-tu déjà trompé quelqu'un avec qui tu sortais depuis longtemps ? *(Risques-tu de me tromper ?)*

Quand tu as rompu avec quelqu'un, t'es-tu contenté d'annoncer à l'autre que c'était fini, ou as-tu mis au point des situations intolérables pour donner l'impression que les deux camps étaient responsables de la rupture ? *(Es-tu un homme ou une souris ?)*

Avec ces filles, as-tu jamais songé au mariage, même comme une très vague possibilité ? *(L'idée de t'engager t'effraie-t-elle ?)*

Et moi, de mon côté, je demande à Amy :

Si un des ces types t'avait demandée en mariage, aurais-tu accepté ? *(M'épouserais-tu parce que tu aimes l'idée du mariage et que c'est le bon moment dans ta vie, et non parce que tu es dingue de moi ?)*

T'es-tu jamais vengée d'un ex ? *(Si les choses ne se passent pas bien entre nous, vais-je avoir droit à un remake de* Liaison fatale *?)*

As-tu déjà eu une expérience lesbienne ? *(Y a-t-il des chances pour qu'on le fasse à trois ?)*

Et, peu à peu, nous nous sondons, tandis que chacun se demande si ce qu'il entend lui plaît.

Puis ça devient plus précis. Ça commence par la question de base : Avec combien de personnes as-tu couché ? Je ne réponds pas de la réaction d'Amy à ma réponse (vingt-cinq et quelques). Mais, comme je la vois fermer les yeux et faire le compte de ses conquêtes sur les doigts, puis annoncer « douze », ma réaction est franchement de l'ordre de la surprise. J'insère immédiatement cette information dans l'Équation de la Promiscuité que Matt et moi avons mise au point dans un de nos moments d'ennui. Elle prend en compte tous les facteurs adéquats nécessaires pour calculer le Taux de Promiscuité exact ($\heartsuit$) qui est le nombre moyen de personnes avec qui on a couché par an quand on était célibataire : Nombre de personnes avec lesquelles on a couché (W) ; Age

actuel (X) ; Age où on s'est fait dépuceler (Y) ;
nombre d'années passées dans une relation de
longue durée (Z). L'équation donne ceci :

$$\frac{W}{X - (Y + Z)} = \heartsuit$$

Je l'applique à Amy :

$$\frac{12}{25 - (17 + 4)} = 3\ \heartsuit$$

Et à moi :

$$\frac{25}{27 - (17 + 2)} = 3,125\ \heartsuit$$

Et nous y voilà : même si elle a couché avec
moins de gens que moi, nos taux ne sont pas
très différents. Au cours de ses années d'acti-
vité sexuelle de célibataire, elle a fait l'amour,
en moyenne, avec trois personnes par an, et
moi 3,125.

Je ne sais pas trop comment réagir à ça.
C'est un soulagement, bien sûr, de voir que
nous avons une expérience similaire, que je ne
suis pas plus un coucheur qu'elle, et vice versa.
Mais quand même, je suis choqué. Je me
considère un peu comme quelqu'un de facile,
alors est-ce que ça fait d'Amy une fille facile ?
Et est-ce que je dois m'inquiéter ? Je ne me
fais pas trop confiance quand il s'agit des
femmes, alors dois-je lui faire confiance quand
il s'agit des hommes ? Ou ne s'agit-il que
d'une crise d'ego viril ? Parce qu'elle sait
s'amuser sans moi ?

Quoi qu'il en soit, je suis intrigué. Je veux
en savoir plus. Et donc je l'interroge. Et

j'obtiens des réponses. Des noms. Des détails. Depuis le premier (Wayne Cartwright, derrière le garage à vélos, Elmesmere High) jusqu'au dernier (Martin Robbins, six mois avant de me rencontrer, lors d'un mariage au pays de Galles). Du plus jeune (de nouveau Wayne Cartwright, alors âgé de dix-sept ans) au plus âgé (Simon Chadwick, un musicien de quarante ans). Elle me parle du pire (Alan Wood, un trentenaire encravaté en pleine débâcle conjugale) et du meilleur (Tommy Johnson, un décorateur du West End). Elle s'étend davantage sur sa plus longue erreur (Andy, le négociant friqué avec lequel elle a habité) et presque pas sur sa plus courte (« Jimmy ou Johnny Machinchose. J'étais furax et complètement décalquée. Je ne me rappelle pas grand-chose de lui »).

Et à un moment donné, bien que j'y aille moi aussi de mes petits aveux, un sentiment inhabituel s'empare de moi. Ça vient de nulle part, mais une fois que c'est là, ça refuse de partir. Comme elle continue de décrire et moi d'écouter, je commence à me sentir nauséeux. C'est le fait de visualiser qui me dérange. Je ne peux m'empêcher de l'imaginer avec ces autres types, à faire ce qu'on fait ensemble, des trucs qui font qu'on est intimes. C'est dingue, je le sais bien, mais c'est quand même douloureux. Ça fait longtemps que je n'ai pas été confronté à ce genre de truc. Je n'y ai pas été confronté parce que j'en avais rien à battre. La plupart des filles avec lesquelles j'ai couché, je ne les connaissais pas. Je ne savais quasiment rien d'elles. Et les trucs que je savais sur certaines ne me gênaient pas. Pourquoi ça m'aurait gêné ? Ce n'était pas comme si j'allais devoir rester avec elles et affronter tout ça. Nous n'avions aucun avenir ensemble, alors pourquoi perdre du temps à s'embêter avec le passé ?

Mais là c'est différent. Radicalement. Ces derniers jours, j'ai beaucoup repensé à ce qu'Amy m'a dit dans la salle de bains de Chloé. À ces trois petits mots. Et je me suis dit que peut-être j'aurais dû donner une réponse différente. Parce que je tiens à elle. Énormément. Et je crois que je suis en train de tomber amoureux d'elle. Et voilà pourquoi entendre ces choses me fait du mal. Je la veux ; je veux tout d'elle. Et je sais que ça signifie entendre la vérité sur elle aussi, parce que je préfère savoir les choses plutôt que ça reste tabou. Mais bon, je n'ai pas envie de l'entendre me parler de ses infidélités, des soirées où elle a fini ivre morte, au lit avec quelqu'un, juste parce qu'elle était trop naze pour prendre un taxi et rentrer chez elle. Je n'ai pas envie d'entendre toutes ces choses qui m'auraient bien arrangé si j'avais eu des vues sur elle. Et la raison pour laquelle je ne veux pas entendre parler de tout ça, c'est que je n'ai pas envie, aujourd'hui, que ça m'arrive.

Je prends sur moi et me traite intérieurement de crétin. Elle doit ressentir la même chose quand je lui parle de mes conquêtes. Alors ne sois pas aussi lamentable. Ne sois pas inquiet et ne sois pas jaloux. Ne sois pas toutes ces choses que tu méprises. Combats ce sentiment moche. Sois heureux d'avoir eu cette conversation. C'était simple et c'était honnête et, surtout, c'était normal. Accepte le fait que, à moins d'épouser une vierge, c'est quelque chose que n'importe qui doit affronter à un moment de sa vie.

— Mais ils ne sont plus d'actualité, maintenant ? je demande après avoir raconté numéro 25 et elle numéro 12.

Elle me regarde droit dans les yeux et dit :

— Non.

— Pas de numéro en attente, d'affaires en cours, de bagages en consigne ?

— Non.

— Bien, dis-je en essayant de dissimuler le soulagement dans ma voix. Tant mieux.

— Et toi ? demande-t-elle, hésitante. Quelqu'un dont tu aurais oublié de me parler ?

— Personne. Juste toi.

— Et Zoé ? Pas de sentiments résiduels ?

— Non.

— Sally ?

— Non.

Elle fixe la table.

— Elle t'a appelé ?

— Non, je ne pense qu'elle me refera signe. Kate a dit qu'elle était retournée à Glasgow avec Jons pour essayer de raccommoder les choses.

Elle hoche la tête, apparemment satisfaite, puis relève les yeux et dit :

— Et pour Chloé ?

Je ne crois pas que j'aurais l'air moins choqué si elle me demandait de baisser mon pantalon et de pisser au milieu de la rue. Je tente de lâcher un « Quoi ? » mais ne parviens qu'à balbutier un « Kheu ? ».

— Tu lui plais.

— Tu veux rire. C'est une de mes meilleures copines.

— Et alors ? Ça arrive que des amis couchent ensemble, tu sais.

— Certes, dis-je, sur la défensive, avec dans la voix un accent de culpabilité. Eh bien ce n'est pas le cas.

— Et tu n'en as pas envie ? C'est le principal. Pas que tu ne l'aies pas fait, mais que tu ne l'envisages pas.

— Je ne l'ai pas fait et je ne le ferai pas.

Elle se penche et m'embrasse.

— Bien, dit-elle en souriant. Je suis navrée, mais il fallait que je sache.

— Pourquoi ?

— Pourquoi ? Parce que si tu éprouvais quelque chose pour elle, alors je ne pourrais jamais être amie avec elle. Je ne supporterais pas de la voir s'approcher de toi. Tu comprends ça, n'est-ce pas ?

— Ouais. Mais ça n'a plus d'importance maintenant, non ?

— Non.

Elle sort la bouteille du seau à glace. Elle est vide. Puis elle consulte sa montre.

— Viens, dit-elle. La fête de Max. Ne soyons pas en retard.

La fête

La fête de Max est un soulagement. Un laxa-
tif de première. Un Maxatif, pas moins. La fête
de Max devrait faire l'objet d'une pub aux
heures de grande écoute à la télé comme
remède miracle pour les types anal comme moi
qui sont paranos à l'idée de rencontrer les amis
de leur copine.

Au moment même où Max ouvre la porte
de son appartement, le nœud d'angoisse dans
mon estomac se dissout. Il est tout sourire et
— Houah, « alors c'est lui le nouveau » — il
ne me dévisage pas comme je m'y attendais,
mais me colle juste une bière glacée dans les
mains, donne l'accolade à Amy, me serre la
main et nous fait signe d'entrer.

Il doit déjà y avoir une soixantaine de personnes. Les âges varient : entre vingt et trente
ans. Je jette un œil aux personnes présentes
dans la pièce et n'éprouve aucun malaise.
Apparemment, il n'y a rien à craindre : pas de
satanistes réunis pour sacrifier des boucs dans
un coin ; pas de masse grouillante de pervers
vêtus de cuir par terre. En d'autres termes, rien
qui puisse me laisser penser qu'Amy est une
autre personne que celle qu'elle a été avec moi.

Nous restons en retrait quelques minutes, le
temps qu'Amy me fasse un rapide topo sur les
potes présents. Puis on est happés. C'est le
genre Tournée mondiale d'Amy & Jack, avec
des escales à chaque groupe. Je souris, je plaisante, j'engrange les noms, et Amy murmure
à mon oreille entre les présentations, me
raconte les ragots. Et c'est épuisant, je dois

l'admettre. Je suis obligé de me retenir pour ne pas la prendre par le bras et l'entraîner loin de tout ça. Juste cinq minutes. Parce qu'ici je suis en vitrine. Elle connaît certains des invités depuis qu'elle est gosse. À leurs yeux, je ne suis sans doute qu'un nouveau petit ami, et non un élément stable dans la vie d'Amy.

— Alors que penses-tu d'eux ? me demande-t-elle en me coinçant une heure plus tard.

— La plupart sont super, lui dis-je en regardant par-dessus sa tête les personnes qui nous entourent, en pensant à quelques exceptions notables, mais dans l'ensemble je suis sincère.

— Tu le penses vraiment ?

Je souris.

— Je ne te le dirais pas sinon.

De toute évidence, c'est un mensonge. Si je pensais que c'étaient des fêlés de première échappés d'un asile de fous, je lui dirais quand même qu'ils me plaisent. Parce c'est elle qui compte ici, pas eux. Et ça compte pour elle que je les aime.

— Merci.

— N'aie pas l'air aussi soulagée.

— Je le suis. (Elle fronce les sourcils.) Dommage que H ne soit pas là. J'ai du mal à croire que vous ne vous connaissiez pas encore.

Elle scrute la pièce et je contemple un instant son profil. La même pensée traverse mon esprit qu'il y a une demi-heure, alors que je la regardais tout en bavardant avec sa copine de lycée, Sue. Amy riait en parlant à un type près des portes-fenêtres, et je me suis dit : tu es un veinard. Et voilà que maintenant, j'ai envie de le lui dire. De lui dire qu'elle est super. Que je suis fier d'elle. Qu'elle a fait de ma vie un endroit où j'ai vraiment envie d'être, le genre d'endroit où je peux envisager de construire un foyer et de m'attarder sur le seuil pour regarder le soleil se coucher. Je me penche vers elle et lui murmure à l'oreille :

— Embrasse-moi.

— Oh, mon Dieu ! glapit-elle en se dégageant et me repoussant.

Ma première réaction, en la voyant se détourner et se fondre dans la foule, c'est de penser qu'il y a eu une espèce de court-circuit entre mon cerveau et mes lèvres, et qu'au lieu de murmurer « Embrasse-moi », j'ai en fait crié « Au feu ! Tout le monde sur le pont ! ». Mais je m'aperçois très vite que ce n'est pas vers la porte que file Amy, mais vers la personne qui vient de la franchir.

Comme je fais quelques pas pour mieux voir de qui il s'agit, je suis obligé de constater que le terme de « personne » décrit fort mal l'être qui vient de faire son apparition. C'est moins une personne qu'un demi-dieu. Une sorte d'Adonis. Environ un mètre quatre-vingt-cinq, un physique d'athlète, bronzé, avec le genre de cheveux foncés et fournis et de sourire au magnésium qui a fait le succès des Chippendale. Je regarde autour de moi, mais non, pas d'affiche annonçant un spectacle imminent des beaux gosses en question. Pas de spots clignotants. Rien du tout, en fait, pour avertir le banc de petits mâles qu'un grand requin blanc vient d'entrer dans la pièce et qu'ils ont intérêt à rassembler leurs femelles et à se planquer. Mais peut-être est-ce inutile. Peut-être a-t-il déjà choisi sa proie.

Ou peut-être que cette dernière l'a déjà repéré.

Quand il voit Amy se diriger vers lui comme une folle, il laisse tomber son sac à dos par terre et tend les bras pour l'accueillir. Restons calme. Ce sont sûrement de vieux amis, d'accord ? Il n'y aucune raison d'éprouver un malaise. Il a un sac à dos, il est bronzé, donc il revient sûrement de voyage et ils sont tous les deux contents de se revoir. C'est logique. C'est normal. Je n'ai aucune raison de m'inquiéter. Et je ne dois pas non plus prendre mal le fait qu'Amy se jette dans ses bras. Ni qu'il la reçoive élégamment dans ses bras comme s'ils avaient dansé ensemble toute leur vie, ni plus ni moins. Ce sont là des choses qui ne devraient pas me gêner. Même si elle passe ses jambes autour de sa taille fine, ni plus ni moins, et ses bras autour de ses larges épaules. Ni que lui la fasse tourner, ni plus ni moins, en la tenant par les mains, ni plus ni moins. Ni qu'il la repose à présent et garde les mains sur elle tandis qu'ils bavardent, elle serrée contre lui. Je devrais rester complètement détendu, parce que j'ai confiance en elle et que nos rapports me comblent.

Ça me prend moins de trois secondes pour traverser la pièce et venir toussoter bruyamment à côté d'Amy.

Quand elle le lâche enfin, ses yeux sont brillants, ses joues toutes rouges. C'est le genre d'expression qu'on voit parfois dans les films et qui laisse entendre de façon non équivoque que telle fille aime bien tel mec.

— Jack, je te présente Nathan, un très bon ami à moi. Il vient de faire du trekking en Asie pendant six mois. (Elle se tourne vers Nathan.) Voici Jack.

— Son petit ami, j'ajoute, vu que ça lui est momentanément sorti de la tête.

Quoi qu'il en soit, cette information produit l'effet désiré sur Nathan. Il retire son bras de sur Amy. Je suppose qu'il a fait ça pour pouvoir me serrer la main. Du coup, je tends la mienne. La main de Nathan, toutefois, a plus important à faire, à savoir repousser quelques mèches luisantes de son visage. Sa vision ainsi éclaircie, il me détaille rapidement de haut en bas avant de grommeler « Ah bon », puis il reporte son attention sur Amy et se renseigne :

— Jake, c'est ça ?

— Jack, corrige-t-elle.

— Bien bien.

Nathan me jette un œil, comme pour vérifier l'info, puis se tourne à nouveau vers Amy.

— Ton petit ami ?

— Exact.

L'heure est venue de prendre la situation en main. À force de rester planté là comme un piquet, je commence à avoir des fourmis. Je fais comme si ma main tendue allait s'emparer d'une bouteille de bière sur la table la plus proche.

— Une bière ? je demande, tout pimpant et amical, en prenant la main d'Amy dans la mienne et en plaçant son bras autour de ma taille.

Nathan observe cette démonstration publique d'affection puis avance son nez parfaitement droit vers moi et murmure un vague « hun-hun » destiné à personne en particulier en acceptant la bière.

Hun-hun ?

Il se prend pour qui, ce connard ? Pour Elvis ou quoi ? Ne voulant pas le gêner dans sa démonstration, au cas où il céderait à l'envie d'onduler des hanches en fredonnant « Blue Suede Shoes », je recule d'un pas. Et comme je m'inquiète également pour Amy, je l'entraîne avec moi. C'est alors que *Nelvis* daigne m'adresser directement la parole.

— Et tu fais quoi ? me demande-t-il avec indifférence.

Son accent, maintenant qu'il a décidé de faire des phrases de plus de deux syllabes, sent les grandes écoles à cent mètres. Pue le fric, pour tout dire.

— Je suis artiste.

Une lueur d'intérêt s'allume dans ses yeux.

— Oh, vraiment ? (Il jette un regard entendu à Amy.) Et ça marche bien ?

— Ouais, dis-je, soudain sur mes gardes. Raisonnablement.

— C'est quoi ton nom ? Il se trouve que mon père est collectionneur, il a peut-être des œuvres de toi. Il encourage pas mal de nouveaux talents.

Je lui dis mon nom, même si je sais que ça ne lui dira rien du tout — à moins, bien sûr, que son père s'appelle Willy Ferguson et soit spécialisé dans la commande d'études en jaune.

Il renifle avec dédain et déclare :

— Jamais entendu parler de toi.

Et c'est exactement ce que j'ai envie de lui dire. Ou, plus précisément, à Amy. Mais qui c'est ce type ? Comment se fait-il que tu ne m'en aies jamais parlé si c'est un ami ?

Comme si elle lisait dans mes pensées, Amy me serre la main et intervient :

— Nathan et moi étions au lycée ensemble.

Hein ? ai-je envie de m'écrier. *Et ça lui donne le droit de me traiter comme de la merde qu'il aurait ramassée sous sa semelle ?* Mais je ne dis rien, parce que réagir ainsi devant des types comme Nathan c'est leur donner exactement ce qu'ils attendent. Tout ça est une question de territoire. Amy lui plaît. Je suis avec Amy. Je le gêne. Tant que je ne bouge pas, il ne peut rien faire.

Sa lèvre supérieure se retrousse en ce qu'on ne saurait décrire autrement que comme un rictus charmeur. Le côté charme est adressé à Amy, le côté rictus m'est réservé.

— Ça fait des années qu'on se connaît, me dit-il. Et toi ? Quand est-ce que tu as rencontré Amy ?

Rectificatif : la fête de Max n'a plus rien de détendant. C'est devenu un calvaire. Si ce type essaie de me prendre la tête, alors quelqu'un devrait lui attribuer une bourse. Et lui faire passer une licence de tuer. Je le regarde avec une haine si intense que je m'attends presque à ce que des rayons laser jaillissent de mes yeux et le réduisent en poussière. Nathan n'est pas simplement un nom. Nathan est bien plus que ça. Nathan est un verbe, comme dans : *Je suis vraiment désolé mais je viens de nathaner le siège de vos toilettes.* Et Nathan est également un substantif, comme dans : *Je n'aurais jamais dû reprendre de la sauce piquante hier soir, maintenant mon nathan est en feu.*

Je ne le lui dirai pas en face, toutefois. Je suis poli, moi. Je n'ai pas besoin de rabaisser les autres pour me sentir à l'aise. Je suis également nettement plus petit que lui. En réponse à sa question sur Amy et moi, je donne une vague date mais Amy me reprend et commence à tout déballer. Nathan l'écoute un moment, mais visiblement le sujet ne semble guère le captiver. Puis son côté jet-set-catogan reprend le dessus et il se dit qu'il doit y avoir de la coke dans les parages.

— On se voit plus tard, Amy, lance-t-il avec un clin d'œil en s'excusant et me frôlant.

Nelvis nous quitte. Croyez bien que j'en suis tout remué.

— Quel connard, dis-je à Amy.

Mais elle ne m'écoute pas. Elle le regarde partir.

Il est environ 2 heures du matin, la fête touche à sa fin, et je dis au revoir aux personnes avec lesquelles je parlais dans le salon et pars à la recherche d'Amy. Je croise Nathan dans le bureau au fond de l'appartement. Une odeur de dope plane lourdement dans la pièce. Deux filles sont vautrées par terre, inconscientes. Nathan tend un joint à un type avec des dreadlocks, murmure quelque chose et incline la tête vers moi :

— Salut, marmonne-t-il, son front se plissant exagérément. Désolé. J'ai oublié ton nom.

— Jack.

— Ah ouais, l'artiste. (Il cligne des yeux, hoche la tête.) Le copain d'Amy.

— Tu l'as pas vue ?

Il marmonne un truc dans le style :

— Ça, pour l'avoir vue, je l'ai vue, et dans le détail même.

Le mec avec qui il partage son pétard se roule sur le côté et explose de rire.

Je m'approche.

— Qu'est-ce que t'as dit ?

Son sourire disparaît comme une tache qu'il efface avec le dos de la main.

— Rien, mec, rien.

Je le dévisage deux secondes de plus puis me retourne.

— Hé, lance-t-il comme j'atteins la porte.

Je ne me retourne pas.

— Quoi ?

— Quand tu l'auras retrouvée, rappelle-lui qu'on doit dîner tous les deux vendredi soir.

J'ignore sa phrase. Je l'ignore et ne lui demande pas de la répéter. Je l'ignore et ne lui demande pas de la répéter, parce que si je le lui demande et qu'il répète ce que je pense qu'il a dit, je serai contraint de lui éclater son putain de nez. Il me crie quelque chose, mais je ne l'écoute pas. J'ai juste envie de me barrer.

Tout de suite.

Je trouve Amy dans le jardin, elle est pas mal torchée et prête à partir, aussi j'appelle un taxi que nous attendons dehors, sur les marches, en silence. Sur le chemin du retour, elle dessoûle un peu et me demande si quelque chose ne va pas ; je lui dis que non. Puis elle me demande pourquoi je ne dis rien et je lui réponds que je suis fatigué. Ce n'est que lorsque nous sommes chez elle, les lumières éteintes et les rideaux tirés, allongés loin l'un de l'autre sur le lit, que je lâche le morceau.

— Tu comptais m'en parler ?

— Te parler de quoi ? demande-t-elle d'une voix somnolente.

— Que tu devais dîner avec Nathan vendredi soir.

— Oh, ça... oui, bien sûr que oui.

— Alors pourquoi ne l'as-tu pas fait ?

— Quoi ?

Je répète très lentement et en articulant, au cas où ce que j'aurais dit ne soit pas clair :

— Alors pourquoi ne l'as-tu pas fait ?

— Je comptais te le dire demain. Ce n'est pas très important.

— C'est important.

— Comment ça ?

Elle paraît troublée. Je dois admettre que je suis sincèrement impressionné par sa réaction innocente.

— Un type débarque en pleine fête et toi tu traverses la pièce en couinant et tu te jettes dans ses bras comme si vous étiez Ginger Rogers et Fred Astaire.

— Je t'ai déjà expliqué, c'est un vieux copain. Qu'est-ce que tu...

— Un vieux copain dont tu as oublié de me parler. Très bien, donc tu es copine avec le frère de Johnny Depp, celui qui est plus beau que lui, et tu oublies également de me le dire. Malgré le fait que ce soir même nous avons pris la peine — et quand je dis la peine je pèse mes mots — de nous raconter nos aventures passées. C'est cool, Amy. C'est vraiment super. Si j'étais pote avec le sosie de Cameron Diaz ou de Kylie Minogue au point de leur palper le cul et de me frotter le pubis contre elles, je suis sûr que tu serais ravie toi aussi.

Je l'entends qui se redresse péniblement pour se mettre en position assise. Elle soupire et grogne à moitié.

— Je ne t'ai pas parlé de lui parce qu'il était à l'étranger. Je n'ai appris son retour qu'en le voyant ce soir. Je ne pensais pas qu'il rentrerait avant Noël.

— Oh ! d'accord, dis-je, soudain illuminé. Donc la franchise est à présent une question de calendrier. Tu me diras certaines choses quand tu estimeras que le moment sera venu. C'est bien ça ?

— Tu es franchement ridicule, Jack. Ça fait des lustres que je n'ai pas pensé à lui. Voilà pourquoi je ne t'en ai pas parlé.

— Alors laisse-moi te rafraîchir la mémoire : vous êtes simplement bons amis ?

— Oui, lâche-t-elle, exaspérée. Combien de fois devrais-je te le dire. C'est un bon ami, un ami proche.

— Donc tu n'as jamais couché avec lui ?

Elle soupire comme si c'était la question la plus stupide au monde, se rapproche de moi et dit :

— Non.

Super, non seulement elle me cache des choses, mais en plus maintenant elle me ment effrontément. Je la repousse.

— Comment se fait-il, alors, que quand je te cherchais à la fin de la fête et que je lui ai demandé s'il t'avait vue, ce con a vanné et m'a dit qu'il t'avait déjà vue et dans le détail ? C'était peut-être de l'ironie de sa part ? Une blague pour initié qui m'aurait échappé ? Peut-être que vous avez joué au docteur quand vous étiez gosses et que tout ça était innocent ?

Cette fois-ci, il y a une pause.

Une longue pause.

— Entendu, admet-elle enfin. J'ai couché avec lui.

— Combien de fois ?

— Quelle importance ? Ça remonte à si longtemps.

Sa voix tremble légèrement.

— Crois-moi, lui dis-je, ça a de l'importance.

— Je ne sais pas, cinq ou six fois. Ça t'ira ? J'ai couché avec lui cinq ou six fois quand on était étudiants. T'es content, maintenant ? Tu veux aussi les détails ? Tu veux des dates ? C'est ça que tu veux ?

— Non, dis-je calmement.

Je ne ressens aucun sentiment de victoire à lui avoir fait admettre la vérité. Je suis juste abattu parce qu'elle m'a menti. Je suis écœuré.

— Je veux savoir pourquoi tu ne m'as pas parlé de lui.

— Je te l'ai dit : parce que je n'avais pas pensé à lui. Quelle autre raison veux-tu ?

— Alors pourquoi vas-tu dîner avec lui ?

— Je n'en pince plus pour lui, si c'est ce que tu penses. Plus depuis des années. Plus depuis que j'ai quitté le bahut. (Je sens sa main sur mon bras. Je ne réagis pas et sa voix se fait plus pressante.) Je vais dîner avec lui parce que c'est un ami et que je l'aime bien. Ça s'arrête là.

Je dégage brutalement mon bras.

— Ah oui ? Et pourquoi ça ? Parce qu'il est franchement laid ? Parce qu'il n'est pas bourré de fric ni le fils d'un des mecs les plus riches du pays ? Putain, ouais, je comprends que tu n'en pinces pas pour lui. Je comprends ça parfaitement. Merde, pourquoi est-ce que je me suis inquiété ? Faudrait vraiment être conne pour avoir envie de coucher avec un type comme ça.

— Pourquoi tu réagis ainsi ?

— Parce que tu m'as menti.

— Je suis navrée, d'accord ? Je suis navrée.

Elle repose sa main sur mon bras. Mais elle tremble cette fois-ci et je n'ai pas la force de la repousser.

— Pourquoi tu as fait ça ? Et ne me dis pas que tu as oublié, ou que tu pensais que c'était sans importance, ou je ne sais quelle autre connerie.

Je m'exprime froidement, parce que tout mon corps est glacé, parce que je sais que ça commence ainsi, une rupture, je connais suffisamment, avec la mort de la confiance et de la communication. Et je ne veux pas que ça recommence. Je sens les larmes me monter aux yeux. Je ne veux pas perdre Amy. Pas à cause de Nathan. Ou de quiconque. Je ne veux pas que ça se produise. En même temps, je ne vais pas m'illusionner. Je ne vais pas me contenter d'un mensonge. Je veux aller jusqu'au bout, point final.

— Dis-moi simplement la vérité.

J'entends sa respiration qui devient pesante, encombrée de sanglots.

— Je ne t'ai rien dit parce que c'est la vérité, il n'y a rien entre nous.

— Alors pourquoi il me prenait la tête ? Pourquoi il ferait ça s'il n'était pas jaloux ?

— Tu l'as bien vu. Il avait pris trop de coke. Il ne savait plus ce qu'il disait. D'habitude il n'est pas comme ça.

Nous restons silencieux quelques instants.

— Je ne veux pas que tu le voies. Je ne veux pas que tu dînes avec lui vendredi. (Elle ne répond pas, aussi je continue. Je lui lance un ultimatum.) Si tu le vois vendredi, alors je ne sais pas si j'aurai envie de te revoir.

Et voilà. Débrouille-toi, maintenant. Mais sa réaction n'est pas celle à laquelle je m'attendais. Elle ne me dit pas : Entendu, Jack. Tu as raison. J'ai tort. Je ne verrai pas Nathan vendredi. Je ne le reverrai plus. Au contraire, elle me lance à son tour un ultimatum.

— Et... si tu veux que je cesse de voir mes amis, alors moi non plus je ne sais pas si j'aurai envie de te revoir.

— Essaies-tu de me dire que tu es prête à rompre parce que je te demande de ne pas le revoir ?

Je suis halluciné.

— Non, mais toi tu me dis bien que tu es prêt à rompre si je t'annonce que je vais le revoir. Oui ou non ?

Touché.

Nous ne disons plus rien. Amy attend une réponse à sa question et moi j'essaie de trouver une réponse. Ce n'est pas du gâteau. Les options sont au nombre de deux. Je peux dire oui, et rompre avec elle. Ou je peux dire non, et rester avec elle. C'est la raison contre le cœur. Ma raison me dit : Largue-la. Jette-la, lève-toi et casse-toi. Elle place Nathan avant toi. Elle a déjà fait son choix, alors ne reste pas là à te rendre ridicule. Mais mon cœur a d'autres arguments. Il dit : Fais-lui confiance. C'est tout ce que tu as à faire. Si tu ne lui fais pas confiance, alors votre relation n'a aucun sens.

Nous y voilà : faire confiance ou ses bagages. À moi de choisir.

Je choisis l'option n° 2.

— Non, dis-je.

— Eh bien... commence-t-elle.

— Eh bien, il semblerait que tu ailles dîner avec Nathan.

— Oui, je crois. Est-ce que ça te va ?

Je n'irai pas jusqu'à formuler les choses ainsi, mais néanmoins je réponds oui.

— Bien.

Elle se colle contre moi et, malgré mes arrière-pensées, je me sens soudain bien et au chaud. Comme j'entends sa respiration devenir régulière, je m'aperçois que c'est la première fois depuis Zoé que je fais confiance à quelqu'un d'autre. Et je m'aperçois que non seulement ça signifie renoncer à mon indépendance émotionnelle, mais aussi que je ne suis plus seul.

Saines distractions

Je passe le mercredi à écumer les agences de voyages de seconde zone en quête d'un forfait Grèce économique. Je finis par dénicher un tarif intéressant, proposé par une compagnie du nom de FunSun, dans un minuscule bureau près de Paddington. Ça comprend une semaine sur l'île grecque de Kos, avec départ de l'aéroport de Gatwick samedi prochain. Parfait, ce n'est pas le continent. Les attractions touristiques ont plus de chances d'être des discothèques minables que des merveilles d'architecture hellène. Et alors ? C'est à l'étranger, non ? Ça ira.

Mandy, la fille de l'agence, se montre assez réservée sur certains détails du voyage. Comme le logement, par exemple, dont on nous parlera quand nous serons sur place. Ou le trajet depuis l'aéroport, qui nous sera révélé à notre arrivée. Ou la proximité de la plage qui, selon Mandy, ne saurait être très éloignée sur une si petite île, non ? Mais peu importe. Mes appréhensions sont vite balayées par les photos de la luxueuse brochure que Mandy agite de façon alléchante devant mes yeux, mais qu'elle refuse de me laisser emporter. En plus c'est pas cher. Vraiment pas cher. Ce qui est le plus important. Donc j'accepte. Je signe le formulaire qui m'interdit de poursuivre Fun-Sun en justice dans le cas où mes vacances se révéleraient tout sauf « fun & sun ». Mandy me donne alors les billets et me raccompagne à la porte, puis met le panneau FERMÉ derrière moi.

Affaire réglée.

En début de soirée, le vendredi, je suis allongé sur mon lit à regarder la fumée de ma cigarette monter en volutes vers le plafond. J'ai un cafard avec au moins dix pattes. Ma chambre ressemble à l'aire de catastrophe après un crash aérien : le contenu de ma penderie et de mes tiroirs est éparpillé par terre et sur le lit. Tout entier à ma mission d'enquêteur des fonds de penderie, j'ai découvert quelques articles furieux datant de mes dix années de vacancier : short de surf, slips serre-couilles, tongs à motifs de palmiers et casquette de base-ball ornée de la légende UNIVERSITÉ DE LANZAROTE. Mais ce n'est pas ce spectacle qui me mine. C'est ce qui n'est pas sous mes yeux. Amy. Et où elle est. Et ce qu'elle fait.

La nuit dernière, je me suis fait mon petit cinéma dans ma tête. Il devait être vers les 5 heures du matin. J'étais couché avec Amy, tout contre elle. On avait passé une super soirée ensemble, à regarder une dramatique dans laquelle jouait une de ses potes, suivie d'un dîner avec les acteurs, le tout couronné par un sexathlon chez elle. Elle dormait profondément, mais je n'avais pas fermé l'œil depuis qu'on s'était calmés. Je pensais à Nathan. Ou plutôt, à Amy et Nathan. À eux ensemble. Cette pensée m'obnubilait même si je n'arrêtais pas de me répéter que je n'avais aucune raison de m'inquiéter. Dehors, le jour se levait. Les merles faisaient des bruits de merle, et les premiers banlieusards prenaient leur voiture. Moi j'étais là, incapable de dormir et stressé.

J'étais désespéré. Alors je me suis fait le cinoche suivant : je me suis obligé à ne pas penser à Nathan. Je me suis dit que chaque fois que son visage surgirait dans ma tête, je n'aurais qu'à penser à quelque chose de plus agréable. N'importe quoi. Et ça a marché. Je me suis endormi.

Et ça marche à présent.

Depuis une demi-heure, des images de Nathan ont souillé mon état de bien-être à au moins huit reprises. En réaction, j'ai pensé à huit choses plus agréables que Nathan, parmi lesquelles :

a) des crottes de chauve-souris ;
b) des poux ;
c) de la bave de chien ;
d) des hémorroïdes ;
e) la mort.

Ce qui, même si ça ne me fait pas exactement du bien, a réussi à me préserver d'un effondrement général dans une paranoïa dévastatrice. Je regarde ma montre. Il est 7 heures pétantes. Amy a dû retrouver Nathan à l'heure qu'il est. L'enfoiré. J'ajoute aussitôt des varices à ma Liste des choses plus agréables que Nathan.

— Très bien, dit Matt qui apparaît sur le seuil.

Il a mis son jean et sa plus vieille chemise : sa tenue de soirée pour aller dîner chez Alex.

— Les bagages, ça avance ?

Je donne un petit coup de pied à mon sac de voyage.

— Que dalle. Et toi, ça va ?

Il tapote la brosse à dents qui dépasse de sa poche de chemise.

— Tout est là, dit-il en souriant.

Il s'approche et s'assoit sur le lit. Il allume une cigarette.

— À quelle heure tu pars ?

— Demain matin. Le vol est à 9 heures et quart.

— Ah oui ? Amy dort ici cette nuit ?

— Non, elle sortait avec un copain.

— Quoi, éclate de rire Matt, elle compte sur toi pour être à l'heure à l'aéroport comme un grand ? Elle est folle.

— J'y serai.

Au ton de ma voix, il me regarde d'une drôle de façon.

— Tout va bien, mec ?

— Oui. Pourquoi ça n'irait pas ?

— J'en sais rien. (Il me regarde d'un air sceptique.) Si ce n'est que tu n'as pas l'air spécialement emballé. Je veux dire, t'es là, prêt à manquer un super week-end entre mecs à Édimbourg parce que tu pars en vacances avec la fille de tes rêves, et t'as l'air aussi heureux qu'un cochon dans un abattoir.

— Je vais très bien, lui dis-je.

C'est faux. Et il a raison : ça ne rime à rien. J'ai envie de lui dire ce qui me tracasse. J'ai envie de lui parler de Nathan et d'Amy qui m'a menti. J'ai envie de lui dire que je suis inquiet, que mon ego touche le fond et ne cesse de s'enfoncer davantage à chaque seconde. Mais je n'y arrive pas. Parce que c'est mon ami. Parce que je sais comment réagissent les autres dans ces cas-là. Et je ne veux pas de sa pitié.

Pas plus que je ne veux de celle d'Amy. Ou de quiconque. Alors je fais la seule chose dont je suis capable : je change de sujet.

— Écoute, Matt, dis-je. Je suis désolé.

— À quel sujet ?

— Pour ce week-end. De ne pas venir.

— Laisse tomber.

— Tu ne m'en veux pas ?

Il me fusille du regard.

— Bien sûr que je t'en veux. Tu préfères ta nana à tes potes. On devrait t'exécuter. (Il s'adoucit, pose une main sur mon épaule.) Mais je vais te donner un sursis — est-ce qu'elle en vaut la peine ?

— Oui.

— Bien. C'est tout ce que je voulais entendre. (Il se lève et se dirige vers la porte, hésite sur le seuil et se retourne.) Ah oui, dit-il, n'hésite pas à te servir dans ma penderie. Si tu mets ces horreurs, elle aura tellement honte qu'elle te larguera. Passe une bonne nuit.

Je ne passe pas une bonne nuit. Je passe une nuit de merde. Je parviens à tuer une bonne heure en choisissant des fringues dans la collection d'été de Matt Davies et en les fourrant dans mon sac, avec les billets d'avion et mon passeport. Après, tout retombe. Je me retrouve à la table de la cuisine devant une bouteille de vodka et une cruche de jus de citron bien frais. Et c'est la pente raide.

Les minutes s'écoulent, Churchill me zieute depuis le plateau de table, et la Liste des Choses plus Agréables que Nathan s'allonge. À 8 heures et demie, alors qu'Amy et Nathan viennent sûrement d'entrer dans le restaurant hors de prix et totale frime où il a réservé une table, j'en suis au cinquantième élément et ça devient assez obscur. Par exemple, la plaque dentaire vient de faire son entrée dans ma liste. Tout comme les chaussettes sales et la mauvaise haleine. Vers les 11 heures, alors qu'ils doivent en être au café, j'en suis à une bonne centaine, et ça devient franchement ridicule. Parmi les dernières trouvailles figurent les écailles de poisson, les centrales nucléaires et la vase. Tout en étoffant ma liste et en sifflant ma vodka, j'appelle chez Amy. Plusieurs fois de suite. Mais elle n'est pas là. Elle est encore avec lui. Minuit sonne, je laisse tomber ma liste et me mets à lancer des fléchettes sur une photo imaginaire de Nathan. Je renonce également au jus de citron et me concentre sur la vodka pure — ou ce qu'il en reste, en tout cas.

Mais tout d'un coup ça arrive. Un peu avant 1 heure du matin. On sonne à la porte. Je ris. J'éclate de rire, et si mon rire est légèrement teinté d'hystérie, tant pis. Je ne suis pas fier, juste soulagé. Pour l'instant, ce qui compte, c'est qu'Amy soit venue me voir — toute cette prise de tête n'a été qu'une perte de temps.

Ayant ingurgité suffisamment de vodka pour recevoir la nationalité russe, plutôt que de me précipiter dans les bras de ma chérie, je titube le long du couloir avant d'aller ouvrir la porte.

*

Confession n° 5. Infidélité
Lieu : Chez Matt, à Londres.
Date : Maintenant.

J'ouvre la porte.

— Salut, Jack.

— Sally ?

Je pose la question, parce qu'il n'est pas évident d'identifier la femelle svelte avachie sur mon seuil. Trop de cheveux blonds sur le visage, trop de tissu aux motifs fous sur son corps. Le tout, combiné avec ma vision trouble due à l'alcool, rend l'identification presque impossible.

— Salut, beau gosse, dit-elle en repoussant ses cheveux, dévoilant bel et bien Sally McCullen.

Je pose une main sur son épaule pour l'aider à ne pas tomber. Vu que je suis moi-même loin d'être stable, ça a l'effet non désiré de laisser chacun compter sur l'autre pour ne pas tomber.

— Qu'est-ce que tu fais ici ? je lui demande.

— À ton avis ?

Elle penche dangereusement en avant et essaie de m'embrasser.

— Tu devrais rentrer chez toi, lui dis-je en la repoussant gentiment.

Elle me regarde, troublée.

— Pourquoi ?

C'est une bonne question, mais mon cerveau embrouillé n'est pas vraiment en mesure d'y répondre. Après tout, elle est pas mal. Et moi plutôt remonté contre Amy. Alors pourquoi, franchement, ne resterait-elle pas ? Mais des réponses à ces questions ne tardent pas à s'imposer. Parce que ce serait mal. Parce que je voulais que ce soit Amy qui sonne, pas Sally.

— Il est tard, je marmonne en commençant à refermer la porte. Je dois me lever tôt demain. Je vais me coucher.

Mais elle se contente de sourire et de s'avancer dans l'entrée. Je me tourne et la vois qui se dirige vers la cuisine. Troublé, je hoche la tête. Pourquoi moi ? Pourquoi maintenant ? Et, surtout, pourquoi pas deux mois plus tôt quand j'étais en position de la satisfaire ? Je referme la porte et accepte le fait qu'il n'y a pas de justice dans ce monde, puis je vais la rejoindre. Elle est devant la gazinière et regarde autour d'elle. Ses yeux se posent sur la bouteille de vodka.

— Tu ne comptes pas me proposer un verre ? demande-t-elle en haussant les sourcils. Avant tu me proposais toujours un verre, ajoute-t-elle sournoisement en se dirigeant vers la table et en prenant une longue rasade à même la bouteille. (Elle me jette un regard en biais.) Alors qu'est-ce qui a changé ? Tu n'as plus envie de moi ? (Elle reprend une gorgée et me fait la moue, en s'appuyant contre la table.) C'est ça ?

Je la revois allongée dans l'atelier. Je revois les courbes de son corps, les nuances de sa peau. Je ferme les yeux une seconde et chasse cette vision. Du temps a passé. Je suis différent. Sally a raison. Je n'ai plus envie d'elle. Juste d'Amy. Je veux juste qu'on me rende mon Amy.

— Tu es ivre, dis-je d'une voix traînante. Je vais t'appeler un taxi.

311

Comme je passe devant elle pour décrocher le téléphone, elle m'attrape et m'attire contre elle.

— Je ne veux pas de taxi, dit-elle. Je te veux toi.

— Je suis avec quelqu'un, Sally, dis-je, me sentant soudain incroyablement las.

Trop ivre. Je veux qu'elle s'en aille. Je veux aller me coucher.

Mais elle n'a pas fini.

— Et alors ? Quand j'avais un petit ami, ça ne t'empêchait pas de vouloir m'attirer dans ton lit, non ?

— Non, mais tu n'as pas couché avec moi à l'époque, et je ne vais pas coucher avec toi ce soir.

Elle me lâche et va se remplir un verre d'eau à l'évier ; elle le vide d'un trait.

— Il m'a larguée, tu sais, dit-elle en se rasseyant et en se tournant vers moi. À cause de ce qu'a dit cette fille avec qui tu étais chez Chloé. Il a dit que j'étais une salope et qu'il ne voulait plus rien avoir à faire avec moi.

— Je suis désolé.

Mais c'est faux. Je sais qu'elle est mieux sans lui. Mais ce n'est peut-être pas le moment idéal pour le lui dire. Elle pourrait ne pas être d'accord. Ou, pire, elle pourrait penser que je casse du sucre sur le dos de son mec et qu'en lui disant qu'elle est trop bien pour lui j'insinue en fait qu'elle serait mieux avec moi.

— Cette... euh, cette fille, tu sors avec elle ?

— Ouais. Amy. Elle s'appelle Amy.

— C'est pas ton genre.

— Comment ça ?

312

Je continue de fixer le téléphone, attendant le moment propice pour suggérer d'appeler un taxi.

— Physiquement.

Elle allonge ses longues jambes sur la table. Sa robe glisse et découvre ses cuisses parfaitement bronzées.

— Eh bien si, dis-je, en commençant à m'énerver. Elle est super. C'est exactement mon genre.

— Ah oui ? Et où est-elle alors ?

— Comment ça ?

— Où est-elle. (Elle regarde ostensiblement autour d'elle puis se lève.) Où est cette femme super ? (Elle ouvre le réfrigérateur et agite un doigt.) Pas là, dit-elle en sortant une bière, qu'elle ouvre et boit. Ici, peut-être ? marmonne-t-elle en ouvrant un placard et en regardant à l'intérieur. (Elle se retourne pour me faire face, et chantonne :) Je ne crois pas...

— Elle est sortie.

À peine ai-je dit ça que, dans le monde entier, les vieillards incontinents célèbrent leur inscription dans la Liste des choses plus agréables que Nathan.

Sally hausse les sourcils.

— Quand le chat n'est pas là...

Je ne prends même pas la peine de demander à Sally si elle veut bien partir maintenant. J'en ai assez entendu. Je décroche le combiné et cherche le numéro des taxis sur le tableau. Mais — peut-être parce que je l'ai fait tellement de fois déjà ce soir que c'est la seule fonction dont mes doigts sont capables, ou peut-être parce que je viens de voir à la pendule murale qu'il est déjà 1 heure du matin — je n'appelle pas la borne de taxis. J'appelle Amy. J'appelle Amy et une fois de plus ça ne répond pas. Ça ne répond pas parce qu'elle est sortie.

Elle est encore avec l'autre.

— Avant de m'appeler un taxi, dit Sally dans mon dos, tu devrais te retourner pour voir ce que tu rates. Même si tu as déjà vu tout ça...

Je jette un œil par-dessus mon épaule. Elle est en train d'ôter sa culotte, et ses habits jonchent déjà le sol.

— Je monte, dit-elle en me tournant le dos. À tout de suite.

Mais elle peut attendre. Et plus d'une minute. Plus d'une heure. Parce que je ne bouge pas de la cuisine. C'est comme si j'étais paralysé. Je reste là, à me demander ce que je vais bien pouvoir faire. Je mentirais si je disais que je n'en avais pas envie. Je veux dire, faut la voir. Le sexe personnifié. Et en demande. Le plan idéal. Une occasion unique. Mais il y a Amy. Et je pense ce que j'ai dit à Sally : Amy est exactement mon genre. À cent pour cent. Il est 2 heures du matin et j'appelle une dernière fois Amy : une fois de plus, pas de réponse. Très bien, donc elle n'est toujours pas rentrée, ce qui veut dire qu'elle est encore avec Nathan. Et alors ? Il ne va rien se passer de grave, que je sache. Quoi qu'il en soit, même si elle est en train de me tromper, ça ne me donne pas le droit de la tromper de mon côté. On n'est pas des gamins qui rendent coup pour

314

coup. La décision de lui être fidèle, c'est moi qui l'ai prise.

Et je compte bien être fidèle.

Quand j'entre dans ma chambre, Sally gît sur le dos dans mon lit. Je règle mon réveil à 6 heures, afin d'avoir tout le temps de me rendre à Gatwick pour retrouver Amy, puis me couche à côté d'elle. Elle dort. Euphémisme. Elle a son compte. Et c'est un soulagement. On évitera une scène où elle essaiera de me faire craquer pendant que j'essaierai de la faire déguerpir. Dormir, voilà à quoi la situation va se résumer. Je suis vanné. Je suis ivre. Un sentiment de solitude m'étreint. L'envie de câlin est très forte, et même si je sais que c'est stupide et que c'est exactement le genre de geste qui peut être horriblement mal interprété, je me colle contre Sally, en prenant soin de ne pas la réveiller, et la prends dans mes bras.

Je suis réveillé par un gémissement.

Le mien.

Pendant une minute, je ne bouge pas, je reste là à savourer la sensation qui monte entre mes jambes et me traverse le corps. Mes lèvres remuent, forment le mot Amy. Je tends les deux mains et les passe dans ses cheveux. Les bruits qu'elle fait emplissent mes oreilles. Je remonte mon bassin contre elle, gémis de nouveau. Je sens sa langue qui s'agite et je me tortille machinalement contre elle. J'ai envie d'elle. J'ai envie d'être en elle. Maintenant. Je glisse mes mains sous ses coudes et l'attire sur moi. Ses lèvres se collent contre les miennes, j'ouvre les yeux et plonge mon regard dans le sien. Puis, soudain, un bref instant, je ne sais pas ce que je vais faire.

Puis je le sais.

Et je flippe.

Parce que c'est Sally, et non Amy, et je m'aperçois que je viens de commettre la plus grosse erreur de ma vie.

8

Amy

Jack a deux heures de retard. Ça fait 120 minutes... 7 200 secondes.

Je sais.

J'ai compté.

Sonia, la fille de l'agence FunSun, a coché tout le monde sauf moi sur sa fiche et s'en est allée en se dandinant au contrôle des passeports. Je me retrouve seule au guichet d'enregistrement (sur le point de fermer) et scrute désespérément les visages dans les autres files. Bien que mes nouvelles sandales soient occupées à massacrer mes pieds, je ne peux m'empêcher de faire les cent pas.

Du point de vue émotionnel, je suis passée par tous les stades :

7 h 15 Aucun signe de Jack = léger amusement (nullité masculine prévisible).

7 h 30 Aucun signe de Jack = irritation (emplettes duty-free compromises).

7 h 45 Aucun signe de Jack = colère (début des vacances fichu).

8 h 15 Aucun signe de Jack = inquiétude (risque de manquer l'avion croissant à chaque seconde).

8 h 45 Aucun signe de Jack = panique (l'avion décolle dans moins d'une demi-heure).

Je suis littéralement terrorisée.

Jack est mort. Il n'y a pas d'autre explication. Il a été brutalement assassiné dans le Gatwick Express et gît, méconnaissable, dans une mare de sang. Les haut-parleurs interrompent mes pensées morbides.

Dernier appel pour le vol CB003 pour Kos. Tous les passagers en attente porte D46 pour l'embarquement.

— Entendu, Seigneur. Écoute-moi bien. (Je cesse de marmonner et recommence, sur un ton plus révérencieux :) Cher Dieu. Je sais que je n'ai pas été un modèle de pureté et de compassion, mais je suis disposée à changer. Je te promets sur-le-champ que j'irai à l'église tous les dimanches si tu veux bien, je t'en prie, faire apparaître Jack. Juste cette faveur. S'il te plaît. (Je regarde autour de moi d'un air désespéré.) Et je donnerai mon argent au Secours chrétien. (Je regarde en grimaçant la femme derrière le guichet d'enregistrement. Elle hausse les épaules, regarde sa montre et secoue la tête.) Je me ferai nonne. Ça ira ?

— Amy !

J'ai entendu Jack avant de le voir foncer vers moi en agitant les billets.

Merde ! Je n'aurais pas dû parler d'entrer dans les ordres.

— Désolé, désolé, lâche-t-il en me passant devant sans même un baiser.

— Qu'est-ce qui s'est passé ? Où étais-tu ?

Je suis déchirée entre l'envie de l'étreindre de soulagement et l'envie tout aussi urgente de le plaquer au sol.

L'employée regarde Jack d'un air sceptique alors qu'il farfouille comme un fou dans son sac pour en extraire son passeport. Il lui faut un moment avant qu'il reprenne son souffle. La femme examine la photo de son passeport puis regarde Jack. Je comprends sa difficulté à faire coïncider le cliché soigné (et, je dois admettre, charmant) avec la chose débraillée aux cheveux trempés qu'elle a devant elle. Mais Jack se rappelle alors son diplôme de l'université de Charmeville et lui décoche un de ses sourires supersoniques qui font s'entre-choquer les genoux.

— Il est trop tard pour enregistrer vos bagages, vous devrez les prendre avec vous, dit-elle à contrecœur, mais je vois bien qu'elle est conquise. Vous allez devoir faire vite.

— Merci, dit Jack en souriant. Allons-y, m'ordonne-t-il en passant la courroie de son sac sur son épaule.

Je peux à peine porter le mien. En dépit des conseils de H, il contient pratiquement tous les vêtements que je possède, ainsi qu'une partie de chez Boots. Jack ne remarque rien. Il a déjà traversé la moitié du hall, se frayant un chemin au milieu des vacanciers.

— Jack ! Attends !

Il ne m'entend même pas. La vie semblant obéir ce matin à la loi du pire, la porte

d'embarquement est celle qui est la plus éloignée du guichet d'enregistrement. Je passe plusieurs minutes à essayer de héler un des
porteurs qui aident un groupe d'obèses avec
leurs sacs de golf. J'en ai sûrement plus besoin
qu'eux, non ? Tous ont l'air de manquer
d'exercice.

Mais en vain. C'est officiel : l'époque de la
chevalerie est révolue. Je cours après Jack
comme si je pataugeais, tandis que celui-ci
s'entraîne visiblement pour le marathon de
Londres. Environ dix kilomètres plus loin, et
toujours à seulement un tiers de la porte, je
m'écroule sur le trottoir mécanique. Mon cœur
bat dans ma gorge.

— Allez ! Relève-toi ! crie Jack. (Il a
l'audace de paraître fâché.) On va rater l'avion.

— Je ne peux pas... je... (Je ne trouve plus
mon souffle.) Mon sac... il est...

Je titube vers Jack et il me l'arrache.

— Amy ! Qu'est-ce que t'as mis dedans ?

— Des briques ! je crie en me vautrant sur
le tapis.

— Des briques ? demande-t-il en passant
mon sac sur son autre épaule.

— Pour bâtir ce putain d'hôtel !

J'ai envie de le tuer. J'ôte mes sandales et
me relève. J'ai un point de côté grand comme
la tapisserie de Bayeux.

Sonia lâche une exclamation désapprobatrice
en nous voyant foncer dans le couloir en accor-
déon qui donne dans l'avion. Son bronzage
orange a une nuance verte avec l'éclairage.

— Vous n'aurez pas de place ensemble,

annonce-t-elle avant d'arborer son sourire sur papier glacé. Bonnes vacances avec FunSun.

Un bref instant, j'imagine à quoi elle ressemblerait si on lui défonçait les dents de devant.

Jack et moi sommes assis à l'opposé l'un de l'autre, séparés par une travée. Je m'installe tant bien que mal dans le siège de classe économique le plus économique de l'histoire de l'aviation et cale mon sac entre mes pieds.

Mes talons sont déchiquetés, mes épaules douloureuses et je halète comme un teckel assoiffé, aussi me faut-il un moment pour réaliser que le fauteuil voisin est occupé par le Bambin infernal. Une des nombreuses doublures-son jugées trop violentes pour le tournage de *L'Exorciste,* sûrement. Il me sourit d'un air démoniaque, avant d'ouvrir la bouche et d'émettre un tel hurlement qu'un instant je pense que même les ailes de l'avion vont se recroqueviller sur le toit pour se protéger. J'ai un mouvement de recul horrifié.

— Oh ! Tais-toi ! lance la fausse blonde assise près du hublot.

Elle farfouille dans le sac de sport rose à ses pieds et en sort une tétine. Elle l'essuie sur sa minijupe en jean délavé avant de la fourrer dans la bouche du gosse.

— Encore un caprice, Damien, et tu passes par la fenêtre, grogne-t-elle, l'air sincère. C'est compris ?

Damien recrache aussitôt la tétine sur mes genoux et gerbe un jus d'orange grumeleux sur mon bras. Il faudra que je pense à faire un nœud anti-enfant à mes trompes de Fallope.

D'ordinaire, j'adore prendre l'avion. J'adore la nourriture nulle et tous les petits sachets qu'on vous refile avec. J'adore les ours en peluche tartignoles et détaxés et les articles insipides dans les revues qu'on vous distribue. J'adore les filets d'air conditionné et les programmes de radio diffusés dans le casque. J'adore les flacons de parfum qui pue dans les toilettes et la pédale qui actionne le robinet. J'adore l'excitation du décollage et de l'atterrissage, peur et joie mêlées. J'adore même le petit moment de perturbation genre fête foraine pour épicer le tout.

Mais aujourd'hui j'ai tout cela en horreur. Je déteste tout dans cet avion minable et puant. Le vol AMY-1 pour l'Ile aux Plaisirs s'est écrasé.

Il n'y a pas de survivants.

C'est une sacrée déception, parce que ça fait des jours que je planifie notre voyage. J'avais tout mis au point : le rendez-vous romantique à l'aube à Gatwick comme des amants en fuite, les bécotages qui s'éternisent près de la zone duty-free, les gloussements et câlineries pendant que Jack dépense une fortune en m'achetant mon parfum préféré. Je nous voyais main dans la main dans l'avion à nous bécoter près d'un hublot. J'étais même allée jusqu'à penser qu'on ferait l'amour dans les toilettes.

Et ce n'était que le début.

Quoi qu'il en soit, la musique guimauve seventies qui accompagnait mon voyage fantasmé s'interrompt dans un horrible grésillement.

— Alors ? Pourquoi tu étais aussi en retard ? je demande froidement à Jack.

Il ajuste son sac entre ses pieds.

— Gueule de bois.

!

— Je vois, dis-je en m'éclaircissant la voix. Qu'est-ce que tu as fait hier soir ?

— Je pourrais te poser la même question, rétorque-t-il, alors qu'une des hôtesses de l'air danse la gigue entre nous pour accomplir sa démonstration sur les mesures de sécurité.

Je tends le cou pour voir au-delà de sa jupe rayée tendue sur ses fesses. Jack m'ignore, il prend sa ceinture et suit mécaniquement les instructions de l'hôtesse, l'attachant et la resserrant.

Je me laisse aller en arrière, m'écarte pour la laisser se diriger vers les issues de secours.

— C'est censé vouloir dire quoi ?

Jack sort son walkman de son sac et met son casque.

— Je t'ai appelée hier soir, plusieurs fois, jusqu'à 2 heures du matin. T'as passé un bon dîner ?

Je proteste, bien trop fort, m'efforçant de capter son attention :

— J'étais chez H.

L'hôtesse de l'air est en plein mime. Elle montre le sifflet sur le gilet de sauvetage. Quand j'élève la voix, elle souffle sans le faire exprès, et le choc du sifflement déclenche la mise en route automatique du monstre Damien. Manifestement, il ne compte pas renoncer à sa quête personnelle du mur du son.

Jack hausse un sourcil, puis met en marche

son walkman, m'empêchant délibérément de m'expliquer. Je le vois sourire d'un petit air suffisant à l'adresse de l'hôtesse puis fermer les yeux. Il dort avant même que l'avion ait décollé.

« Comment oses-tu ? je m'écrie en silence. Simplement parce que tu n'as pas réussi à me joindre au téléphone, tu en déduis que j'étais avec Nathan. Qu'est-ce que tu crois, Jack, que j'ai baisé avec lui toute la nuit ? C'est ça ? Tu es si inquiet et jaloux que tu ne peux pas me faire confiance cinq putains de minutes ! »

Je me mâchonne l'intérieur des joues et fais la tête en fixant ma tablette. J'ai conscience que mon coup de gueule indigné serait du petit-lait dans la bouche d'une reine de feuilleton télé, mais je ne me décourage pas. Je laisse libre cours à ma colère et tape furieusement du pied.

« Vas-y, alors, sale râleur, colérique, vindicatif, inquiet. Gâche mes vacances. Arrive en retard, juste pour me punir. Pour voir si ça me fait quelque chose. Tu peux jouer à ce jeu mesquin et pathétique tant que tu veux. Nathan ne compte pas pour moi... »

Je suis en plein vitriolage quand je m'aperçois que Jack n'a pas prononcé le nom de Nathan. Il a des soupçons, c'est tout. Et je me comporte en tous points comme la coupable qu'il voit en moi.

J'abandonne et ronge mon frein.

Quand on sert le petit déjeuner, je le refuse. Au lieu de ça, je regarde le mini-démon balancer ses œufs brouillés à sa mère. J'examine sa

324

nuque pour voir s'il n'a pas le chiffre de la Bête tatoué derrière l'oreille.

La vérité, c'est que c'est Nathan qui s'est montré salaud hier soir. J'avais très envie de le revoir. J'avais décidé que la parano ridicule de Jack n'empiéterait pas sur ma vie sociale.

J'ai attendu presque une heure avant que Nathan se pointe dans ce bar de Soho. Je ne sais pas pourquoi j'ai pris la peine d'être ponctuelle, ni pourquoi je me sentais aussi nerveuse. Une des caractéristiques de Nathan est sa capacité infaillible à être en retard.

— J'ai un rancard avec une fille extraordinaire, déclare-t-il en posant une main sur mon épaule et ses lèvres sur ma joue.

Flattée, je rougis. Après tout, j'ai passé une heure à me préparer.

— Elle est exquise, continue-t-il en se hissant sur le tabouret à côté de moi.

Malgré moi, je me recoiffe discrètement.

— Oh, Nat, dis-je en posant une main sur son genou pour le calmer.

J'avais oublié à quel point son regard vert était perçant.

— Marguerite, murmure-t-il d'un ton rêveur. Elle est espagnole, et alors... (Il marque une pause théâtrale.) Je te le dis. C'est peut-être la bonne.

Et le voilà qui commande deux coupes de champagne, pendant que j'époussette rapidement mon ego qui vient de glisser sur la peau de banane de la vanité.

— Génial, Nathan ! C'est génial !

Je souris légèrement en me rappelant dans une bouffée de déjà-vu toutes les raisons pour lesquelles ça ne pouvait pas marcher entre lui et moi.

— Je l'emmène en boîte. Du coup on pourra pas dîner ensemble. Ça ne t'embête pas ? demande-t-il, sans attendre de réponse. Regarde-toi, de toute façon. Complètement enamourée de ton machin-chose. Touchant.

Je le laisse parler, en faisant des *oh* et des *ah* tandis qu'il me sort des anecdotes sur son récent voyage en Himalaya. Je ne dis quasiment rien, mais en me rendant chez H après qu'il m'a plantée dans le bar une heure après, je regrette.

J'aurais aimé avoir le courage de revendiquer fièrement ma relation avec Jack au lieu de laisser Nathan la tourner en dérision. J'aurais dû lui dire que la façon dont il drague les filles, en tombe amoureux puis les largue au bout de deux heures n'est pas très reluisante. J'aurais dû lui dire qu'il n'est pas espiègle et d'un charme irrésistible, ce que j'ai cru autrefois, mais immature et clairement effrayé à l'idée de s'engager. J'aurais dû lui dire d'être plus respectueux envers les autres et de cesser d'être aussi égoïste. J'aurais dû lui dire aussi que me faire faux bond était grossier. Mais, surtout, je n'aurais pas dû aller le voir.

Toutefois, ce n'est pas dans un avion affrété par FunSun que je vais me répandre devant Jack et lui expliquer que je m'en veux de ma stupidité. Il faudra attendre que nous arrivions à l'hôtel.

Je jette un œil à mon compagnon de voyage, décoiffé et coupé du monde. Il ronfle tranquillement et, un instant, je me sens incroyablement soulagée. La pensée d'une nouvelle épreuve de force me donne envie de foncer dans la cabine de pilotage et de supplier le commandant de bord de faire demi-tour pour que je puisse me réfugier dans un couvent.

Je n'ai qu'une envie : que les choses soient simples.

Ma vie était si simple quand j'étais dans le désert de Gobi du célibat. Il n'y avait ni engueulades, ni colères, ni malentendus. Bon, d'accord, il m'arrivait de m'ennuyer de temps en temps, mais au moins je savais où j'en étais. Il y avait moi, et il y avait moi : nous nous comprenions parfaitement. Maintenant je passe tout mon temps dans un écheveau compliqué d'émotions, à essayer constamment de me justifier.

Prenez H, par exemple. Elle a refusé de me parler après avoir découvert que je m'étais rendue au barbecue de Chloé. J'ai passé toute la semaine dernière à lui laisser des messages et à m'inquiéter. Je lui ai même écrit une carte postale, mais elle a refusé de communiquer. Finalement, je savais que je devais aller la voir. Je suis trop superstitieuse pour quitter le pays en sachant qu'il y a un malaise entre nous. Aussi, hier soir, après avoir quitté Nathan, j'ai fait un saut chez elle.

Elle n'en revenait pas quand elle m'a vue sur son pas de porte en train de répéter « Désolée » trente fois de suite sans reprendre mon souffle.

— Tu ne crois pas que tu me dois quelques explications ? a-t-elle dit en s'emparant de la bouteille de vin que je tenais à bout de bras comme une branche d'olivier.

Je n'en menais pas large. Elle est vraiment effrayante quand elle est en colère.

— Qu'est-ce que je ressens, d'après toi ? a-t-elle repris, alors que je la suivais toute penaude dans son appartement.

— Tu dois avoir envie de m'égorger et de garrotter mon petit ami, c'est ça ?

H n'était pas d'humeur à plaisanter.

— Quelque chose dans ce genre.

Elle a pris la télécommande et mis sur pause sa cassette vidéo de *Friends*. J'ai compris alors que c'était du sérieux.

— Le mot « respect » signifie-t-il quelque chose pour toi ? a-t-elle demandé sans me proposer de m'asseoir.

Bien sûr que oui. À mes yeux, le respect de H est plus important que tout. Je m'effondre sur le pouf et déballe tout. Je lui raconte comment le fait de mentir en lui disant que j'étais malade m'a rendue malade, comment je me suis sentie déchirée entre elle et Jack, comment j'ai tout gâché au barbecue et à quel point je me sens mal depuis.

Elle m'a écoutée jusqu'à ce que, gavée d'humilité, j'aie envie de vomir.

Finalement, elle a croisé les bras et m'a regardée en secouant la tête.

— Quand je disais respect, je voulais dire respect de soi, idiote, dit-elle en me roulant dans la farine de sa pitié. Je m'en fiche bien de ce que tu fais, tant que tu fais ce que tu veux. Tu n'as pas à chercher à me plaire, ni à plaire à quiconque d'autre. La perception que tu as de toi est une de tes meilleures qualités, Amy. Ne va pas la gâcher simplement parce que tu es tombée amoureuse.

— Comment sais-tu que je suis tombée amoureuse ? ai-je demandé, estomaquée.

Elle n'a même pas rencontré Jack.

— Ça saute aux yeux.

Elle a dû alors me pardonner, parce que je me suis mise à pleurer. Pleurer semble être un de mes nouveaux talents. J'ignorais que c'était le cas avant, et je commence à me dire que je devrais m'en servir à meilleur escient. Je devrais peut-être passer un casting pour une de ces comédies romantiques de Hollywood où la seule qualité d'actrice qu'on demande à l'héroïne c'est de chouiner à chaque scène. Je pourrais me faire une fortune.

Je ne sais pas pourquoi je me suis mise à pleurer. C'était un tel soulagement de voir que H comprenait ce que je ressentais : je suis une Femme amoureuse et, par conséquent, dans une certaine mesure, mon comportement est compréhensible.

— Ça suffit, dit H en me versant un grand verre de vin.

— Je suis désolée, ai-je reniflé.

— Et arrête de t'excuser. Tout va bien.

Elle m'a embrassée sur la joue et mis le verre dans la main.

J'ai su alors que tout était redevenu comme avant, surtout quand elle s'est assise et m'a dit :

— Espèce de grosse andouille.

— Oh, qu'est-ce que tu m'as manqué ! ai-je

dit en riant et en me hissant sur le canapé pour me blottir contre elle.

Elle a trinqué avec moi.

— Allez, crétine, vide ton sac. Je veux tout savoir.

Et donc, quelques verres de vin aidant, je lui ai tout raconté. Je lui ai parlé de mon boulot, de Jack, de Nathan et de la fête, et pour finir des vacances. On avait tellement de choses à se dire que lorsqu'on a eu fini il était 2 heures du matin.

— Il se fait tard, tu devrais appeler ton galant, a dit H en bâillant. Dis-lui que tu dors ici.

— Je ne peux pas rester. J'ai encore des choses à mettre dans mon sac.

Elle a agité un doigt et léché le dépôt de vin rouge sur ses lèvres.

— Tu emportes toujours trop de choses. Tu n'as besoin que de deux culottes — t'en portes une, tu laves l'autre —, un bikini et deux robes.

Je me suis inclinée, j'ai décroché le téléphone, me sentant coupable en composant le numéro de Jack. J'aurais dû l'appeler plus tôt.

H s'est étirée comme un chat.

— Tu peux prendre un taxi demain matin. Il est pas là ?

— C'est occupé.

J'ai raccroché.

— Ne t'en fais pas. Tu l'auras à toi pendant une semaine entière.

Et hop !
Une salve d'applaudissements spontanés

330

salue l'atterrissage de l'avion en Grèce avec une heure de retard. Je ne m'y joins pas. Je ne suis pas d'humeur festive. Mes pieds sont enflés, mes yeux bouffis, et je suis déshydratée comme un pruneau.

De son côté, Jack paraît tout pimpant en sortant de l'appareil sous un soleil de plomb. Je me retrouve couverte de sueur tandis qu'il renifle l'air avec approbation.

— Le temps est impec, dit-il, comme si les conditions météorologiques étaient une victoire personnelle.

Sonia nous entraîne dans le terminal. Je ne suis pas dupe des remarques de Jack sur le temps qu'il fait. Quand Hamlet disait qu'il y avait quelque chose de pourri dans le royaume de Danemark, il aurait dû essayer Kos.

Le temps que nous passions la douane, que nous attendions que tout le monde ait récupéré ses bagages et pris place dans un bus dont ne voudrait même pas le pire terrain vague, le silence s'est installé entre nous. Côté bouderie, on est dans une impasse. Quand on en vient à connaître intimement l'odeur des parties génitales de quelqu'un, faire comme si on était de parfaits inconnus ne marche pas. C'est comme de passer un examen sans avoir révisé.

Je glane des vues de Kos à travers les vitres crasseuses et rayées et me ronge les ongles. Je suis dans une sorte de transe infernale.

On n'est décidément pas dans l'Ile aux Plaisirs.

Quand le car s'ébroue finalement et s'arrête devant notre hôtel, mes yeux sont devenus vitreux. Il est à peine midi, mais il y a des tas

331

de gens partout. À en juger par la fréquence des coups de soleil, ce sont surtout des Anglais. Forcément. Sinon pourquoi seraient-ils aussi indifférents à la musique martelante qui sort du pub Bulldog au coin de la rue ?

Le larsen dans le haut-parleur du bus est assourdissant quand Sonia s'empare de sa fiche.

C'est son heure.

— Un deux. Un deux, annonce-t-elle d'une voix guillerette, comme si elle allait chanter devant un parterre d'orphelins de la police. Bonjour tout le monde. Voici la Villa Stephano, la villa de vos rêves.

Effectivement, derrière le pub et les boutiques se dresse un bâtiment qui pourrait passer pour un hôtel, même si les balcons de béton gris ont l'air d'avoir été rajoutés sous le coup du remords. Des piquets de métal rouillés saillent du haut, attendant qu'on élève l'étage suivant. Les deux ouvriers sur le toit, adossés contre l'enseigne cassée Villa Stephano, fument des cigarettes. Ils observent les touristes avec méfiance.

Ce doit être un point de chute. Jack n'a pas pu nous réserver une chambre dans ce trou.

Non ?

Sonia est occupée à faire l'appel. La famille Russell, à côté de nous, en jogging rouge, traverse au petit trot la travée, tout en se disputant au sujet du sombrero en plastique fluorescent que porte le plus jeune. Il est bien trop gros et il ne voit rien. Le gosse s'assoit sur tous les fauteuils, répand du Coca, talonné par son père qui rouspète. Puis c'est le tour de Damien. Sa mère le porte sous le bras comme un ballon de rugby, il se débat et bave une matière visqueuse et verte.

Je réalise que Russell vient juste après Rossiter dans l'ordre alphabétique et que Sonia ne nous a pas appelés.

Ouf, nous ne descendons pas là.

Mais c'est alors que mes pires craintes se confirment. Sonia et l'alphabet font deux.

— Viens, c'est à nous, dit Jack.

Mon regard va de la vue d'Alcatraz à celle du nombril de Jack qui se lève pour récupérer nos sacs.

Non.

C'est impossible.

Nous sommes en Grèce. C'est ça mes vacances. Et si c'est ça mes vacances, elles comprennent certains impératifs, tels que :

1. Un appartement isolé avec terrasse.

2. Une grande chambre avec salle de bains indépendante.

3. Une vue de 360 degrés sur la mer.

4. Accès facile à des tavernes romantiques d'un prix raisonnable.

5. Une plage déserte.

J'ai vu des publicités à la télé pour les vacances. Je connais les droits inaliénables du consommateur.

Qu'est-ce qui se passe ?

J'ai laissé Jack organiser les choses, voilà ce qui se passe. Jack, qui serait incapable de trouver une pute dans un bordel.

Les gamins ont déjà improvisé un match de foot à la limite de l'émeute dans l'aire de réception de la Villa Stephano le temps qu'on nous ait remis le programme de nos vacances FunSun. TOUS LES SOIRS : KARAOKÉ — VENEZ NOMBREUX, annonce un grand écriteau au-dessus de moi.

Tous les soirs ?

Et le matin, pas de répétitions ?

Il n'y a pas de lumière au quatrième étage. Je reste dans l'obscurité près d'un sac de ciment abandonné pendant que Jack s'escrime avec la serrure de notre chambre. Deux minutes plus tard, Jack grogne de frustration et balance tout son poids contre la porte. Elle s'ouvre en grand et il s'écarte pour me laisser entrer. Ce faisant, un cafard sort.

Génial. Même les cafards ont hâte de partir !

— Ce n'est pas si mal, dit Jack sur la défensive, comme s'il lisait dans mes pensées.

Exact. Les bidonvilles de Calcutta sont pires.

Je pose mon sac par terre et regarde lentement autour de moi. Les deux lits simples sont séparés par un guéridon avec une lampe cassée dessus. Une table bien trop grande est poussée contre le mur. Il y a un vase fêlé dessus et je tends la main pour tâter les fleurs en plastiques poussiéreuses.

— Charmante attention, dis-je en ayant envie de les balancer à travers la pièce.

Jack ouvre la fenêtre qui donne sur le balcon et admire la vue époustouflante du bâtiment d'en face.

Parfait.

Et si près.

Aussitôt, la pièce s'emplit d'un arôme lourd de friture et d'écoulement d'eaux usées.

Je fusille Jack du regard avant de me réfugier dans la salle de bains pour me calmer. Je m'assois sur le siège des cabinets et compte jusqu'à vingt. Respire. Allez. Respire à fond. Tu vas y arriver.

Jack est en train de défaire son sac quand je le rejoins.

— Ça va ? demande-t-il.

Non. Ça ne va pas. Tu m'as emmenée dans le pire endroit au monde où passer des vacances et je suis stupéfaite de voir à quel point tu es un rachot de première, voilà ce que j'ai envie de dire. Mais je n'en fais rien parce que je suis une adulte mature. Donc, je fais la gueule. Mais à côté de Jack, je suis clairement un amateur.

— Jack ? dis-je enfin.

— Ouais ?

— Tu as l'intention de me parler ?

— C'est ce que je fais, non ?

Je suis bien décidée à ne pas baisser les bras.

— Allons. C'est ridicule ce climat entre nous.

— Quel climat ? Ce n'est pas moi qui crée le climat.

Je pose les deux mains sur mon front puis me les passe dans les cheveux.

— Tu veux bien t'asseoir un moment ?

Jack jette son T-shirt sur le lit et s'assoit sur la chaise. Il croise les bras et fait la moue. On dirait un assassin pendant un interrogatoire.

— Je me suis vraiment inquiétée en ne te voyant pas ce matin, dis-je.

— Je te l'ai dit, j'avais la gueule de bois. J'ai picolé avec Matt.

— Je croyais que Matt était parti.

— Il s'est barré vers 8 heures.

— Et qu'est-ce que t'as fait ?

Je sais que je parle comme un inquisiteur espagnol, mais je ne peux m'en empêcher. Ce qu'il dit ne tient pas.

— Je suis resté à boire seul.

Il lève les yeux vers moi, et son regard se fait méprisant.

— Tu t'es saoulé parce que tu n'arrivais pas à me joindre ?

— Je me suis saoulé, Amy, parce que j'en avais envie.

Son ton amer me surprend.

— Oh, Jack, tu te trompes. Ce que je crois que tu as pensé, c'est...

— Vas-y, annonce la couleur. Dis ce que t'as à dire.

— Il n'y a rien à dire. Tu savais que je voyais Nathan hier soir. (Jack détourne le regard et se mange les joues.) Mais juste pour un verre. On n'a même pas dîné ensemble. Je l'ai quitté à 9 heures et demie parce qu'il avait un rancard avec une autre fille dans une boîte. Et je suis allée chez H.

— Comme c'est courageux de ta part.

— Jack, je t'en prie. Je te dis la vérité. Je voulais voir Nathan, c'est tout. Il ne s'est rien passé entre nous. Je te l'ai dit. C'est un ami. Tout comme Chloé est ton amie.

— Je n'ai jamais baisé avec Chloé, me rappelle-t-il.

Nous nous regardons un moment et je sais

que j'ai perdu. Je n'ai pas d'autre choix que de descendre de mon grand cheval moral. Je baisse littéralement les bras.

— Jack, je suis désolée. Je n'aurais pas dû y aller. J'ai compris ça en le voyant.

— Très platonique et innocent, hein ?

Sa voix dégouline de mépris.

— Oui.

— Tu aurais pu m'appeler.

— Je sais. Je voulais le faire, mais j'ai perdu la notion du temps. Puis je t'ai appelé de chez H. Il était 2 heures du matin. Ta ligne était occupée.

Jack se frotte le sourcil avec le gras du pouce.

— Eh bien, tout ça me semble très plausible.

— C'est vrai ! je proteste. Appelle H si tu ne me crois pas.

— Inutile. Je suis sûr qu'elle te soutiendra.

Je l'attrape par le bras.

— Jack.

Je le force à me regarder, mais il détourne la tête et je le lâche. Je sens les larmes monter dans ma poitrine.

— Ce n'est pas juste. Je ne suis pas d'accord pour que tu me punisses alors que je n'ai rien fait de mal. (Je lève les yeux au ciel et éclate d'un rire amer.) Tu sais ce qui est drôle. Moi, je me fais confiance. Quand j'ai vu Nathan, la seule chose à laquelle je pensais, c'était à toi, et à quel point j'étais engagée avec toi. Je n'aurais pas dû y aller parce que je savais que ça ne te plaisait pas. J'ai été têtue, Jack, je le reconnais et je suis désolée.

Mais je n'ai rien fait de mal. Je ne ferais rien qui puisse te faire de la peine. Je pensais que tu le savais.

Il faut que je sorte d'ici avant que j'étouffe.

— Amy, attends, dit Jack en se levant et en s'adossant contre la porte pour me barrer le chemin. Je suis désolé. D'accord ? Je n'ai pas envie que tu t'en ailles.

J'essaie d'empêcher mon menton de trembler alors qu'il me donne son explication, mais en vain. Je m'en étais doutée : il ne s'est pas réveillé. J'ai passé deux heures ce matin à passer par toutes sortes de sentiments, et pendant ce temps monsieur dormait !

Il y a des jours où je déteste les hommes.

— Tu veux partir ? demande-t-il.

Je secoue la tête et laisse tomber mon sac par terre.

— Non ! Je ne veux qu'une chose, c'est qu'on reparte de zéro.

— Je suis désolé, désolé, murmure Jack en me prenant dans ses bras.

Il embrasse mes cheveux tout en me berçant. Au bout d'un moment il me dépose sur le lit et rabat la couverture sur nous.

— Ferme les yeux, murmure-t-il d'une voix d'hypnotiseur. Dans un moment le réveil va sonner. Quand il sonnera, tu te réveilleras et tu ne te rappelleras rien des quelques dernières heures. Tu éprouveras un sentiment de légèreté, de calme et de tranquillité. Ton petit ami aura cessé d'être un emmerdeur, tes vacances commenceront dans la joie et le rire, tu auras retrouvé ton sens de l'humour. Drrrrrrrrrrrr-riiiiiinnnggg !

— D'accord, d'accord, dis-je en riant et en repoussant la couverture, en manque d'oxygène.

Je me mets à genoux et le chevauche.

— Je suis désolé, dit-il à nouveau.

Il a l'air à nouveau normal. Il ressemble au Jack que j'aime.

— Moi aussi.

— On fait la paix ?

— On fait la paix.

Je soulève son T-shirt, recule et m'allonge sur lui pour lui embrasser le ventre. Je sens ses muscles se tendre alors que je pose ma joue sur sa peau. Je respire son odeur, le soulagement m'envahit.

— C'est quoi, ça ? je demande en remarquant une marque rouge près de sa ceinture.

Je pose un doigt dessus.

— Quoi ? demande Jack en se redressant soudainement.

Il a l'air horrifié et tend la peau de son ventre pour voir la marque.

— T'inquiète pas, dis-je en me moquant de sa coquetterie. Ton bronzage ne s'en ressentira pas. C'est sûrement une marque que tu t'es faite en portant les sacs.

Je le repousse sur le lit et embrasse la tache rouge, avant de reposer ma tête sur son ventre. Jack a l'air tendu et je devine qu'il regarde le plafond.

— Tu penses ce que je pense ? je demande.

— Je sais pas. Tu penses à quoi ?

— Que c'est la pire chambre d'hôtel que j'aie jamais vue.

— Non, je ne pensais pas à ça.

— À quoi alors ?

Jack se redresse et pose les pieds par terre.

— Manger. Je meurs de faim.

Les talents d'hypnotiseur de Jack font merveille. Après un copieux petit déjeuner, nous avons retrouvé notre bonne humeur. Il annonce une journée de loisir maximal, avec un minimum de temps à l'hôtel. Au début, je ne suis guère enthousiaste et je le supplie de changer d'hôtel. Dans l'Ile aux Plaisirs, on aurait passé nos après-midi au lit, à paresser dans une béatitude climatisée, avant d'aller boire des Martini sur notre plage privée au crépuscule. Mais Jack ignore tout de l'Ile aux Plaisirs. Il refuse de changer de lieu. En fait, je ne sais pas ce qu'il a, mais il ne veut rien entendre à rien. Jack est devenu... Jack la Parlote.

— Au diable l'hôtel. Je sais que c'est basique, mais justement, on s'en servira comme base. Partons explorer l'île. On va se marrer.

— Mais...

— Oh non. Je t'en prie, ne me dis pas que tu es une de ces filles qui aiment passer toutes leurs journées sur la plage à lire des romans à l'eau de rose. S'il te plaît. Dis-moi que t'es plus cool que ça.

— Je...

— Alors c'est entendu. On va louer une mobylette et on ira voir ce qu'il y a à voir. On est en Grèce. Berceau de l'art. Les mythes, les temples, tout ça.

Il agite les bras et me sourit comme un dément.

— Mais Jack...

— Et ne t'inquiète pas pour ma conduite. Tout ira bien. Je sais que parfois la sécurité est importante, et je conduis très bien. Je te le promets.

— Je ne voulais...

— Parfait. Allons-y, dit-il en se levant et en me tendant la main.

Je le regarde, intriguée.

— Tu vas bien ?

— Absolument. Je ne me suis jamais senti aussi bien.

Il me prend la main et mes doigts se referment d'eux-mêmes autour des siens. Il ferme les yeux une seconde et m'embrasse les phalanges.

— Tu verras. Ça sera tes plus belles vacances, je te le promets.

Au bout d'un moment, Jack la Parlote se calme, mais j'ai toujours le sentiment qu'il y a quelque chose de différent chez lui. Ce n'est pas qu'il se comporte bizarrement avec moi — il pourrait difficilement être plus flatteur ou tactile — mais pendant trois jours entiers on ne fait pas l'amour. Il se comporte avec moi comme si j'étais sa copine, pas sa nana. C'est peut-être dû au fait qu'on rentre chaque soir épuisés. Les lits séparés et les coups de soleil n'aident pas non plus. Mais je ne peux m'empêcher de penser qu'il ne me croit toujours pas pour Nathan.

Je décide de faire avec et de ne pas relancer le débat. C'est un mec, après tout. Et si je connais bien mon Jack, ce n'est qu'une question de temps avant que ses hormones

341

l'emportent sur ce qui le tarabuste. Qui plus est, cette période d'abstinence a ses petits avantages. Car Jack et moi parlons. Vraiment. Et on s'amuse. Au lieu de nous enfermer dans le sexe, nous partons en exploration. Et non seulement nous explorons l'île et ses parfums d'oliveraies et de petits chemins, mais nous explorons l'autre. Jack ne me donne peut-être pas son corps, mais il me donne une chose encore plus précieuse au cours de ces quelques jours. Il me donne des informations. Au-dessus d'une cruche de sangria dans les petites tavernes qu'on déniche, il me parle de sa conception de la peinture, du fait qu'il a horreur de faire des travaux de commande pour tenir le coup financièrement. Quand nous revenons à l'hôtel le soir, je suis chaque fois un peu plus amoureuse.

Mais le quatrième jour, tout change. Parce que le quatrième jour, notre quête d'une plage idéale est couronnée de succès. Nous repérons tous deux la petite crique au même moment depuis la route qui longe la côte et nous demandons pendant longtemps comment y accéder. Finalement, nous abandonnons la mobylette et escaladons les rochers, jusqu'à ce que nous trouvions de vagues marches dans la falaise.

Quand nous arrivons en bas, j'en ai le souffle coupé.

L'Ile aux Plaisirs, tu peux repasser. Ici c'est le paradis.

Quelques secondes plus tard, nous nous sommes déshabillés et courons nous jeter à l'eau. La mer est d'un bleu turquoise et si

342

claire que je peux voir mes orteils. Jack plonge sous les vagues, ressort à mes côtés, me prend dans ses bras. C'est la première fois depuis des jours que nos corps se touchent aussi intimement. Je referme mes jambes autour de sa taille. Ses yeux brillent avec le reflet de l'eau. Je lui souris.

— C'est magnifique, dis-je en regardant la plage.

Il n'y a absolument personne.

— C'est toi qui es magnifique, répond-il.

Je passe une main dans ses cheveux et l'embrasse délicatement. Je n'en peux plus. Cette abstinence me mine. En plus, ça pourrait être dangereux. On peut peut-être s'endommager à rester aussi excité.

— Viens avec moi, je murmure en le traînant dans l'eau.

— Où est-ce qu'on va ? demande Jack.

Je suis bien décidée à faire l'amour sur-le-champ. Même si c'est du viol.

Mais ce n'est pas du viol. Plus différent, il n'y a pas. Quand nous commençons à nous embrasser, avec les vagues qui lèchent nos jambes, je sens quelque chose changer chez Jack. C'est comme si toute la passion qu'il avait retenue ces derniers jours se libérait. Je ne sais pas combien de fois nous avons fait l'amour depuis que nous sommes ensemble, mais toutes s'estompent dans l'indifférence en comparaison de cette fois.

Jack me fait l'amour. C'est comme si toutes mes idoles ne faisaient plus qu'une. Et en dépit du sable et de la chaleur, quand nous jouissons ensemble, c'est le top du top.

C'est la meilleure baise de ma vie.

— Wouah ! lâche Jack, quand nous retrouvons nos esprits.

Il m'embrasse les paupières, le nez, les joues, comme si j'étais la chose la plus précieuse au monde pour lui. Je touche son visage et il ouvre les yeux. C'est alors que ça me traverse comme une montée d'adrénaline.

Jack fronce les sourcils. Il a l'air d'être sur le point de pleurer, il écarte de mon visage une mèche de cheveux pleine de sable pareille à une queue de rat.

— Amy, je...

— Chhhh.

Je souris en posant mes doigts sur ses lèvres. Parce que pour une fois il n'a pas besoin de le dire. Je le sais.

Nous passons les deux journées suivantes sur la plage en pleine béatitude. En fin de journée, alors que nous sommes de retour dans la chambre, Jack me masse tout le corps. Je me sens si détendue que je m'endors sans m'en rendre compte, nue sur le lit.

Je suis réveillée par le bruit d'un grattement.

— Ne bouge pas, me dit Jack.

Tout mon corps se tend.

— Je t'en prie, ne me dis pas que c'est une araignée !

Jack se marre.

— Non. Reste immobile, j'ai presque fini.

— Fini quoi ?

— Attends et tu verras.

Le grattement continue un moment, puis

j'entends Jack approcher du lit et s'asseoir à côté de moi.

— Je peux remuer ?

— Oui, dit-il.

Je roule sur le dos pour lui faire face.

— Et voilà, dit-il en me tendant une feuille de papier.

Je contemple le dessin au trait qu'il a fait de moi. C'est magnifique.

— Ça te plaît ? demande-t-il.

Je me redresse et l'embrasse.

— Je l'adore. Ça t'a pris combien de temps ?

— Je ne sais pas. Tu as dû dormir une demi-heure.

Je regarde à nouveau le dessin. Ai-je l'air aussi heureuse quand je dors ?

Jack observe mon visage.

— Je ne t'ai pas rendu justice. Tu étais si belle.

Il me caresse la joue. La pensée de lui en train de peindre Sally me traverse l'esprit, et je ne peux m'empêcher de me demander s'il était aussi intime avec elle.

— Je parie que tu dis ça à toutes les filles.

C'est pour le taquiner, mais il y autre chose dans mon ton.

— Il n'y a pas d'autres filles. Plus aucune. Juste toi.

Je pose le dessin sur la table de chevet et l'attire contre moi ; nous restons allongés sur le lit. Je le crois. Complètement. Je crois qu'il m'appartient, et tandis que je respire son odeur, je sais que je ne me suis jamais sentie aussi satisfaite.

Nous nous embrassons et je lui caresse les cheveux.

— Merci, je murmure. Viens, je t'invite à dîner.

Jack me sourit et s'assoit sur le bord du lit. Je le regarde mettre sa chemise. Je reprends le portrait. Je n'arrive pas à savoir lequel embrasser, lui ou le dessin ; tous deux signifient tant.

Une semaine, ce n'est jamais assez pour des vacances. Tout le monde sait ça. Mais je ne m'en aperçois que le vendredi. Je commence tout juste à me détendre, à avoir un beau bronzage, et déjà nous devons rentrer. Ce n'est pas juste.

Pour notre dernière soirée, nous allons dîner dans notre taverne préférée.

— Arrête de bouder, me taquine Jack en me versant du résiné.

— Je n'ai pas envie de rentrer, dis-je.

Nous sommes sur la terrasse qui domine la baie. La seule lumière vient de la bougie posée sur la nappe à carreaux et de la lune suspendue au-dessus de nous comme une lanterne.

— Mais si. Tu as ce nouveau travail qui t'attend et un super bronzage à exhiber. Une fois rentrée, tu seras ravie.

Le serveur arrive et nous parlons avec lui un moment. Il nous interroge sur nos vacances et nous lui disons que c'est merveilleux. Il fait mine d'être très déçu quand nous lui annonçons que nous rentrons le lendemain.

Après son départ, nous allons nous accouder à la balustrade en bois et admirons la voûte étoilée.

— Tu as raison, soupire Jack. Faisons nos bagages et installons-nous ici définitivement.

— Ben voyons, dis-je en me tournant vers lui.

— On se trouvera une villa là-haut dans les montagnes. Tu pourras passer tout ton temps à te laisser pousser des verrues et une moustache. Et moi je ferai des sculptures avec des crottes de chèvre.

— Et si on se lasse l'un de l'autre ?

— Eh bien, si c'est le cas, il me restera toujours les chèvres. Et je suis sûr qu'il y aura plein de jeunes pêcheurs ravis de satisfaire tes désirs.

— Excellent. Restons.

Je me penche vers lui et l'embrasse.

— Ça ne marcherait pas. Il faudrait que je te garde sous clef, rien que pour moi.

Je garde sa main pressée contre ma joue.

— Merci d'avoir tenu ta promesse.

— Quelle promesse ?

— Qu'on passe de merveilleuses vacances. (J'embrasse sa paume.) C'était le cas.

Jack pose son doigt sur son nez et sourit.

— Eh, toi, ne deviens pas sentimentale, on a un festin qui nous attend.

Nous descendons deux carafes de vin avant de nous apercevoir qu'il est minuit. Je suis aussi pleine que les feuilles de vigne farcies que j'ai mangées.

— On devrait rentrer, dit finalement Jack. Il ne faut pas qu'on rate la fête de FunSun. Et puis je veux tenter ma chance au karaoké.

— Je te crois pas.

347

— Tu ne savais pas ? Tu as en face de toi le roi du karaoké.

— Et que vas-tu chanter ?

— « Summer Nights », évidemment.

Sur le chemin du retour, je fredonne, la joue contre le dos de Jack. Je suis si heureuse, avec la brise chaude dans mes cheveux, que je mets un certain temps avant de m'apercevoir que ce n'est pas la bonne route.

— Où est-ce qu'on va ? je demande, tandis que Jack s'engage dans un petit chemin.

— Tu verras, dit-il en coupant le moteur et en mettant le cale-pied.

Il m'entraîne entre les rochers jusqu'à ce que nous débouchions au sommet de la falaise.

— Je voulais jeter un dernier coup d'œil, dit-il.

À nos pieds, encadrée par deux oliviers, s'étale notre plage. Je ne l'avais encore jamais vue sous cet angle. Je reste là, fascinée par la lune et le miroitement argenté de l'eau. Jack se tient derrière moi, il passe ses bras autour de ma taille. Je respire profondément, l'air est parfumé, les cigales chantent.

C'est parfait.

Enfin. J'ai trouvé ce que je cherchais.

— Jack ?

— Hmm.

Je le sens qui enfouit son visage dans mes cheveux.

— Tu éprouves la même chose que moi ?

— Quoi ?

Je sens mon cœur qui bat fort.

— Que c'est bien. Qu'on soit ensemble. C'est du sérieux, non ?

Je n'arrive pas à croire que j'ai dit quelque chose d'aussi important, mais je le pense. Plus que tout ce que j'ai pu dire.

Jack me serre plus fort et sa tête se niche dans mon cou. Je lui caresse les cheveux, mais il s'empare de mon poignet pour que j'arrête. Je me retourne pour lui faire face, contemple les traits de son visage et la façon dont le clair de lune éclaire ses pommettes. Je sais qu'il va le dire. C'est mieux que dans les films. Mes genoux tremblent et je retiens mon souffle.

— Je pense qu'on devrait y aller, dit-il sans me regarder.

— Quoi ?

Il me lâche le poignet. Et ne me regarde toujours pas.

— Il se fait tard. On ferait mieux de rentrer.

Je m'installe sur la mobylette derrière Jack, osant à peine me cramponner à lui.

Je ne comprends rien.

Pourquoi ? C'est ce que je veux savoir.

Qu'est-ce que j'ai fait de mal ?

Je croyais que tout était parfait. On s'entendait à merveille, on se faisait rire, on faisait l'amour comme des bêtes, mais ça ne suffit pas pour qu'il ose me dire qu'il m'aime.

Peut-être que j'ai trop exigé de lui. Peut-être qu'il est paniqué par le fait qu'on soit ensemble. Peut-être qu'il n'est pas prêt. Ou peut-être qu'il pense que je ne suis pas la femme qu'il lui faut. Peut-être que je me trompe. Peut-être qu'il veut davantage. Mais comment lui donner plus ? Je lui ai donné tout ce que je pouvais. Il n'y a rien de plus à donner.

Alors que dois-je faire ? Le plaquer ? Ne pas faire attention et continuer nos relations sur une base frivole ? Essayer de changer ?

Je n'arrive pas à comprendre comment nous en sommes arrivés à cette crise. Comment tout peut-il être parfait une minute, et gâché la suivante ? Je ne comprends pas. Qu'est-ce que j'ai fait ?

Il y a un tel barrage de questions dans ma tête que je ne remarque pas que Jack n'a cessé d'accélérer progressivement.

— Ralentis !

J'ai crié, en le serrant très fort alors qu'il négocie le dernier virage avant la descente vers la ville. Nous faisons une embardée, mais l'angle du virage est trop serré. Je sens Jack se raidir et freiner brutalement.

— Attention !

Mais il est trop tard.

Ensuite, tout ce que je sais, c'est que je suis allongée par terre, les bras tendus devant moi. Du sable. Mes coudes qui me font mal. Tout est calme et noir.

— Amy ?

J'entends le cri étranglé de Jack, mais je me sens plutôt désorientée.

— Amy ? Tu n'as rien ?

Je suis incapable de parler. Jack est accroupi à côté de moi. Il a l'air terrifié.

— Passe tes bras autour de mon cou, murmure-t-il en prenant mes bras et en les passant autour de lui.

Il me soulève jusqu'à ce que je sois debout. C'est alors que je remarque qu'il pleure, et que c'est moi qui le soutiens.

— Jack ? Tu vas bien ?

— J'ai cru que je t'avais tuée, sanglote-t-il. J'ai cru que je t'avais tuée.

— Chhhut, dis-je en le prenant par les épaules pour qu'il puisse me voir. Regarde, je n'ai rien.

Il secoue la tête frénétiquement et je commence à avoir peur.

— Jack, calme-toi. Tout va bien. On a dérapé, mais ça va. Je n'ai rien.

Jack n'arrive pas à respirer. Il porte les mains à sa tête et se prend les cheveux.

— Tu ne comprends pas. Il y a quelque chose que je dois te dire. Ça me mine. Depuis que tu m'as demandé ce que je ressentais... si j'éprouvais la même chose que toi... Et j'ai voulu te le dire... J'ai voulu te le dire... mais je ne pouvais pas...

Je le prends contre moi, soudain soulagée. Tout va bien se passer. Il m'aime. Je le savais. Il aura fallu une chute en mobylette pour qu'il retrouve sa raison, mais il a enfin compris.

Il se dégage de moi en secouant la tête.

— Je t'écoute, lui dis-je.

Il est agité de sanglots et je me sens pleine de compassion. Je n'ai jamais vu personne aussi bouleversé.

— J'ai merdé. J'ai merdé sur toute la ligne.

— Mais non, dis-je pour le calmer. Tout va bien. Tu ne dois pas avoir peur de me le dire. (Il halète comme un gosse.) Calme-toi.

Il secoue la tête.

— McCullen. Sally McCullen. La fille du tableau... la fille à la fête de Chloé...

Il reprend son souffle. Il me regarde, des larmes coulent sur son visage. On dirait qu'il va craquer, mais c'est bizarre comme l'instinct peut jouer. Je recule.

— Eh bien ? je demande.

Il n'a encore rien dit, mais j'ai déjà tout compris.

Jack renifle.

— Il s'est passé quelque chose. Vendredi dernier. Je croyais que tu étais avec Nathan, je n'ai pas cessé d'essayer de te joindre. Mais tu n'étais pas chez toi. J'étais saoul. Et puis elle est venue. Je suis désolé... Merde, je suis vraiment désolé.

Je n'entends plus rien. Tout s'explique : son retard à l'aéroport ; son étrange comportement à notre arrivée ; le fait qu'il ne veuille pas faire l'amour les premiers jours ; la marque sur son ventre...

Le *suçon* sur son ventre.

Je sens Jack vaciller.

— Ce n'était pas de ma faute. Je comptais tout te dire.

Je comprends à présent l'expression « voir rouge ». Je n'entends plus ce que Jack dit parce que mon poing vient de s'écraser sur son visage.

Il pousse un cri de douleur et titube en arrière, mais je cours. Je cours aussi vite que je peux. Je trouve la mobylette renversée sur le bas-côté de la route. Le moteur tourne encore. Je dois rassembler toutes mes forces pour la redresser. Je prends place sur la selle, au moment où Jack me rejoint.

— Amy ! implore-t-il en essayant de m'attraper.

— Va te faire !

Je lui balance mon pied dans l'entrejambe, aussi fort que je peux, et démarre.

L'instinct de conservation est une chose étonnante. J'ai l'impression que le monde autour de moi vient d'être pilonné, et pourtant je réussis à retourner à la Villa Stephano en un seul morceau. Je gare calmement la mobylette dehors. C'est Vasos, le patron du bar, qui anime le karaoké, et tout le monde a l'air d'excellente humeur. La mère de Damien donne une version catastrophique de « Karma Chameleon » tout en exécutant un cancan nullissime avec une de ses copines. Personne ne me remarque quand je traverse le bar en direction de l'escalier. Normal. Je ne montre aucun signe extérieur de mon triste état mental.

Une fois dans la chambre, je craque. Au début je me contente dc pleurer, puis les vannes s'ouvrent. Je balance les affaires de Jack par la fenêtre, je crie des obscénités, jusqu'à ce que je sois épuisée.

Il était évident que quelque chose clochait quand on s'est retrouvés à l'aéroport. J'aurais dû m'en douter.

Mais comment a-t-il pu ?

Comment a-t-il pu me faire ça ?

Je m'effondre sur le lit et pose les mains sur ma poitrine. C'est douloureux. Peut-être mon cœur est-il littéralement brisé ?

Au bout d'un moment, mes sanglots se changent en un gémissement et j'entends le karaoké en bas. Mais tout ce que j'arrive à penser, c'est :

Comment ?

Quoi ?

Où ?

Pourquoi ?

Quand ?

Je ne sais pas combien de temps je reste dans l'obscurité, à fixer le mur, en inventant des réponses à chacune de ces questions, mais je m'aperçois au bout d'un moment qu'on frappe à la porte.

— Amy ? Laisse-moi entrer.

Je ferme les yeux.

— Je ne partirai pas. Il faudra bien que tu m'ouvres.

Il frappe plus fort.

Je plaque mes mains contre mes oreilles.

— Allez. Il faut qu'on parle. Je sais que tu es là.

— Va-t'en, je sanglote.

J'ai envie de mourir. Je me recroqueville en boule sur le lit. Je ne veux pas le voir.

— Amy. Je t'en prie.

Il martèle la porte de plus en plus fort, mais je l'ignore.

J'aimerais être chez moi. Dans mon lit. En sécurité. Et n'avoir jamais été stupide au point d'avoir une histoire avec Jack. J'aurais dû avoir l'intelligence de ne pas lui faire confiance. De ne pas m'exposer à ce point. J'aimerais être avec quelqu'un d'autre, ailleurs, dans un autre endroit, à une autre époque.

Plus tard — je ne sais pas combien de temps s'est écoulé —, je m'aperçois que les coups ont cessé.

Je sais que Jack n'est pas parti. Qu'il est là, comme si je pouvais le voir. Et c'est là le problème. Je peux le voir.

Je peux le voir dans ma tête.

Je le vois qui m'embrasse sur notre plage. Je le vois qui me regarde au clair de lune. Je le vois qui rit avec le vent dans ses cheveux.

Je peux voir toutes ces choses.

Mais je n'arrive toujours pas à le voir avec Sally.

J'ouvre la porte brusquement. Jack est vautré dans l'escalier, la tête entre les mains. Quand il lève les yeux, son visage est couvert de bleus, ses yeux injectés de sang.

— Ça veux dire quoi, il s'est passé quelque chose ?

Il me regarde d'un air inexpressif.

— Je t'écoute. Qu'est-ce qui s'est passé ?

Jack ne bouge pas.

— Je ne l'ai pas sautée, murmure-t-il.

Je tremble de tout mon corps.

— Alors qu'est-cc que tu as fait ?

— Je n'ai rien fait. C'est elle. C'est elle.

— Je t'écoute !

Jack enfouit à nouveau sa tête dans ses mains.

— Je dormais. Je me suis réveillé et elle était en train de me tailler une pipe. Je te jure, c'est tout ce qui s'est passé.

— Oh, elle t'a juste fait une pipe ! Pauvre de toi.

Jack se relève.

355

— Ça ne s'est pas passé comme ça.

— Alors quoi ? C'était comment ? Comment elle a fait pour se retrouver avec ta bite dans sa bouche ?

Il est incapable de parler. Je le regarde avec le genre de répulsion que je réserverais à un égout qui déborde.

Parce qu'à présent je vois la scène. Je peux voir son visage déformé par le plaisir. Un plaisir que lui donne une autre.

— Je ne veux plus jamais te revoir, dis-je.

Je claque la porte et me jette sur le lit. J'écrase un oreiller sur ma tête tandis que Jack frappe à la porte. Il crie mon nom si fort qu'il interrompt la soirée disco et que des gens se plaignent et lui ordonnent de se taire.

Puis tout redevient calme. Je ne sais pas si Jack a été emmené ou s'il est toujours de l'autre côté de la porte. Je m'en fiche.

Je prends le walkman qui est sur la table et mets les écouteurs dans mes oreilles. J'appuie sur play, mets le volume au maximum pour ne plus entendre mes propres sanglots. C'est la chanson des Beatles, « Come Together ».

Ben voyons.

9

Jack

Largué

— Elle t'a quoi ? demande Matt, incrédule, en contemplant mon visagc plein d'ecchymoses.

— Elle m'a largué, je répète. (Et, juste pour le cas où il ne serait pas familier avec cette expression, j'ajoute :) Laissé tomber, jeté, balancé, viré.

Sur ce, je m'aperçois que chacun de ces termes peut s'appliquer également à des ordures. Ce n'est pas un hasard. Car je suis bel et bien une ordure. Et tel je me sens. Si un cafard traversait en ce moment le salon de Matt, je suis presque certain qu'il se dirigerait droit vers votre serviteur, et, une fois là, se déclarerait chez lui.

Matt, néanmoins, a du mal à digérer l'info. Il s'affale sur le canapé à côté de moi.

— Mais c'est impossible !

Sa conclusion, liée à son expression consternée, me rappelle momentanément Spock confronté à quelque aberration scientifique à bord du vaisseau spatial *Enterprise*. Et je peux comprendre sa réaction. Ce qui s'est passé est bel et bien illogique et contraire à la vie telle que je la connais.

Bien sûr, j'aimerais penser la même chose que Matt. Franchement, j'aimerais bien. Je rêverais de pouvoir lui affirmer que, eu égard aux lois établies de l'Univers, il est impossible qu'une gentille fille comme Amy ait pu décider de larguer un gentil gars comme moi. J'aimerais pouvoir lui dire que, puisque la chose est éminemment impossible, je dois traverser une phase hallucinatoire dont je vais bientôt émerger pour découvrir que tout va pour le mieux dans le meilleur des mondes. Mais je n'ai jamais été très fort pour la dénégation, aussi je lui dis :

— Ce sont des choses qui arrivent.

Parce que c'est le cas.

Je le sais.

Ça vient juste de m'arriver.

— Mais tout allait si bien, fait remarquer Matt d'une voix plaintive. Vous étiez vraiment bien ensemble.

— C'est vrai, c'était le cas.

Il me dévisage quelques secondes puis demande :

— Et alors ?

— Et alors quoi ?

— Et alors, qui a merdé ?

— Que...

— C'est forcément l'un de vous deux. C'est

la raison pour laquelle les gens rompent. La plupart du temps, en tout cas.

— Ce n'est pas vrai. Des gens se séparent pour des millions de raisons différentes.

Il attend que je m'explique là-dessus, ce que je fais.

— L'un peut ronfler et l'autre ne pas le supporter. On peut être fan d'équipes de foot adverses. Je ne sais pas ; n'importe quoi. On peut ne plus rien avoir à se dire.

— Donc, c'est toi, conclut-il.

Inutile de le baratiner sur ce coup-là. Il ne me connaît que trop bien. En outre, j'ai besoin de son soutien. J'ai besoin que quelqu'un me dise que je ne suis pas obligé de tirer un trait sur ma vie.

— Ouais.

Il hoche la tête.

— C'est ce que je pensais. Tu veux m'en parler ?

Je lui en parle. Je raconte tout dans l'ordre. Je commence par Amy et moi, quand on s'est tout dit ou presque à la terrasse du Zack, c'était tellement agréable de ne pas garder pour soi ce fardeau. Je lui raconte la fête chez Max et ma crise de jalousie, l'ultimatum et la décision d'Amy. Je décris le Vendredi Noir, le rendez-vous d'Amy et ma parano galopante. Je narre l'arrivée de McCullen plus tard dans la soirée, ainsi que mon réveil brutal le lendemain matin. Je lui raconte comment j'ai raccompagné McCullen jusqu'à la porte en lui disant que je ne voulais plus jamais la revoir. Et, finalement, je lui parle des vacances, de l'accident en mobylette, de ce que j'ai dit à Amy et de ce qu'elle m'a dit.

Quand j'en ai fini avec mon récit dramatique, la première chose que Matt me dit, c'est :

— Ce Nathan m'a tout l'air d'un beau connard.

J'apprécie le fait que Matt essaie de me remonter le moral, mais ça ne marche pas. Cependant, plus par habitude que par mépris, j'acquiesce et rajoute mentalement les gens qui mangent leurs crottes de nez à la Liste des choses plus agréables que Nathan.

La deuxième chose que Matt dit, suite à mon absence de réaction à la première, c'est :

— Mais putain, pourquoi est-ce que t'as parlé à Amy de S&M ?

Cette question ne me surprend pas. C'est la même que je me suis posée après l'accident en mobylette, dans le bref et cependant incroyablement désagréable intermède entre le moment où Amy m'a foutu son poing dans la gueule et celui où elle m'a balancé son pied dans les burnes. Et c'est la même question que je n'ai cessé de me poser depuis.

Après tout, ce n'était pas utile de le lui dire. Bien sûr, j'aurais toujours pu redouter qu'elle l'apprenne d'une façon ou d'une autre. J'aurais peut-être fini par parler dans mon sommeil. Peut-être que McCullen aurait ébruité la chose. Ou peut-être que j'aurais pris part à quelque secte religieuse extrême où j'aurais dû me confesser devant tous ceux à qui j'ai menti au moins une fois dans ma vie. Mais, très franchement, chacun de ces scénarios, avant

comme maintenant, me paraissait plutôt improbable. Le fin fond de l'histoire, c'est que, si
j'avais fermé ma grande gueule, je m'en serais
tiré sans une égratignure.

Comme cela avait été le cas jusqu'à présent.

Les conséquences en auraient été évidentes
et uniformément bénéfiques. Il n'y aurait pas
eu d'accident de mobylette, par exemple. Et il
n'y aurait pas eu non plus de lamentable
voyage de retour en avion avec Amy qui refuse
de me parler. Au lieu de ça, nous aurions été
là tous les deux en haut de cette falaise, bras
dessus bras dessous, à contempler la plage au
clair de lune. Et pas n'importe quelle plage.
Notre plage-là où nous avions fait l'amour.
Juste elle, moi et la mer. De la pure poésie,
bordel de merde.

Mais — oh, non — pas avec Jack Rossiter.
Jack Rossiter avait d'autres projets. Comme
ignorer Amy sur cette falaise quand elle lui a
demandé si lui aussi ressentait la même chose.
Même si c'était le cas. Pour la première fois
depuis des années. Même si, pour la première
fois depuis des années, il se retrouvait dans une
situation qui ressemblait à un vœu exaucé. Le
problème était que ça avait l'air trop beau pour
être vrai. Parce que, tout simplement, c'était
trop beau pour être vrai.

— La franchise, je suggère à Matt. Je voulais être franc avec elle.

— La franchise ?

Matt me regarde comme si je venais de
lâcher un pet.

— Ouais, la franchise. Dire la vérité, quoi.

— Je sais ce que ça veut dire, Jack.

— Alors qu'est-ce qui te chiffonne ?

— Ce qui me chiffonne, c'est que je ne vois pas trop le rapport avec des relations amoureuses.

— Tout est là, pourtant, dis-je, exaspéré.

Il me dévisage bêtement.

— Pas pour moi, en tout cas. Et pas pour la plupart des gens. (Il arbore à présent un air méfiant.) Tu n'aurais pas lu par hasard mon exemplaire de *Dix Étapes pour un amour qui dure,* non ?

— Quoi ?

Matt se lève et va près de la fenêtre.

— Rien.

— Je ne voulais pas lui mentir. Ça ne me paraissait pas correct. Elle me faisait confiance et je lui ai menti, et plus je tardais à lui dire la vérité, plus je me sentais mal.

Matt se retourne et me fait face en plissant les yeux.

— Quoi, tu veux parler de ta conscience ? Du genre, chaque fois que tu posais les yeux sur elle, tu éprouvais un sentiment de trahison qui s'écoulait dans tes veines comme du poison ? Et chaque fois que tu l'embrassais, tu sentais que tu la trahissais à nouveau ? Un peu comme si chaque nouveau moment intime que vous partagiez ne voulait plus rien dire, parce qu'il reposait sur un mensonge ?

— Ouais, dis-je, en comprenant que Matt vient de mettre le doigt dessus. C'est exactement ça.

Une vague de soulagement déferle sur moi. Quelqu'un, apparemment, comprend.

Mais ce quelqu'un, finalement, n'est pas Matt.

— En d'autres mots, tu lui as tout dit pour pouvoir te sentir mieux. N'aurait-il pas été plus sensé d'affronter seul ta culpabilité et d'en tirer la leçon de ne plus jamais recommencer ? demande-t-il en revenant s'asseoir sur le canapé.

Il me faut quelques secondes pour surmonter ma déception. Matt et moi n'allons pas être soudés par une espèce de lien viril indestructible. Mais ça ne me dérange pas. Après tout, sa réaction à mon comportement n'a rien d'anormal. Bien au contraire. Si, par exemple, je me livrais à un rapide sondage oral dans la rue devant la maison de Matt et que je posais les questions suivantes à des passants engagés dans des relations durables :

a) si vous vous saoulez et faites l'amour avec un(e) inconnu(e) que vous ne reverrez jamais, le direz-vous à votre ami(e) ?

b) si vous avez une liaison avec quelqu'un, et que vous vous apercevez très vite que vous êtes vraiment amoureux de votre partenaire du moment, lui parlerez-vous de votre liaison ?

c) si vous avez l'occasion de baiser quelqu'un sans que ça fasse de vagues (et, oui, les stars de Hollywood comptent aussi), laissez-vous passer l'occasion ?

je doute fort que les réponses soient un « non » unanime. Enfin quoi, les infidélités ne sont pas quelque chose que les gens reconnaissent volontiers de nos jours, non ? Bien sûr, on en parle à ses amis, mais pas à la personne avec qui on sort. À quoi ça servirait ? À rien. Sauf si vous voulez rompre.

Ou, au moins, c'est ainsi que je voyais les choses avant. Même avec Zoé. Même si je ne l'ai jamais trompée, j'admets que si je l'avais fait je l'aurais bouclé sur le sujet. Trop de peine, sinon. Quand j'en ai parlé, notez bien, ça n'a pas marché. De là mon rôle phare dans le classique du cinéma grec, *Confessions d'un conducteur de mobylette*. La franchise, il semblerait, l'a emporté sur le reste. Comme Matt, toutefois, je ne crois pas à la franchise *en soi*. C'est trop facile. Trop simple. Bien sûr, la franchise compte, mais uniquement comme symptôme d'autre chose. La franchise n'est qu'un bouc émissaire. Qui a dû bosser pour quelqu'un d'autre. Pas pour n'importe qui, je m'en aperçois maintenant : mais pour le Big Boss. Et quand il s'agit d'émotions, il n'y a qu'un seul Big Boss : Mister Love. Je suis étonné de voir qu'il m'a fallu tant de temps pour m'en rendre compte.

Je regarde Matt droit dans les yeux.

— Je l'aime, dis-je. Je lui ai parlé de McCullen parce que je l'aime.

Matt lève une main.

— Stop, pas la peine d'aller plus loin.

— Quoi ?

— Tu sais très bien. Tu l'aimes. Tu viens de le dire. Ça y est. Ça y est. N'essaie pas de faire comme si tu ne l'avais pas dit.

— Je n'essaie pas.

Matt penche la tête sur le côté.

— Tu n'essaies pas ?

— Non, je n'essaie pas. Je l'ai dit et je le

pense. Je l'aime. (J'écoute le son que produisent ces mots en passant mes lèvres. C'est agréable. Le genre de son que je supporterais de réentendre.) Moi, Jack Rossiter, sain de corps et d'esprit...

— Question de point de vue..., murmure Matt.

— J'aime Amy Crosbie.

Matt me dévisage sérieusement un long moment.

— Ceci explique cela, conclut-il.

— Explique quoi.

— Pourquoi tu te comportes comme un parfait crétin. Je suppose que nous ferions mieux de trouver une solution à ce gâchis.

Étant avocat, Matt aborde le problème en avocat : il commence par les faits. Après s'être assuré de deux ou trois points, il se tait et j'observe son expression constipée, signe d'une intense concentration. J'imagine son impitoyable cerveau logique au travail, tordant, triturant, retournant le problème. La confiance me submerge. Si quelqu'un peut trouver une issue dans ce hideux labyrinthe, c'est Matt.

— *Fellatio accidentalis,* dit-il enfin. C'est du coriace. (Il se gratte le menton et fronce les sourcils.) La galère.

Ce n'est pas la solution que j'attendais.

— Non, Matt. Ce n'est pas une galère. Égarer mon portefeuille serait une galère. Me prendre une contravention serait une galère. Mais là c'est une putain de catastrophe à cent pour cent.

Matt attend patiemment que je me calme.

— La seule question, dit-il, est la suivante :

as-tu, ou n'as-tu pas été infidèle ? Techniquement, je suppose que la réponse doit être oui. Tu t'es fait sucer. Le bout de sa langue est bel et bien entré en contact avec le bout de ton engin. Ce qui nous donne une intention. Même si, aux yeux de la loi, l'ignorance ne constitue pas une excuse, on peut argumenter que, dans ton état demi-conscient, tu n'avais absolument pas conscience que la langue en question appartenait à une personne autre que ta chérie. Du coup, le plaisir que tu as retiré des mouvements de sa langue ne peut constituer une infidélité émotionnelle.

— Génial. Essaie de dire ça à Amy. Il y a juste eu erreur sur la personne, chérie. Ça arrive tout le temps. Pas de quoi faire une crise. Ouais, Matt, elle va adorer.

Matt me jette un regard oblique.

— Il faut vraiment que tu apprennes à canaliser ton agressivité, tu sais. Ce n'est pas bon pour toi.

— Quoi ?

— Respire à fond.

— Quoi ?

— Détends-toi. Calme-toi. Laisse-toi flotter un moment.

Je ne suis pas d'humeur à entendre ces conneries hippies, surtout de la part d'un avocat qui serait incapable de faire la différence entre un acide et un verre de contact.

— Me détendre ? Comment tu veux que je me détende, bordel ? Je viens de me faire larguer, putain de merde !

Il me laisse quelques secondes pour que je me calme, puis dit :

— Écoute, rien n'est jamais aussi grave qu'il y paraît.

— Ah bon ?

Il pince les lèvres d'un air méditatif, puis suggère :

— L'objectivité. Tu dois aborder le problème d'un point de vue objectif.

— Objectif ?

— Ouais, tu sais, comme quand tu montes en haut d'une colline pour regarder la ville et qu'elle te semble complètement différente, parce que tu as mis de la distance entre elle et toi.

— Matt, je doute sincèrement qu'aller me poster en haut d'une colline me soit d'une aide quelconque.

— Laisse-moi finir, d'accord ? dit-il en roulant des yeux.

— Je t'écoute.

Il allume une cigarette et tire quelques bouffées.

— Le point de vue objectif, commence-t-il, est le suivant. L'amour de ta vie ne veut plus de toi. Elle a découvert que tu avais fourré ta bite dans la bouche d'une autre. Résultat, comme en plus tu ne le lui as pas dit immédiatement, elle pense à présent que tu es une belle saloperie qui mérite de brûler en enfer pour l'éternité. Disons simplement qu'elle ne veut plus jamais te revoir.

— Merci, Matt, lui dis-je en commençant à nourrir de sérieux doutes quant à ses talents de donneur de conseils. Et si tu me filais simplement une lame de rasoir et que tu me fasses couler un bain ?

— Entendu, laisse tomber l'objectivité. Tu as raison : objectivement, tu es dans la merde. (Mais, ajoute-t-il après une pause :) Ça pourrait être pire.

Pour la première fois, il vient de dire quelque chose de sensé.

— Ouais, j'suis d'accord, je pourrais être au beau milieu du Sahara sans une goutte d'eau. Je pourrais être dévoré tout cru par les vers. Je pourrais même être obligé de regarder tous les épisodes de *Dynasty*. À part ça, note bien, je pense qu'il y peu de choses pires qui puissent m'arriver.

Matt ignore studieusement cette volée de sarcasmes.

— Sérieusement, si. Tu es encore en vie. Et elle aussi. Ça arrive, ces trucs. Ça nous arrive à tous de temps en temps, non ?

— Non, Matt. Je ne pense pas. Je ne crois pas, par exemple, que ça t'arrive à toi. Est-ce que ça t'arrive, Matt ? Hein ? Ça t'arrive ? Je veux dire, n'hésite pas à me reprendre si je me trompe, mais peux-tu répondre à ceci : as-tu déjà été largué par quelqu'un que tu aimais ?

— Non.

— Très bien, donc ça n'arrive pas à tout le monde. Ça arrive à certains d'entre nous. Et ça, ça ne me pose pas de problème.

— Alors c'est quoi ton problème ?

— Mon problème c'est que ça n'aurait pas dû m'arriver à moi.

— Et pourquoi ça ?

Je me prends la tête dans les mains.

— Parce que j'avais confiance en elle, Matt. C'est ça qui me flingue vraiment. J'ai passé toute ma vie à mentir aux femmes, à garder des trucs pour moi. Mais pas avec elle. J'avais confiance en elle et je lui ai dit la vérité. Je lui ai dit la vérité parce que je l'aime. Et où ça m'a mené ? Je me suis fait larguer. Elle ne m'a même pas laissé une chance de m'expliquer.

— Tu crois vraiment que ça ferait une différence, demande Matt, si elle pouvait entendre ta version de l'histoire ?

— Ouais, je crois. Je le crois vraiment. Mais à quoi bon, bordel ? J'ai essayé de la joindre toute la journée et elle refuse de décrocher.

Matt pose une main sur mon épaule.

— Peut-être lui faut-il juste le temps de se calmer. Laisse-la tranquille. Crois-moi, elle ne va pas te haïr éternellement. Comme on dit, si tu aimes quelque chose, laisse-le partir. S'il revient, il sera à toi pour toujours. Sinon, c'est qu'il ne l'a jamais été.

De la part de Matt, c'est super profond. Je ne peux qu'en conclure qu'il va me falloir un coup de génie pour me sortir de là.

Le jeu de la patience

— Je sais que tu m'entends, dis-je. Oui, toi, Amy Crosbie, c'est à toi que je parle.

J'attends une réponse, mais rien ne vient. Je ne vais pas faire machine arrière. Je suis ici en mission. Je suis un guérillero du cœur. Et les guérilleros du cœur ne se déballonnent pas au premier signe de résistance. Nous sommes sans peur, prêts à tout. Nous adorons les défis, savons que la victoire, quand elle viendra, sera deux fois plus douce.

— Très bien. Boude tant que tu veux. Je ne partirai pas. Tu m'as entendu, Amy ? Je ne bougerai pas. Pas d'un centimètre. Je resterai où je suis jusqu'à ce que tu descendes et me laisses une chance de m'expliquer.

Toujours rien.

Soudain, ma résolution prend un tour dramatique et je risque le tout pour le tout. Je presse mes lèvres contre l'interphone et murmure :

— Je t'en prie, Amy. Je t'aime. Je t'aime et ça me mine.

J'attends un peu mais seul le silence me répond.

Il y a un vieux bonhomme sur le banc, de l'autre côté de la rue. Il roule des yeux en me regardant et boit un coup à sa bouteille de Thunderbird. Il a l'air d'avoir déjà vu la scène plus de cent fois. Mais je m'en fiche. Je pense ce que je dis : je l'aime. Et je me fiche bien de savoir que ça se sache. C'est elle. Mon Über-chérie. C'est elle que j'ai de tout temps cherchée.

Depuis que j'ai dit hier soir à Matt que j'étais amoureux d'elle, elle occupe toutes mes pensées — comme si de l'avoir dit clairement avait rendu la chose réelle. Non, je me fiche que d'autres le sachent. Je veux que tout le monde soit au courant, mais surtout Amy.

Et voilà pourquoi je suis ici.

Il est tout juste 10 heures et demie en ce dimanche matin et je suis sur le perron de son immeuble. Je suis là depuis 9 heures. Hormis le vieux bonhomme, la rue est déserte. Des travaux sur la chaussée empêchent les voitures de stationner. Au-dessus de moi, en accord avec mon état d'esprit, et pour la première fois depuis des semaines, le ciel est gris. Je recule de quelques pas et penche la tête en arrière pour apercevoir le dernier étage où se trouve l'appartement d'Amy.

Il n'y aucun signe de riposte. Pas de poix bouillante qui dégouline des contreforts. Pas d'archers prêts à tirer. Pas de mouchoir blanc qui flotte dans la brise. Pas de main qui s'agite, me faisant signe de monter, ni de tresse immense pour m'aider à grimper. Même pas une simple fenêtre ouverte. Mais peu importe. Je suis certain qu'elle est là. Je suis disposé à attendre. Si elle veut que je l'assiège, alors c'est exactement ce que je vais faire. Si elle veut une preuve de mon amour, alors la voici. Si elle n'en veut pas, eh bien, je la lui donnerai quand même.

Je retourne à la porte et appuie sur l'interphone. Il y a un bruit qui ressemble à celui d'une guêpe furieuse. Je laisse mon doigt appuyé et imagine Amy chez elle, qui m'entend. Ça doit la rendre folle. En tout cas, je l'espère. Ça paraît un peu dur, je sais, mais je m'en fiche. La seule chose qui m'intéresse, c'est avoir une chance de lui donner ma version des événements. On est en démocratie, après tout. Les gens se sont pas condamnés sans procès. La justice exige qu'elle m'entende. J'ai merdé. Je le sais. Mais tout le monde commet des erreurs, non ? Et la mienne m'a servi de leçon. Je ne laisserai plus jamais se reproduire une situation comme celle avec McCullen. Je ne mentirai plus jamais à Amy, ni ne la tromperai comme je l'ai fait. Tout ce que je veux, c'est une chance, rien qu'une, de pouvoir lui dire que je l'aime et que je suis à elle, et que je ne veux pas être avec une autre. Plus jamais.

Toujours pas de réponse.

Courage. Je suis mieux équipé qu'elle pour gérer ce genre de situation. Pour commencer, il y a la nourriture. Que va-t-elle manger ? Je connais Amy. Les placards pleins ne sont pas son fort. Les deux litres de lait longue conservation et la barquette d'houmous périmé dans le frigo ne dureront pas longtemps. Et puis il y a son nouveau boulot. Elle ne va pas saboter ça uniquement pour éviter une confrontation avec moi. C'est trop important pour elle. Non, elle ne peut pas rester éternellement terrée. Elle va vite se lasser, me laisser entrer, ou tout au moins descendre et écouter ce que j'ai à dire. La logique exige que les chances soient définitivement en ma faveur. Surtout avec la préparation à laquelle je me suis livré. En ma qualité d'assiégeant temporaire, j'ai emporté le kit de survie amoureux :

a) douze roses rouges (flétries, je le reconnais, mais néanmoins riches en potentiel romantique) ;

b) de la nourriture : un paquet familial de Chick-O-Lix (le seul produit qui restait dans le frigo de la station ouverte vingt-quatre heures sur vingt-quatre) ; Kendal Mint Cake (plat de base des armées), et deux sachets de cacahuètes grillées (riches en protéines) ;

c) boissons : deux canettes de Toxoshock (boisson isotonique énergétique, contenant de la caféine, de la taurine et du guarana) ; plus un litre de Nutroshake (parfum fraise) ;

d) vêtements : jeans et T-shirt FCUK (tous deux à Matt) ; bottes militaires (idéales pour terrain accidenté) ;

e) divers : deux paquets de Marlboro (Lights) ; un Zippo.

À part mon choix vestimentaire — je regarde le ciel, il s'assombrit —, j'estime que je suis en mesure de tenir le siège des heures, voire des jours. En d'autres termes, Amy, à moins de confectionner un deltaplane avec ses draps de lit et divers ustensiles domestiques puis de se lancer depuis le toit, a peu de chances de m'échapper. Qu'elle le veuille ou non, je dirai ce que j'ai à dire.

Avec, en guise d'adieu, un « Je suis toujours là », je relâche ma pression sur le bouton de l'interphone et m'affale sur les marches. Je sens quelque chose sur mon visage, lève les yeux, et m'aperçois qu'il commence à pleuvoir. Je sors la boîte de Chick-O-Lix de mon sac et en grignote un sans enthousiasme, avant de le balancer et d'allumer une cigarette. En bas de la rue, la cloche de l'église se met à sonner, appelant les fidèles à l'office dominical.

Dites une petite prière pour moi.

Je n'ai pas dormi de la nuit. Pas une seconde. Je suis resté allongé à fixer mon réveille-matin et à regarder les minutes s'écouler. Inutile de préciser que c'est Amy qui me gardait éveillé. Ou plutôt son absence. Parce que, manifestement, elle n'était pas là. Elle n'était pas là parce qu'elle me déteste. Elle pense que je suis une merde. Et pourquoi pas ? À sa place, je penserais exactement la même chose. Psychologie à l'envers. Qu'éprouverais-je si elle me disait qu'un type l'a broutée ? De la colère ? De la jalousie ? Du dégoût ? Oui, tout cela. Mais surtout je me sentirais trahi. Sauf que je n'ai pas trahi Amy. Je n'ai pas décidé de lui faire du mal. J'ai juste merdé. Bon d'accord : dans les grandes largeurs. Mais ça ne m'a pas fait spécialement du bien. Loin de là. Comme j'étais allongé sur mon lit, incapable même d'étreindre mon oreiller pour me consoler — il sentait encore McCullen —, je me sentais tout simplement à vif. Dévasté. J'avais l'impression qu'on m'avait déchiré le cœur en deux.

Même ma bite était de cet avis. Et ce n'était pas très chic de sa part. En temps normal (hormis l'incident Ella Trent), qu'il pleuve, qu'il neige ou qu'il vente, ma bite est d'une constitution indéfectible. Je ne pensais pas qu'elle pût me laisser tomber comme ça. Et pourtant elle gisait là, racornie entre mes jambes comme une créature qui hiberne. Si elle avait pu parler, je suppose que notre conversation aurait donné une chose de ce genre :

Jack : Qu'est-ce qui se passe ?

Bite : Il ne se passe rien, justement, c'est là le problème.

Jack : Tu te sens d'en parler ?

Bite : Je ne sens rien du tout. À part un engourdissement.

Jack : Je suppose que tu veux parler d'Amy ?

Bite : Ben, manifestement je ne parle pas de McCullen, non ? Pas après cette pathétique histoire de pipe.

Jack : Je ne m'en souviens même pas. C'était si nul que ça ?

Bite : Disons les choses tout net Jack : une pipe comme ça me reste en travers de la gorge, et ne prends pas ça pour un compliment. J'étais là, tranquille, à me préparer intérieurement pour une petite pollution nocturne. Ça avait toute l'allure d'un classique. Toi et moi assis dans ce sauna, avec de la vapeur partout, et voilà qu'entre Amy dans sa tenue de collégienne...

Jack : Sa tenue de collégienne ? Je ne sais même pas à quoi ressemblait sa tenue de collégienne.

Bite : Liberté de style, Jack. Lâche-moi un peu.

Jack : Je vois. Et après, que s'est-il passé ?

Bite : Cette conne de McCullen se pointe. Elle débarque sans prévenir et, sans même dire « avec votre permission », elle pousse Amy et prend les commandes.

Jack : Ça n'est pas si moche. Pour un fantasme, je veux dire.

Bite : Oui, ben ça prouve que t'y connais rien. Crois-en la parole d'un pro, Jack, ce n'est pas très marrant de conduire une Mini Austin quand on est habitué à une Rolls. Mais même alors j'ai encaissé. *Très bien,* me suis-je dit, *à quelque chose malheur est bon.* Mais — oh, non — tu ne voulais rien entendre. Tu n'étais pas disposé à me laisser labourer le mauvais champ. Juste quand les choses redevenaient intéressantes, il a fallu que tu te retires. Que tu te retires, Jack ! C'est franchement nul. C'est tellement... amateur.

Jack : Je suis désolé, Bite. Ça ne se reproduira pas. Restons bons amis, comme autrefois.

Bite : Autrefois. Ah, oui, je m'en souviens. Juste toi, moi, un paquet de mouchoirs et un exemplaire de *Play-boy*. Sans oublier, bien sûr, le petit coup rapide auquel j'avais droit de temps en temps. Une rapide plongée dans le paradis en 3D, pour être aussitôt remballé le matin. Super époque, en effet. Pardonne-moi si je ne me mets pas à sauter sur place à cette seule évocation.

Jack : J'ai dit que j'étais désolé.

Bite : Je sais, je sais. C'est seulement qu'elle me manque, Jack. Elle m'allait parfaitement, tu comprends ? Comme un gant.

Pour une fois, je dois le reconnaître, ma bite l'emporte haut la main.

Je me suis mis à repenser au conseil de Matt — toutes ces conneries à propos de laisser respirer Amy. Respirer, c'est peut-être valable pour des asthmatiques, mais en ce qui me concerne, c'est pour les mauviettes. Et quant à son trip débile, si tu aimes quelque chose laisse-le partir, Matt peut se le mettre où je pense. Pourquoi ferais-je ça ? D'accord, la laisser tranquille est un concept plutôt sain, un concept que je peux manier à un niveau purement théorique. Voire pratique — si on parle de mainates ou de bébés tigres. Mais ce n'est pas le cas. Je lui parlais d'Amy. Je parlais de la femme que je savais maintenant aimer. Et mon point de vue, c'est que si je la laisse s'éloigner, alors le moins que je puisse faire c'est de l'obliger à admettre les faits. La décision qu'elle a prise l'a été de façon unilatérale. Ce que je dois faire, c'est restaurer la démocratie. Il ne sert à rien qu'elle recouvre je ne sais quelle liberté si elle ne sait pas que je veux qu'elle revienne. Je veux dire, si je la laisse s'éloigner à sa guise, on va où comme ça ? Zéro pointé dans les deux camps. Je ne veux pas lui rendre sa liberté. Je veux qu'elle me revienne. Et si ça veut dire se battre, alors je le ferai. Les dix rounds. Jack Muhammad Ali Rossiter. En tenant bon.

En restant devant sa porte.

Sous la pluie.

Somnolent et transi.

Je me recroqueville sur les pierres froides et ferme les yeux.

Il est 3 h 15 quand je me réveille. Ma bouche a l'air d'être enduite de colle à papier peint. Comme j'en connais les ingrédients, je ne peux que supposer que c'est un effet secondaire du Chick-O-Lix que j'ai ingurgité plus tôt.

Je me relève péniblement et plie les jambes quelques secondes pour en chasser les crampes. Je lève les yeux : le ciel est dégagé à présent. Les nuages noirs, apparemment, se sont réfugiés dans ma tête.

Je me tourne et appuie sur la sonnette. Une fois de plus, Amy fait la sourde oreille. Je regarde de l'autre côté de la rue. Rien n'a changé. Le vieux bonhomme est toujours là, tout comme les cônes de signalisation et les outils des ouvriers. Un sourire nostalgique se peint sur mon visage alors que je me rappelle un certain été que j'ai passé avec une bande de copains quand j'étais étudiant. On installait des câbles pour la télé, comme ils ont commencé à le faire ici, on creusait une tranchée dans la route, on disposait les câbles, puis on peignait à nouveau les bandes sur le goudron. Mon sourire s'agrandit : une idée vient de surgir dans ma tête.

— Très bien, Amy, je m'écrie dans l'interphone, tu veux jouer à ce jeu ? Alors regarde bien.

Je traverse la route d'un pas décidé. Le vieux bonhomme, en voyant qu'un de ses collègues vient de passer à l'action, repose sa bouteille et me salue. Je lui rends son salut, oui, un truc entre mecs. Quelque chose que, partout dans le monde, les hommes peuvent comprendre. Je suis en effet sur le point de faire une déclaration grandiose. Ça sera romantique. Ça sera géant. Ça sera le genre de geste que d'autres hommes regretteront de ne pas avoir eu les couilles de faire.

Ça ne me prend guère de temps pour forcer la serrure de la machine à peindre les bandes qui est rangée le long du trottoir. Le pied-de-biche déniché dans la baraque des ouvriers me vient en aide. Hop, gagné ! L'engin est à moi. J'abaisse la poignée et pousse la bécane sur quelques mètres. Pas de doute, elle est chargée : une ligne blanche, de cinquante centimètres de long, laisse son sillage derrière moi. Je remonte la poignée et pousse l'engin jusqu'au milieu de la rue. Puis je me mets sérieusement au travail : l'écriture du message que je veux qu'Amy lise la prochaine fois qu'elle se mettra à sa fenêtre. Diverses options traversent mon esprit :

a) Jack **M** Amy (trop ado).

b) Je t'aime (trop évident).

c) Reprends-moi (trop niais).

Au lieu de ça, je choisis un classique — le genre de sortie qui couperait le sifflet à Cyrano de Bergerac. Je pousse l'engin sur la route en traçant les lettres. Ce n'est pas de la tarte, bien sûr. Cette machine est conçue pour des lignes droites. Je dois faire demi-tour à chaque nouvelle lettre. Mais c'est un travail d'amour. Je ne connais pas la fatigue. Et, au bout de vingt minutes, le message est terminé. Juste à temps. La peinture manque quand j'achève la dernière lettre. Et alors ? C'est lisiblc, au moins. Que demander de plus ?

Je ramène l'engin à sa place initiale. Puis je traverse la route pour aller sur le trottoir d'Amy et admirer la grandeur de ma tâche. Ça a l'air bien. Ça a l'air super. On dirait de l'art. Même si c'cst moi qui le pense. Et je ne suis pas le seul à être impressionné. Le vieux poivrot l'est, lui aussi. Du coin de l'œil, je le vois qui abandonne son banc pour la première fois de la journée. Il fait deux pas en avant et déplace légèrement sa tête de gauche à droite, pour lire mon œuvre. Puis il se dirige vers moi. Comme une abeille vers une fleur. Il voit la beauté de ce que j'ai fait. Il veut vérifier. Ne souhaitant pas paraître prétentieux, je ne bouge pas et arbore une expression impassible. Mon public attend.

— Salut l'ami, dit-il en tendant la main. Je m'appelle Clifford.

— Salut, Clifford. (Je lui serre la main.) Alors qu'est-ce que t'en penses ?

Clifford contemple la route un moment, en silence. Et je compatis : trouver les mots devant un geste de cette ambition ne sera jamais une chose facile. Il ouvre la bouche pour parler et je savoure un instant de gloire. Comment va-t-il exprimer la chose ? Comment va-t-il formuler le bouleversement émotionnel qu'il a subi après avoir lu ces simples mots ?

De la façon suivante :

— Tu bosses pour le ministère de l'Agriculture, fiston ?

Je le fixe, ébahi. Puis je regarde la bouteille à moitié vide qu'il tient à la main. Puis je le regarde à nouveau. Finalement, je souris, l'air complice — ce qui est loin d'être le cas.

— Le ministère de l'Agriculture ? Non, Clifford, je ne travaille pas pour eux.

Il me regarde de haut en bas, avant de proposer autre chose :

— Pour l'Environnement, alors ?

— Qu'est-ce qui te fait dire ça ?

— À cause de ce que tu as écrit là, fiston. On dirait une publicité, non ? (Il prend une gorgée de gnôle.) Pour la ferme, tout ça. Si c'est pas l'agriculture, alors ça doit être l'environnement, non ?

— Sans blague, dis-je cordialement.

Parce que, regardons les choses en face, dans des moments pareils, ça ne coûte rien de faire un peu d'humour.

Mais parfois il y a des limites. Comme maintenant.

— Mais de quoi tu parles, bon sang ?

Il me regarde comme si j'étais fou.

— Lis, dit-il en montrant la chaussée. Là.

Je suis la main de Clifford et fais comme il dit.

— Je pige toujours pas, dis-je.

Clifford secoue la tête.

— Ça doit bien être une pub, non ? Sinon, ça n'aurait aucun sens.

Jusqu'à maintenant, j'ai été victime de la théorie selon laquelle Clifford avait un problème de lecture. Mais plus je regarde les lettres que j'ai tracées sur la route, plus je comprends qu'il n'en est rien. C'est tout le contraire. Ce n'est pas Clifford qui a un problème de lecture, c'est moi. Ou plutôt un problème d'écriture. Parce que, quand je regarde ce que j'ai écrit, voici ce que je vois :

TU ES LA FERME DE MA VIE

Et non : TU ES LA FEMME DE MA VIE. Pas le grand geste que je voulais. Rien qui ait même un sens. Ma première réaction est de rire. Impossible. Il est impossible que je puisse mal orthographier un mot pareil, me tromper carrément de lettre. Ma seconde réaction, toutefois, est un haut-le-cœur. Parce que, Clifford a raison, ce que j'ai écrit ressemble à un slogan pour la revalorisation des campagnes et non des compagnes. Je me rue sur le mot coupable et frotte mon pied dessus ; rien. J'essaie à nouveau ; pas même une petite tache sur sa blanche et lisse perfection. Je me mets à quatre pattes et essaie de frotter avec la main ; toujours sans résultat. Et l'engin n'a plus de peinture. Je ne peux même pas corriger.

Je reste immobile une bonne minute, m'efforçant d'accepter la monumentale connerie que je viens de faire. Puis je me tourne vers Clifford et lui demande :

— Ça te dérange si je prends une gorgée ?

Et avant qu'il ait même le temps de répondre, je m'empare de la bouteille de Thunderbird qu'il tient à la main et la vide d'un coup.

Une nouvelle carrière

Lundi s'écoule dans un état confus d'épuisement mental et physique suite aux événements du week-end. Je passe le plus clair de mon temps au lit, soit à dormir, soit à rester allongé sur le dos et à fixer le plafond en écoutant des CD. Je ne me rase pas. Je ne change pas d'habits. J'essaie de ne penser à rien. Je moisis tranquillement et, à part ne pas pisser dans mon pantalon, je laisse derrière moi tout vestige de civilisation. Matt étant absent pour raisons professionnelles, mon contact avec le monde extérieur se résume à zéro. Je m'en fiche. Tout ce que je veux, c'est que les jours passent et forment un tampon entre Amy et moi, parce que c'est la seule façon de supporter la douleur que je ressens.

Le mardi après-midi, mon estomac m'oblige à m'extirper de cet état de nihilisme avancé. Je décroche le téléphone et commande une pizza. Tout en la mangeant, l'idée me vient que je m'y prends peut-être mal. Après tout, faire la carpette ne va me mener nulle part. Ce n'est pas parce que mon exercice de calligraphie devant l'appartement d'Amy s'est révélé un désastre que ça veut dire des autres plans que je pourrai mettre au point qu'ils connaîtront le même sort. J'y étais presque, bon sang. À une lettre près. C'est ça que je dois me rappeler. Non pas quel raté je suis, mais à quel point j'ai frôlé le succès. Je dois trouver autre chose. Un nouvel angle. Je vais chercher une bouteille de vodka et retourne méditer dans ma chambre.

Le mardi soir arrive, et je suis toujours dans ma chambre — ou, si l'on préfère, dans ma ruche créative. J'ai mis au point un nouveau plan. Il est si simple que je n'arrive pas à croire qu'il m'a fallu tant de temps pour le trouver. Surtout que je l'avais sous le nez depuis le début.

Ma guitare.

Elle était là, contre ma penderie, elle n'avait pas bougé depuis l'été dernier, quand j'avais pris en tout et pour tout cinq cours. Une chanson. Bien sûr. Lui jouer la sérénade. Attirer son attention sur mon immense amour. Et ça se passe plutôt bien. Bien mieux que je n'aurais osé l'imaginer. Les paroles mettent du temps à s'imposer au début, mais bientôt elles prennent une existence à part entière. Et la mélodie est vachement bien, aussi — surtout si l'on considère que je ne connais que trois accords. Tout semble parfait. Les bâtons d'encens brûlent. Elvis me chantonne à l'oreille depuis la stéréo de l'inspiration. Et la touche finale : un bandana autour du front, comme Springsteen.

Vers les 11 heures, je suis prêt pour la première audition. Je mets en lieu sûr la bouteille de vodka à moitié vide puis passe la guitare autour de mon cou et annonce depuis le seuil de ma chambre :

— Et maintenant, venu directement du Hollywood Bowl, nous sommes fiers de vous présenter le seul, l'unique Jaaaaa-ckieee Rossiter.

Je traverse la pièce d'un pas assuré et monte sur la scène du lit.

— C'est une p'tite chanson, dis-je en prenant mon plus bel accent traînant du Sud, qui parle d'une p'tite femme que je connais. Une p'tite qui s'appelle Amy. Ça s'intitule « Ne va pas croire que je vais en rester là ».

Je gratte les premiers accords, puis me lance :

Ne va pas croire que je vais en rester là
Sans toi, ma belle, la vie c'est pas de la joie.
Tu me manques tant.
Et je m'en veux tant.
Mon cœur vient de chavirer comme un vieux
paquebot.

Puis on passe au refrain, conçu pour être chanté par un trio de cow-girls qui ondulent des hanches :

Ne va pas croire que je vais en rester là
Ma belle, parce que tu m'as pris en froid.
Je t'en prie reviens vite car je craque

384

Oui reviens auprès de ton tendre Jack
Sans toi, ma belle, la vie c'est pas de la joie.

Et on passe au deuxième couplet. Je me donne vraiment à fond.

Ne crois pas que je vais en rester là.
Je m'égare et dérive et me noie.
Oh, je t'en prie, arrache-moi
À cette mer cruelle et sombre.
Ne méprise pas mon ombre.

Mais je n'ai pas le temps de me lancer dans le refrain...

— Mais qu'est-ce que tu branles ?

Je lève les yeux et aperçois Matt sur le seuil, une expression stupéfaite sur son visage.

— Je chante. Ça ne se voit pas ?

Il étudie la question un moment, puis déclare :

— Comme un type qui paraît mûr pour l'hôpital psychiatrique.

— Tu as le droit d'avoir ta propre opinion.

Il promène son regard dans la chambre.

— Je déduis de ce chaos qu'elle ne t'a pas rappelé.

— Correct.

— Alors rends-toi à l'évidence, elle ne reviendra pas. (Il hoche la tête.) C'est fini. Accepte-le.

— Rien n'est fini.

— C'est demain.

— Quoi.

— Demain, m'informe-t-il. La merde finit demain. Fini ces conneries de chant funèbre.

Fini la haine de soi. (Son regard se pose sur la bouteille de vodka, puis revient sur moi avec dédain.) Fini de t'abrutir avec de l'alcool. C'est fini tout ça, tu comprends ? (Je ne dis rien.) Tu ferais mieux de me croire, mon pote, parce que c'est comme ça que ça va se passer.

Et là-dessus il sort et claque la porte derrière lui. Je contemple la porte quelques secondes avant de gratter ma guitare avec méfiance et de reprendre où j'en étais.

Je ne sais pas à quelle heure je m'endors, mais je me réveille avec une gueule de bois carabinée et le bruit de la voix de Matt :

— Radiohead... Nick Cave and the Bad Seeds... Portishead... Bob Dylan... Nick Drake... Où sont les Smurfs ? Je les trouve pas. Et où est la compile des chants de Noël par le chœur des petits chanteurs de Saint-Georges ? Je ne la trouve pas non plus.

J'ouvre brièvement un œil et vois qu'on a allumé. Matt est accroupi par terre et examine les CD que j'ai écoutés tous ces derniers jours.

— Ce que nous avons ici, en revanche, conclut-il, ce sont tous les signes d'une crise d'apitoiement sur soi. (Il claque dans les mains.) Eh bien, c'est ici que tu descends. Allez, lève-toi.

Une lumière radieuse emplit la chambre et je rouvre les yeux pour voir Matt près de la fenêtre. Je relève ma tête et jette un œil au réveil. On est mercredi matin, il est 8 heures. Je gémis et enfouis ma tête sous la couette.

— Je ne plaisante pas, continue Matt, en s'emparant de la couette et en me l'arrachant. Je t'ai prévenu hier soir. Fini de merdouiller.

C'est seulement alors que je réagis. J'attrape le bout de couette qui reste et essaie de la rabattre sur moi. Mais Matt est le plus rapide.

— Va te faire, lui dis-je en enfonçant ma tête dans l'oreiller.

— Charmant, dit-il. (Il y a un silence, puis Matt reprend :) Il y a deux manières de s'y prendre à partir de là : la manière douce et la manière forte. Tu peux soit te lever de ton plein gré, soit m'obliger à te tirer hors du lit. (Il attend une réponse, mais je ne lui en donne pas.) Très bien, dit-il enfin, va pour la manière forte.

Je l'entends qui sort de la chambre, et un certain malaise s'empare de moi. Je sais ce dont Matt est capable quand il a quelque chose derrière la tête. Il passe à l'action, et pas pour rire. Puis je me détends. À moins de me menacer avec un flingue, il aura du mal à me faire bouger. Et Matt ne ferait pas ça. Il est avocat. Il a trop à perdre. Oublions ça. Il bluffe. Puis je me rappelle la cicatrice sur mon sourcil quand il m'a tiré dessus avec le fusil à air comprimé. Mais je n'ai pas le temps de m'attarder sur ce souvenir.

L'eau, quand je la reçois, n'est pas seulement glacée mais abondante. Je hurlerais si le choc en la recevant n'avait pas chassé l'air de mes poumons.

— Sale connard ! je grogne. Je suis trempé.

— Un état qui n'a rien de franchement inattendu, fait remarquer Matt en balançant à bout de bras le seau en plastique désormais vide.

Je me redresse, le visage ruisselant. Le

T-shirt et le jean que je n'avais pas ôtés depuis dimanche sont trempés.

— Je suppose que tu trouves ça drôle ?

— Café, dit-il en désignant ma table de chevet.

À contrecœur, je tends la main et bois une gorgée.

— Voilà, dis-je. Tu es content, maintenant ?

— Ce n'est pas de mon bonheur qu'il est question ici, fait-il remarquer. (Il attend sans rien dire que je finisse mon café.) Maintenant lève-toi.

— Quoi ?

Il fronce les sourcils.

— Lève-toi, c'est tout, Jack. Je n'ai pas que ça à faire. Je dois être au bureau dans une heure.

Certain qu'il ne va pas en rester là si je ne fais pas ce qu'il demande, je me lève.

— Regarde dans quel état tu es, dit-il.

J'aperçois mon reflet dans le miroir derrière lui. Je dois le reconnaître, ce n'est pas très reluisant. Le col du T-shirt de Matt est gris de crasse. Mes ongles sont noirs, comme si j'avais creusé la terre à mains nues. Et ce qui doit être un morceau de pepperoni est cimenté à mon front. Mais ce sont mes yeux qui me foutent la pétoche. On dirait qu'un sale gamin a pris un feutre rouge et gribouillé les blancs. Non qu'un gamin oserait s'approcher de moi avec la tête que j'ai ! Il appellerait la police pour leur dire qu'un dangereux psychopathe court les rues.

— Tu fais peine à voir, annonce Matt qui continue à me dévisager avec dégoût. C'en est gênant. J'ai honte de vivre sous le même toit que toi. Qu'as-tu à dire pour ta défense ?

Je contemple mes orteils et marmonne :

— D'accord, dis-je, je ne suis pas au mieux de ma forme.

— Pas au mieux de ta forme ? Tu es informe, oui.

— Ça va, dis-je. Je suis en piteux état.

— Bien, dit-il, visiblement satisfait. Reconnaître que tu as un problème est la première étape vers la guérison. Maintenant, répète après moi. Je m'appelle Jack Rossiter.

— Qu'est-ce que tu...

Le regard menaçant qu'il me jette me rappelle la douche glacée que je viens de prendre. Je ne dois pas oublier que ce type est une bête sauvage, capable de tout.

— Je m'appelle Jack Rossiter, dis-je sur le ton le plus las qui soit.

Il ne se formalise pas.

— Je suis un homme, continue-t-il.

Je fais de nouveau ma voix de robot :

— Je suis un homme.

— Je suis fort et indépendant.

— Je suis fort et indépendant.

— Je n'ai pas besoin d'une femme pour me définir.

— Je n'ai pas besoin d'une femme pour me définir.

— Je peux être heureux seul.

— Je peux être heureux seul.

— Non seulement je suis un homme, mais je suis également un homme crasseux.

Je me mets à sourire pour la première fois depuis des jours.

— Non seulement je suis un homme, mais je suis également un homme crasseux.

— J'ai besoin d'une bonne douche.

— J'ai besoin d'une bonne douche.

— Et de changer de slip.

— Et de changer de slip.

— Parce que je pue.

Je n'arrive pas à répéter cette dernière phrase parce que je suis trop occupé à rire. Il sort un morceau de savon de sa poche et le coince dans ma main. Puis il m'entraîne vers la porte et me désigne la salle de bains au bout du couloir.

Un peu plus tard, alors que je suis en train de me sécher, il passe une tête dans la salle de bains.

— Je serai de retour vers 18 heures, m'informe-t-il. Et si je te surprends à jouer les guitareux comme hier soir, je t'enfonce ton instrument dans le cul.

— Ne t'inquiète pas, dis-je. Le fantôme de Hendrix ne reviendra pas me hanter.

— Oh, une dernière chose.

— Quoi ?

— Chloé a téléphoné hier soir. Elle t'attend pour dîner à 8 heures. (Il me fait un clin d'œil.) Ça fait partie de ton programme de réadaptation, alors ne sois pas en retard.

Je passe le reste de la matinée à faire du ménage dans ma chambre et me plonge l'après-midi dans le travail en essayant de finir mon *Étude en jaune*. Ma séance avec Matt ce matin a été si thérapeutique que je refoule mon envie de la peindre en noir. Mais la thérapie n'est pas finie. Des images de McCullen traversent mon esprit. Ce doit être dû au fait que je suis dans mon atelier. Je ne cesse de lorgner vers son portrait qui me fixe depuis l'autre bout de la pièce. Finalement, je décide que ça suffit comme ça. Je traverse la pièce et le décroche. Puis j'ouvre les portes-fenêtres et m'avance dans le jardin.

Dehors, sur le feu de bois, la toile et la peinture qui brûlent produisent une odeur satisfaisante. Je n'ai aucun regret. La chose est trop chargée de souvenirs. Et pas seulement de ce qui s'est passé entre McCullen et moi la nuit précédant le départ pour la Grèce. Trop de souvenirs ayant trait à moi. À la personne que j'étais. Toutes ces salades. Tous ces complots, cette manipulation. C'est vain, et je le sais à présent, parce que toutes ces donjuaneries à la con ne m'ont pas aidé à obtenir la seule chose que je veux : le pardon d'Amy, ou, plus précisément, Amy. Elle a pris sa décision, et c'est définitif, et donc c'est comme ça. Je ne peux pas la forcer à penser autrement. Et j'ai été stupide de croire que je pourrais le faire. Je regarde la toile s'enrouler sur elle-même et finir en cendres. Puis je retourne dans l'atelier.

J'arrive chez Chloé à 8 heures précises.

— Matt ne plaisantait pas, dit-elle en m'ouvrant la porte.

— À quel sujet ?

— À ton sujet, mon pauvre biquet. Tu fais peur.

J'ai eu raison de me doucher et de me raser. J'esquisse un sourire.

— Merci, dis-je en la regardant. Tu es superbe.

C'est vrai. Elle est renversante pour tout dire, en noir et court vêtue. Même si ça ne me fait pas trop d'effet, vu mon état.

— Viens ici, me dit-elle en passant ses bras autour de moi et en me serrant fort.

Elle me garde ainsi contre elle une minute puis me prend par la main et me conduit dans la salle à manger.

— J'espère que tu as faim, dit-elle en me versant un verre de vin. J'ai fait à manger pour dix.

Je regarde autour de moi pendant qu'elle se rend dans la cuisine et me dis que ce n'est pas exagéré. À voir tout le mal qu'elle s'est donné, on pourrait croire qu'il se prépare une méga fête. Elle a sorti l'argenterie. La chaîne diffuse une musique douce et une bougie est allumée. Je jette un œil à ma chemise froissée et mon jean délavé, et je me sens coupable. Puis je me dis : ce n'est que Chloé. Elle s'en ficherait pas mal même si je portais une guimpe de nonne et un stetson. Et j'ai raison de penser ça. Elle revient quelques minutes plus tard avec l'entrée et un sourire large comme le Grand Canyon. Puis elle se met à parler et ne s'arrête plus. Elle réussit à éviter le sujet Amy pendant tout le repas. Même moi je parviens à ne pas y penser pendant quelques instants. Mais quand nous prenons place sur le canapé pour déguster le café, le nuage revient et je suis silencieux.

— Très bien, dit-elle, raconte-moi. Qu'est-il arrivé au Beau Jack ?

— Parti. Envolé. (Je hausse les épaules.)

Tout a changé. Mes règles ne semblent plus s'appliquer.

— Que veux-tu dire ?

— Je ne sais pas. Les femmes. Je croyais les avoir comprises. Je croyais savoir ce qui les branchait.

— Et ce n'est plus le cas aujourd'hui.

— Non. Je suis paumé.

Je lui parle d'Amy qui refuse de décrocher, du dimanche que j'ai passé en bas de chez elle, tout le tralala. Je lui dis même ce que je faisais hier soir quand Matt a déboulé.

— Il y en aura d'autres, me rassure-t-elle. Tu es séduisant. Tu trouveras bien quelqu'un d'autre.

Je ferme les yeux une seconde, mais tout ce que je vois c'est Amy au bord de la route, en larmes.

— Je ne veux personne d'autre.

Chloé roule des yeux et m'enfonce un doigt entre les côtes.

— Allez, ne sois pas mélodramatique. C'est la réalité. On se prend un coup puis on se relève et ça repart. Ça marche comme ça. (Elle pose sa main sur la mienne.) Il faut que tu te reprennes, Jack. Ça ne sera pas facile, mais il faudra bien que tu t'y colles un jour ou l'autre.

— C'est dur, Chloé. C'est vraiment hyper dur.

Elle passe une main dans mes cheveux.

— Je sais, dit-elle. Je le sais bien. Mais tu y arriveras.

— Ouais, ben pas pour l'instant.

Nous restons silencieux une minute, puis elle dit :

— Je peux t'aider si tu veux.

Je tourne mon visage vers elle. Le sien n'est qu'à deux centimètres du mien.

— Comment ?

Elle se rapproche un peu plus et murmure :

— Comme ça.

Je sens ses lèvres se presser contre les miennes.

— S'il te plaît, dis-je en la repoussant. Ce n'est pas ce que je veux.

Elle doit voir à mon visage que je suis sincère. Elle se redresse, allume une cigarette et fixe le vide devant elle.

— Je suis désolée, dit-elle en me tournant le dos.

Elle a rougi.

— Nous sommes amis, Chloé, lui dis-je le plus gentiment du monde. De bons amis. Mais c'est tout.

— Je sais. Je suis stupide. J'ai trop bu. (Comme pour le prouver, elle se lève et va chercher son verre, rempli à ras bord.) Je suis désolée.

— Ça va, dis-je, sincère. Il ne s'est rien passé.

— Tu l'aimes vraiment, hein ? demande-t-elle après avoir éteint sa cigarette.

— Oui, vraiment.

— Alors écris-lui. Dis-lui ce que tu ressens. Peut-être que ça marchera. Ça vaut le coup d'essayer.

— Je vais lui écrire.

— Promis ?

— Promis. Je lui écrirai ce soir et je lui apporterai la lettre demain.

Chloé se penche vers moi et m'embrasse sur la joue. Puis elle se redresse et sourit en secouant la tête.

— Entamer une carrière musicale à ton âge ? Non mais franchement, Jack Rossiter ?

Matt n'est pas encore couché quand je rentre, il est en train de lire un magazine dans la cuisine.

— Tu rentres tôt, remarque-t-il. Je pensais que vous passeriez la nuit à discuter.

Je m'assois sur le rebord de la table. Je n'ai pas l'intention de lui parler de ce qui s'est passé avec Chloé. C'est une affaire classée. Ça ne servirait à rien.

— Je suis épuisé.

— Ta prestation d'hier soir t'a mis sur les rotules, hein ?

Je lui rends son sourire.

— Désolé pour ça. Et merci de m'avoir remis les idées en place ce matin. J'avais besoin d'un bon coup de pied au cul.

— Tout le plaisir était pour moi. Tu vas mieux à présent ?

J'acquiesce.

— Ouais. En fait, pas trop, mais on fera avec. Ça prendra du temps.

— Et en attendant ?

— En attendant ?

— En attendant, confirme Matt, on va bien s'amuser.

— S'amuser.

— Oui, s'amuser. Tu sais bien. Sortir. Se marrer. Tirer son coup.

— À dire vrai, Matt, tirer mon coup est la dernière chose à laquelle je pense.

— Je ne parle pas de toi. Avec une tête comme la tienne, tu as autant de chances de te faire une fille que le bossu de Notre-Dame. Je parle pour moi.

Je me lève en bâillant.

— Tout de même, mec, je pense que je m'abstiendrai un temps.

— Je comprends ça, dit-il. Tu as jusqu'à samedi. Parce que samedi tu sors. Avec moi. On va en boîte et je te montrerai ce que c'est que s'amuser.

Une fois dans ma chambre, je m'assois à mon bureau et prends une feuille de papier et un stylo. Je commence : *Chère Amy*. Puis je contemple la feuille. Elle paraît si petite comparée à ce que j'ai à dire. Mais j'essaie quand même. J'essaie et échoue. Parce que je ne sais même pas par quoi commencer pour lui dire à quel point je l'aime et à quel point elle me manque, ni comment mettre les choses au point au sujet de cette nuit avec McCullen. Mais également parce que je ne veux pas que ça soit fini. Or c'est fini. De cela, je n'ai aucun doute. C'est là que je descends. Tout ce qui pourra arriver ensuite devra venir d'elle, et d'elle seule.

10

Amy

— Si tu crois que je vais sortir en boîte samedi soir, tu te trompes, dis-je pour la dernière fois.

H, le goulot d'une bouteille de bière dans la bouche, me regarde d'un air désespéré.

— Je ne serai pas drôle. Je ne suis pas d'humeur...

J'enfourne une dernière bouchée de pain *nan* tartinée de sauce curry.

Nous sommes assises sur le tapis de mon salon, les restes de nos plats indiens en barquettes entre nous. H a insisté pour que je me refasse une santé. Elle pense que le traumatisme de la semaine dernière va me faire maigrir.

Je l'espère bien.

H rote et défait le bouton du haut de son jean.

— De quoi est-ce qu'on parle depuis une demi-heure ? demande-t-elle sans attendre de réponse. Il faut que tu te bouges. Tu ne peux pas rester comme ça sans lâcher un peu.

— Ce n'est pas le cas, dis-je, soudain envahie par la lassitude.

Je me laisse aller contre le dossier du canapé et contemple le plafond.

— Mais si. Tu travailles vingt-quatre heures sur vingt-quatre...

— Mais c'est un nouveau boulot !

— Conneries ! Tu évites de penser à Jack. Tu dois surmonter cette épreuve. Et la meilleure façon c'est de sortir et de t'amuser. C'est gratuit. Il y aura de la musique, on va danser. Il faut qu'on y aille, on va vraiment bien se marrer.

Je replie les jambes et enserre mes genoux entre mes bras pendant que H parle. Je suis écœurée. C'est peut-être dû au fait que je viens d'avaler de quoi nourrir la population de Bombay, mais également au sentiment nauséeux que j'éprouve chaque fois qu'on mentionne le nom de Jack.

Je ne peux pas reprocher à H de se montrer pragmatique. Je ne peux pas lui reprocher d'essayer de me convaincre de sortir. Toute la semaine dernière j'ai végété comme un truc oublié sous la gazinière. Si H se comportait comme si la fin du monde était imminente, j'agirais de même. Je lui conseillerais d'aller noyer son chagrin. Mais aller dans ce nouveau bar dont elle me chante les louanges ?

Plutôt manger la queue des radis.

Je sais que je suis méchante, mais une des raisons pour lesquelles H a tellement envie de sortir, c'est que Gav s'en va, et elle est bien décidée à lui montrer qu'il ne trouvera pas mieux qu'elle. Il a annoncé sans prévenir qu'il partait en mission avec sa compagnie pour une semaine. Soi-disant pour aider son équipe à se « souder ». Mais H est très sceptique. Elle trouve que le vélo en groupe et les compétitions de golf c'est pour les branleurs.

Je pense qu'elle est jalouse.

Résultat, depuis que je suis rentrée des VAE (Vacances Aux Enfers), H me la joue positivons à mort. Et, bien que je l'adore et apprécie son aide, j'aimerais qu'elle dégage et me laisse seule. Je n'ai pas envie qu'on m'arrache à ma mauvaise humeur. J'ai envie de mourir. Et H ne pige pas ça.

Elle ne comprend rien.

Pour commencer, comment peut-elle croire que j'ai évité de penser à Jack ? Je n'ai fait que penser à Jack pendant toute la semaine. En fait, ça m'énerve tellement que j'envisage de me faire interner dans un hôpital psychiatrique pour subir des électrochocs.

Il envahit mes pensées quand je suis éveillée et s'immisce dans mes rêves quand je dors. J'ai tout essayé pour le chasser de ma tête. Je me suis lancée à fond dans mon nouveau travail, tel un torero dans l'arène, mais il m'a fallu chaque fois un effort considérable pour me concentrer. Parce que si j'arrête de me concentrer, ne serait-ce qu'une seconde, ça me saute dessus.

Comme en ce moment.

— Oh, ma puce, dit H en se fendant d'un soupir désespéré. (Elle se penche vers moi et me prend la main.) Arrête un peu.

— Je suis désolée, c'est plus fort que moi.

Je m'efforce de refouler un nouveau déferlement de larmes. Mais d'où viennent-elles ? C'est ce que j'aimerais savoir. Il n'est pas possible qu'un être humain ait à lui seul autant de réserve d'eau en lui.

— Écoute. C'est exactement pour ça que nous devons prévoir des choses. Tu ne peux pas rester ici tout le week-end à mijoter.

— Si.

— Mais tu as épuisé « Winners Take It All ».

Je renifle bruyamment et m'essuie le nez.

— J'aime bien Abba.

H colle son visage contre le mien.

— Tu devrais sortir davantage.

— Tais-toi.

Elle soupire, sincèrement inquiète.

— Tu sais, je parie que Jack n'est pas autant bouleversé.

H a tellement pris le comportement de Jack comme une offense personnelle que je suis contente qu'elle ne l'ait jamais rencontré. Je crois que si elle tombait sur lui dans un endroit public elle l'étranglerait. Je vois déjà d'ici l'article dans le journal du soir :

Un homme attaqué
pendant qu'il faisait la queue
Hier, Jack Rossiter, un Don Juan âgé de vingt-sept ans, a été brutalement agressé à coups de paquet de petits pois surgelés dans la boutique Tesco. Helen Marchmont, son agresseur sans remords de Brook Green, a nié la folie passagère. « Il le méritait », a-t-elle lancé aux clients, avant d'être conduite au poste de police

de Shepherd's Bush. Rossiter a passé deux heures au bloc opératoire où on a dû extraire un épis de maïs de sa personne. Les chirurgiens ont déclaré qu'il boiterait toute sa vie. Suite à une déclaration faite par Mlle Marchmont, une foule en colère, et brandissant diverses racines comestibles, s'est rassemblée devant le nid d'amour du célibataire Jack Rossiter. On a dû appeler la brigade anti-émeutes.

Je hoche la tête et me mouche pour que H se calme. Le fait de recouvrir mon visage d'une serviette de cuisine l'empêchera également de deviner mes pensées. Je suis sûre que Jack se sent aussi mal que moi. Il est même possible qu'il aille dix fois moins bien. Et même s'il m'a blessée, la pensée qu'il puisse souffrir me rend encore plus triste.

Femmes libérées des années quatre-vingt-dix ? Bof.

— Je n'ai pas envie de parler de Jack, dis-je. Changeons de sujet.

Mais H n'a pas fini.

— Ce n'est pas comme s'il frappait à ta porte pour implorer ton pardon, fait-elle remarquer.

— Non, mais...

— Il t'a appelée deux fois, et puis quoi ? Rien. Il a laissé tomber. Il t'a brisé le cœur et il s'en fout pas mal. Selon moi, tout est affaire de respect, et là, très franchement, on est à cent lieues du respect.

Je baisse la tête en silence. Elle a raison. Je n'ai rien à dire, mais malgré moi je reste sur la défensive.

H s'en rend compte.

— Allô ? Je voudrais parler à Amy. Il t'a trompée.

— Il n'a pas couché avec elle.

— Oh, alors tout va bien. Tu veux qu'il revienne ?

Je me masse les tempes. Comment puis-je répondre à cette question ? Tout mon cœur crie OUI. Bien sûr que je veux qu'il revienne. Je suis passée par tous les sentiments cette semaine, depuis la fureur meurtrière jusqu'au profond découragement en passant par l'indignation, mais il n'en demeure pas moins qu'il me manque. Et je l'aime.

Correction.

Je l'aimais.

Et malgré ça, je veux le revoir. Mais je veux revoir le Jack avec qui j'ai fait l'amour sur la plage. Je veux revoir le Jack qui me serre dans ses bras toute la nuit. Je veux revoir le Jack qui me fait rire et aplanit tout.

Mais, non, je ne veux pas revoir le Jack qui est capable de coucher avec Sally McCullen et, qui plus est, peut me mentir là-dessus pendant toute une semaine.

Et c'est là que je suis coincée.

Parce que ces deux Jack sont la même personne.

H plisse le front.

— S'il l'a fait une fois, il pourra le refaire, prévient-elle. Ce genre de mecs est comme ça.

— Je sais.

— Si tu veux d'une relation qui n'est pas basée sur la confiance, alors vas-y. Mais ne

402

viens pas pleurer dans mes jupes quand tout va mal.

— Je ne veux pas de ça. Tu le sais bien.

— Il n'y a rien de plus important que la confiance. Si tu fais l'impasse dessus, autant dire que t'as rien du tout. Et Jack a merdé, c'est aussi simple que ça. C'est dur à digérer, je sais, mais la douleur partira avec le temps.

— Tu crois ?

— Bien sûr.

— Pourquoi suis-je si bouleversée, alors ?

— Parce que tu crois qu'il te manque. Mais seul ce qu'il représentait te manque — la sécurité, tout ça.

— Oh.

J'ai l'impression qu'elle vient de m'expliquer une énigme mathématique et que je n'ai rien compris. Elle est tellement barbante quand elle joue les thérapeutes, or, vu la tournure des choses, ça ne fait que commencer.

H se lève. Elle me prend par la main et m'aide à me redresser.

— Qu'est-ce que tu fais ?

Elle me traîne jusqu'à la salle de bains.

— Bien, dit-elle en croisant les bras. (Elle me désigne le miroir de la pharmacie.) Qu'est-ce que tu vois ?

Je vois notre reflct. J'ai les yeux bouffis et la tête de quelqu'un qu'on aurait tiré par les jambes d'une haie. J'ai également une tache au menton de la taille de la ville de Manchester.

— H, c'est stupide.

— Non.

403

Je la regarde en roulant des yeux puis fais face au miroir.

— Qu'est-ce que tu veux que je dise ?

H m'ignore. Elle se contente de me dévisager.

— Et voici Amy Crosbie. La fille qui aime qu'on lui chie dessus parce qu'elle est trop faible pour rester seule. Voici la fille qui s'accommodera d'un salopard de menteur qui refuse de lui dire qu'il l'aime, l'emmène en vacances et manque de peu la tuer avant de se décharger la conscience...

— Arrête ! dis-je toute hérissée. Je l'ai largué, non ?

H sourit.

— Exactement.

Nous nous dévisageons un long moment. Je repense aux vacances, mais Jack m'a privée de tous les bons souvenirs, parce que ce qu'il a fait a complètement annulé la meilleure semaine de ma vie. Et le pire dans tout ça ? Je ne m'étais doutée de rien. J'étais tellement gâteuse qu'il ne m'est pas venu à l'esprit qu'il trimbalait une bombe à retardement qui allait nous séparer. Finalement, H n'a pas tort.

— Tu as raison, lui dis-je.

— Il ne te mérite pas.

Je soupire et hoche la tête.

— Non, c'est vrai.

H me serre longuement dans ses bras puis s'éloigne. Je la suis dans le salon et la regarde débarrasser les restes de notre repas.

— Eh bien, c'est clair. Je ne veux plus vous voir tirer une tête de six pieds de long, madame. (Elle s'approche de la chaîne et mets un CD.) Ce morceau est pour toi.

Elle monte le volume.

— *Once I was afraid, I was petrified*[1], chante-t-elle en faisant la grimace comme si elle était Tom Jones.

Elle sait que sa leçon a porté ses fruits, mais, histoire de s'en assurer, elle fait ce qu'elle fait d'habitude. Elle me fait rire.

— *I spent so many nights feeling sorry for myself*[2], j'ajoute en sentant une bouffée d'affection pour elle.

H saute sur le canapé et m'entraîne avec elle. Nous gueulons en même temps que Gloria Gaynor, en nous livrant à un duo ridicule sur notre scène de fortune.

— *Now go ! Walk out the door, dont turn around now, you're not welcome any more*[3].

Nous agitons nos doigts l'une vers l'autre. Je me sens immensément remontée.

— *Weren't you the one who tried to hurt me with your lies ?* (Je presse une main sur ma poitrine.) *Well did I crumble ? Did I lay down and die*[4] ?

Nous braillons « I will survive » si fort que je mets du temps à réaliser qu'on sonne à la porte. Je saute à bas du canapé et baisse le volume. Je suis en nage.

— T'as entendu ? je demande à H en tendant la main vers l'interphone.

1. Avant j'avais peur, j'étais pétrifiée. *(N.d.T.)*
2. J'ai passé tant de nuits à me lamenter. *(N.d.T.)*
3. Va-t'en ! Éloigne-toi, et ne reviens plus, tu n'es plus le bienvenu.
4. N'est-ce pas toi qui m'as menti et fait souffrir ? Me suis-je effondrée ? Me suis-je couchée pour mourir ?

— Non.

Je parle dans l'interphone pendant un moment, mais personne ne répond, aussi je descends en courant jusqu'à la porte de l'immeuble. Je suis tout essoufflée le temps de l'ouvrir. Je regarde dans la rue, mais il n'y a personne. Je referme la porte et, comme je rallume la minuterie, j'aperçois la lettre sur le paillasson.

Mon cœur bat la chamade en remontant.

— C'est quoi ? demande H quand je réapparais dans le salon.

Elle semble inquiète et arrête le CD. L'appartement paraît soudain très silencieux.

— C'est une lettre, dis-je. De Jack.

Mes mains tremblent.

Il faut qu'il mette son grain de sel au moment même où je remonte la pente.

— C'est lui qui te l'a donnée ? demande-t-elle.

— Non. C'était sur le paillasson.

H s'approche de moi et nous examinons l'enveloppe. A. CROSBIE, DERNIER ÉTAGE. L'écriture de Jack. Au stylo bille vert.

A. Crosbie.

Pas Amy Crosbie.

Ni juste Amy.

Même pas de timbre.

A. Crosbie — ça pourrait être n'importe quel Crosbie.

Même la personne qui s'occupe de mon compte en banque m'adresse un courrier au nom de A. L. Crosbie. Amy Lauren. (Papa faisait une légère fixette sur Lauren Bacall à l'époque de ma naissance.)

Je regarde la lettre et essaie de deviner son contenu. Je la retourne. Il n'y a rien d'écrit au dos. Pas de « Facteur presse le pas, l'amour n'attend pas ». Rien. Je la renifle. Pas de parfum révélateur d'après-rasage.

— Tu comptes la lire ? demande H.

— Je ne sais pas.

Et c'est vrai. Je ne sais pas quoi faire. Je ne suis pas sûre d'être en état d'entendre ce que Jack a à dire. Ça risque de me déprimer encore plus. Je ne crois pas que j'aie envie de découvrir qu'il approuve ma décision. Je n'ai pas envie de lire qu'il va continuer à voir Sally. Je ne veux pas connaître les détails juteux et sordides. Je ne veux pas qu'il redevienne réel.

H me touche le bras.

— Réfléchis bien. Y a-t-il quoi que ce soit qu'il puisse dire qui te fera du bien ?

Il n'y a qu'une seule chose que Jack pourrait dire qui me ferait du bien, et c'est fort improbable : « Je t'ai menti, Amy. Il ne s'est rien passé avec Sally... C'était une plaisanterie. »

Mais même s'il pouvait tout effacer, j'ai trop souffert. Je me dirais juste que c'est vraiment un sale con.

— Non, dis-je, sûre de moi. De toute façon, s'il a quelque chose à dire, il devrait me le dire en face.

Je passe sur le fait que je n'ai pas laissé à Jack une seule occasion de me voir. Mais c'est un simple détail.

C'est le principe qui compte.

— Très bien, dit H en se frottant les mains. L'heure est venue de l'exorciser, une bonne fois pour toutes. Viens. Sors les bières. Je vais avoir besoin de ton aide.

Elle s'empare de la lettre et se dirige d'un pas décidé vers la cuisine. Une fois devant l'évier, elle enfile les gants en caoutchouc roses, cadeau de maman.

— Poêle ! aboie-t-elle, comme un chirurgien.

Elle tend une main. Je décroche la poêle de son crochet et la lui tends. Elle ne me regarde même pas.

— Combustible !

Je commence à glousser alors qu'elle prend le flacon d'essence à briquet sur l'étagère à épices. Elle jette la lettre de Jack dans la poêle. Elle me lance un coup d'œil où j'aperçois une lueur maléfique.

Je hoche la tête.

H ouvre le flacon et répand le liquide sur l'enveloppe.

— Allumettes !

Je lui tends la boîte d'allumettes, avec l'impression qu'on est Thelma et Louise. H gratte une allumette et la jette dans la poêle d'un geste dramatique. La lettre de Jack s'enflamme aussitôt. Nous reculons en nous agrippant l'une à l'autre.

— J'arrive pas à croire qu'on l'a fait ! je lâche.

— Il vient de quitter ta vie pour de bon, dit H en s'emparant de sa bière et en trinquant avec moi. À l'avenir.

— À l'avenir.

Je ne suis pas aussi heureuse que j'en ai l'air, car, malgré notre rituel de magie blanche, mes pensées jouent toujours au ping-pong entre Amy la féministe de choc et Amy la princesse dans sa tour.

La féministe de choc : Je suis une femme libérée. Je suis libre. Je n'ai pas besoin de Jack Rossiter. Il appartient au passé.

La guimauve : Il était là ce soir. Il était sur le pas de ma porte. Il a respiré le même air que moi.

La féministe : J'ai déjà été célibataire. Je peux recommencer. J'ai des exigences, et Jack Rossiter n'y répond pas.

La guimauve : Il me manque. Est-ce que je lui manque également ? Que disait-il dans sa lettre ?

La féministe : Il a laissé cette pouffiasse de Sally McCullen le sucer. Que rajouter d'autre ? Il ne peut effacer ça, même en alexandrins.

— Je suis contente, dis-je.

Mais plus tard, quand H s'en va enfin et que je me brosse les dents, je ne me sens pas très bien. Je vais dans la cuisine et examine la poêle. Je cale la brosse écumante dans un coin de ma bouche et prends la lettre carbonisée. Des cendres noires s'envolent par la fenêtre.

Je veux savoir ce qu'a écrit Jack. Je veux entendre son explication. Je veux que sa voix remplisse le silence de cet appartement, même si c'est douloureux. Il y a une partie de moi qui sait que je fais preuve de faiblesse parce que je me sens seule, mais mon instinct l'emporte sur ma raison.

Pour la première fois depuis le retour de

Grèce, je fais ce que je m'étais promis de ne pas faire. Je décroche le téléphone et compose un numéro spécial. J'ai découvert que si vous ne vouliez pas que quelqu'un sache qui l'appelle, il suffisait de composer le 114 avant de faire le numéro en question. C'est ce que je fais. Je ne sais pas ce que je vais dire. Je ne sais pas comment lui expliquer que j'ai brûlé sa lettre. Je veux juste entendre sa voix.

Il répond à la première sonnerie et, comme je m'en doutais, mon cœur fait un double salto arrière en entendant le son de sa voix.

— Allô ? dit-il.

Il a l'air normal, c'est louche. Il ne sanglote pas, ne fait pas une dépression nerveuse. Et il ne filtre pas ses appels. Cela signifie-t-il qu'il attend un coup de fil ?

— C'est toi ? demande-t-il, doucement, après un silence.

Toi ? Merde alors, comment ça, toi ?

Je suis tellement choquée qu'il me faut un moment avant de comprendre que moi pourrait vouloir dire *moi*. Et si *toi* est censé vouloir dire *moi*, comment ose-t-il prendre ce ton aussi sûr de lui ? Qu'est-ce qu'il croit ? Qu'il peut me déposer une lettre sur le paillasson et que tout va redevenir comme avant ? Que je vais l'appeler et lui pardonner, comme ça ? Je me rappelle que j'ai une brosse à dents pleine de dentifrice dans la bouche et j'émets un gargouillis étranglé avant de raccrocher brutalement. Au moins il ne saura pas que c'est moi qui ai appelé.

Bénie soit la technologie.

Ce maquillage est nul !

C'est de l'arnaque !

Nous sommes vendredi matin et j'ai mis tellement de couches de fond de teint sous les yeux et sur mon nez que je ressemble à la tante dans la famille Adams, mais les cernes sous mes yeux restent très visibles. Pourquoi est-ce que je n'arrive pas à dormir ? Ce n'est pas juste. Avant, j'étais la reine du sommeil : je m'endormais quand je voulais, où je voulais, n'importe où. Tout ça est de la faute de ce salaud de Jack. Si cette insomnie persiste, je vais devoir me mettre au Valium.

Je fais la grimace devant le miroir. Ça ne sert à rien. Je ressemble déjà à la nana des affiches anti-drogue.

Je prends mes clefs et m'apprête à partir au travail quand le téléphone sonne. C'est maman.

— Comment tu vas, chérie ? demande-t-elle.

Je l'imagine confortablement installée dans son canapé, prête pour un nouvel épisode de *Ma fille touche le fond,* la série culte de la semaine.

Malgré ses bonnes intentions, cette image mentale ne fait que m'irriter. Je me masse le front en me traitant intérieurement d'idiote. Je savais que ça arriverait. Je n'aurais pas dû foncer à la maison directement après l'aéroport la semaine dernière comme une pauvre délaissée de treize ans. Sur le coup, ça m'a fait du bien. Après avoir quitté Jack, c'était le seul endroit où j'avais envie d'être. Rien ne vaut une maman quand on est en manque d'affection.

Or la mienne est la reine du cocooning.

Je l'ai laissée me préparer un chocolat chaud et me border dans mon ancien lit, me veiller jusqu'à ce que je m'endorme avec un monologue bien rodé sur le fléau qu'est la gent masculine. Le dimanche, elle m'a réveillée avec le petit déjeuner au lit, elle a fait toute ma lessive et passé la journée à essayer de me remonter le moral au point que je n'ai eu plus qu'une envie : m'enfuir. Quand je suis rentrée chez moi le dimanche soir, j'étais prête à affronter le monde.

J'ai beau avoir trouvé sa réaction adorable, je regrette de lui avoir fait part de mes problèmes amoureux. J'ai vingt-cinq ans. Je suis assez grande pour les résoudre toute seule.

— Je vais bien, dis-je. Sincèrement.

— Tu es sûre ? Tu peux venir passer le week-end à la maison si tu veux.

— Non, maman, j'ai des choses à faire ici.

Elle ne m'écoute pas.

— Et si tu prenais le train directement après ton travail, je te ferais un bon petit dîner ?

Je sens bien qu'elle a tout prévu. Je ferme les yeux. Il faut que je sois gentille. Je n'ai pas besoin d'être roulée dans la farine de sa compassion. Rien de plus claustrophobique. Qui plus est, le pire est passé, non ?

Quoi qu'il en soit, je ne devrais pas être désagréable avec elle. Ça se passe plutôt bien entre nous en ce moment, et depuis que j'ai trouvé ce boulot, elle a cessé de me faire suer. Je n'ai pas envie de tout gâcher en régressant dans la mauvaise humeur.

Je suis au-dessus de ça.

— Je ne peux pas, désolée. J'ai promis à H

de sortir avec elle demain soir. Je crois que ça me fera du bien de m'amuser un peu.

Je suis choquée par mon aplomb. Je pensais poser un lapin à H, mais, vu la proposition de maman, tout ça me paraît très raisonnable.

— Tu es sûre, chérie ?

— Absolument, mais merci quand même. Tu as été super.

— Les mamans servent à ça, non ? dit-elle.

Elle s'est fait une raison : je suis sortie d'affaire.

Ouf.

Je suis en train de fermer la porte à clef quand je tombe sur Peggy, ma voisine. Peggy doit avoir dans les cent cinquante ans, c'est une tordeuse de rideau compulsive. Elle a fait de la surveillance du voisinage un boulot à part entière. J'ai le sentiment qu'elle attend depuis des jours de pouvoir me coincer.

— Vous avez su pour ce dément, ma chérie ? demande-t-elle.

— Quel dément ?

— Ce sans-abri qui était là dimanche dernier.

— Quel sans-abri ?

Je me demande ce qu'elle radote.

— Il faisait peur à voir ! dit-elle en retapant sa permanente bleue. Trempé, qu'il était. Et ça criait dans l'interphone. Je l'ai dit à Alf. J'ai dit : « Tu veux le faire partir ? » Toute la journée ici. Mais vous pensez qu'Alf a bougé ? Peuh. Il regardait le billard à la télé, oui.

Bien, maintenant je sais tout des habitudes télévisuelles d'Alf.

Fascinant.

— Je n'ai rien entendu, dis-je en essayant de m'esquiver.

Mais Peggy n'a pas fini.

— Il a dû se tromper d'immeuble, alors. Et puis y avait ce graffiti. J'ai eu la présence d'esprit d'appeler la mairie. Ce quartier était si beau autrefois.

Je lui souris aimablement. Elle doit faire allusion à l'ânerie qu'a écrite un idiot sur la route.

— Les jeunes, aujourd'hui, hein, Peggy...

Je médite sur cette nouvelle information en me rendant au travail.

Et si c'était Jack qui avait braillé dans l'interphone ? Malgré ma décision, je commence à me sentir coupable. Je me revois lui balancer mon pied dans les couilles. Je repense à son visage amoché dans l'avion et à moi qui refusais de lui parler. Je me revois en train d'effacer ses messages sur le répondeur et — ultime vengeance — appeler la compagnie de téléphone pour virer son nom de la liste des appels les plus fréquents. Et puis je repense à hier soir, dans la cuisine, quand nous avons brûlé la lettre.

Mais ensuite je me rappelle sa voix au téléphone et ce que H a dit. Je ne dois pas me sentir coupable. Même si Jack m'avait fait une déclaration d'amour dans sa lettre, pourquoi l'aurais-je cru après ce qu'il a fait ?

Il est trop tard.

Bien trop tard.

Je me sens toujours à côté de mes pompes en remontant Charlotte Street. Pourquoi est-ce

414

que tout est toujours aussi compliqué ? Pourquoi la vie ne peut-elle pas être simple ?

Parce que c'est si facile en théorie.

En théorie, on peut diviser la vie en trois parties : la vie professionnelle, la vie amoureuse et la vie en général (la maison, les amis, etc.). Le gros problème c'est qu'on n'a jamais plus de deux secteurs sur trois qui marchent en même temps. C'est comme de jongler. Pendant que j'étais avec Jack, ma vie amoureuse et ma vie en général étaient super-extra-génial ; côté boulot, la merde. Maintenant ça marche pour le boulot, la vie en général ça peut aller, mais la vie amoureuse est nulle.

C'est nul !

Quand est-ce que j'aurai tout ?

Je me sens un peu mieux une fois que je me suis assise à mon bureau. J'aime vraiment ce travail. Jules n'a fait que passer en coup de vent cette semaine, ce qui a été un soulagement. Il n'a pas été là pour regarder par-dessus mon épaule, et ça m'a laissé une occasion de trouver mes repères. Nous devons faire le point un peu plus tard dans la matinée. Il m'a demandé de dresser une liste de mes idées, et maintenant, comme j'y mets la touche finale, je me sens vachement contente. C'est le premier travail que je fais en qualité de salariée et non d'intérimaire.

Enfin.

Je suis là pour de bon.

(Croisons les doigts pour que Jules apprécie mes idées.)

Je suis tellement absorbée que je ne remarque pas Jenny qui se tient près de mon bureau. Elle se rend à une soirée déguisée ce soir et elle a revêtu la tenue que Sam lui a confectionnée. Elle porte une perruque Cléopâtre ridicule et un corsage à dentelles sexy.

— Tu me trouves comment ? demande-t-elle en tournant sur elle-même pendant que je ris.

— Étonnante ! Tu vas avoir du succès. (J'aperçois mon appareil photo sur le bureau.) Bouge pas.

Jenny pose pendant que je prends des photos d'elle. Après trois clichés, la pellicule est finie. Elle ôte sa perruque et décoiffe ses cheveux, pendant que le film se rembobine. Elle s'assoit sur le bord de mon bureau et se penche avec un air de conspirateur.

— J'ai des vues sur un beau gosse de vingt-trois ans, murmure-t-elle. C'est le portrait craché de Leonardo Di Machinchose. (Elle croise les bras et se mordille l'intérieur des joues d'un air comique.) Je crois que je vais en prendre un peu, merci.

— Tu es terrible, dis-je en riant.

— C'est comme ça et ce n'est pas près de s'arrêter. (Elle me regarde un moment.) Comment tu te sens aujourd'hui ? Mieux ?

Jenny et Sam ont été merveilleuses cette semaine. Ce n'était sûrement pas très pro de ma part de lâcher le morceau sur Jack le premier jour, mais ça n'a pas eu l'air de les gêner. Au lieu de ça, elles se sont relayées pour m'empêcher de déprimer. Andy nous appelle les sorcières, et chaque fois qu'on revient d'une pause-cigarette il crie : « Tous aux abris, les mecs ! Elles vont vous les couper ! » Nous caquetons exprès comme des démons, mais tout le monde se marre bien, et Sam l'aime bien.

Je sors la pellicule de l'appareil et lève les yeux vers Jenny.

— Il m'a déposé une lettre hier soir.

Elle grimace.

— Et ?

— Je l'ai brûlée. Je ne l'ai même pas lue.

— Bien joué, ma fille, dit-elle en souriant. Je savais que tu y verrais clair. Ça ne sert à rien de te laisser briser le cœur à ton âge, alors qu'on peut tellement s'amuser.

— Ne t'inquiète pas, je prends exemple sur toi. Demain soir, je sors.

— C'est la meilleure solution. Et n'oublie pas : plutôt mourir que de faire des compromis.

Voilà pourquoi j'admire Jenny. Elle ne s'en laisse pas conter. Elle fait ce qu'elle veut et s'en tient à ses décisions. Elle a peut-être passé la trentaine, mais on ne l'entend pas débiter des âneries sur le besoin d'homme ni paniquer sur son horloge biologique. Et si elle n'est pas désespérée, pourquoi le serais-je ?

Moi aussi je peux être Jenny.

Et encore plus.

Il y a une bonne ambiance de fin de semaine au bureau. Je me mêle aux plaisanteries et, pour la première fois depuis que je suis rentrée de Grèce, je me sens à nouveau moi-même.

À 11 heures et demie, Jules me fait venir dans son bureau pour notre petite réunion. Nous passons en revue le travail que j'ai effectué et il est ravi. Il m'expose ses plans pour Friers et je sens une bouffée d'assurance me submerger, parce que certaines de mes idées correspondent aux siennes.

Les choses se présentent décidément de mieux en mieux.

— Allons nous chercher quelque chose à manger, dit-il enfin. Je meurs de faim.

Je suis le point d'acquiescer quand Ann, la femme de Jules, téléphone. Je rassemble mes affaires.

— Je ne peux pas, dit Jules. Je vais déjeuner avec ma nouvelle secrétaire. Très bien, je te verrai plus tard. Je t'aime.

Pourquoi est-ce que je ne peux pas trouver quelqu'un comme lui ? Pourquoi est-ce que je ne trouve pas quelqu'un qui n'a pas peur de ses sentiments, qui est honnête et bien ? Ça doit bien exister. Jules est la preuve vivante de cela. Alors, où sont-ils, ces hommes ?

Mariés.

Je suis encore plongée dans ces sombres pensées quand nous prenons place dans une brasserie branchée de Soho. Le maître d'hôtel se plie littéralement en deux pour servir Jules.

— Ah, monsieur Geller. Que puis-je vous servir à boire ?

Jules me sourit.

— Je pense que nous prendrons deux coupes de champagne, Tom.

— Qu'est-ce qu'on fête ? je demande.

— Une semaine sans catastrophe.

Quand le champagne arrive, Jules semble enfin se détendre.

— Alors, comment c'était ? demande-t-il.

— Génial, dis-je. Je suis vraiment très contente.

Jules déplie sa serviette sur ses genoux.

— Pas de salade, Amy. Je t'ai observée toute la semaine.

J'ouvre la bouche, stupéfaite.

— Pas d'inquiétude, continue-t-il. Je ne te reproche rien. Tu as fait de l'excellent boulot, simplement, c'est toi qui m'inquiètes, c'est tout.

Je suis stupéfaite. Chaque fois qu'il était dans les parages, j'ai fait un effort surhumain pour être gaie.

— J'ai suffisamment vécu pour savoir reconnaître un cœur brisé quand j'en vois un. Tu veux m'en parler ?

— Ça se voit tant que ça ?

— J'ai bien peur que oui. Peut-être que je peux t'aider, vu que je suis un être humain, tout ça, dit-il en forçant sur son accent américain.

Je secoue la tête. C'est mon patron, pas mon psy. De toute façon, c'est un mec. Qu'est-ce qu'il peut comprendre ?

— Ça ne vous intéresserait pas.

— Essaie toujours.

Je me dis qu'il mérite une explication vu qu'il a tout pigé. Je respire à fond et le regarde, avant de tout lui raconter sur Jack, nos vacances et ce que j'ai traversé depuis. J'essaie de donner l'impression que tout ça n'est pas bien grave, mais quand il se met à poser des questions, je me retrouve en train de déballer les détails sordides.

— Qu'est-ce qui t'ennuie le plus ? Qu'il

l'ait fait ou qu'il ne te l'ait pas dit ? demande Jules.

— Je ne sais pas trop. Tout ce que je sais, c'est que, comme il ne me l'a pas dit, toutes nos vacances — notre relation — ont perdu leur sens.

— Mais il a fini par te le dire, et je trouve qu'il faut des couilles pour ça.

J'aurais dû m'en douter. C'est vraiment une réponse typique de mec. Je n'ai pas envie qu'on m'explique à quel point Jack a eu des couilles. Il n'est pas courageux selon mes critères.

Nos entrées arrivent.

— J'ai eu une liaison une fois, dit Jules au bout d'un moment.

Je manque m'étrangler avec ma bouchée. Jules ? Le mari parfait ? Jules qui déclare sa flamme à sa femme en plein bureau (avant de manger) ?

— Ann est au courant, ajoute-t-il.

— Vous lui avez dit ?

— Bien sûr que oui.

— Comment ? (Je le regarde et me reprends :) Vous n'êtes pas obligé de répondre.

— Ma liaison était bien plus sérieuse que l'histoire de Jack, admet Jules. J'ai couché avec une autre femme pendant six semaines, et puis j'ai attendu six autres semaines avant d'oser en parler à Ann.

— Pourquoi ne pas avoir gardé la chose pour vous ?

J'essaie de cacher ma réprobation.

— Parce qu'elle se doutait de quelque chose. Parce que j'ai réalisé qu'en dissimulant la vérité je manquais totalement de respect à ma femme. Elle méritait la vérité, et c'était à elle de l'affronter. Elle me faisait confiance, et donc je devais lui faire confiance.

— Mais ça ne l'a pas bouleversée ?

— Bien sûr que si, mais elle s'est également aperçue que j'avais tout risqué en le lui disant. Elle savait que je pouvais la perdre, elle, les enfants, notre foyer, tout. Et elle savait également que c'était la dernière chose que je voulais.

— Qu'avez-vous ressenti ?

— Je me suis senti horriblement mal. Je ne pensais pas lui faire autant de mal et je n'arrivais pas à croire que j'avais été assez stupide pour avoir une liaison.

— Et que s'est-il passé ?

— On s'en est sortis. Ça a pris du temps, mais notre relation est plus solide qu'avant. Le truc avec la vérité, c'est que vous ne pouvez pas aller contre. Et si vous faites suffisamment confiance à quelqu'un pour lui dire la vérité, même si elle est très désagréable à entendre, ça veut dire que vous l'aimez.

J'ai envie de lui demander s'il pense que Jack m'a parlé de Sally parce qu'il m'aime, mais je m'en garde bien. Jules ne connaît pas Jack. Il ne ferait que des suppositions.

Tout comme moi.

— J'ai comme l'impression que tu as été vache avec lui, dit calmement Jules.

Je tords la bouche et le regarde.

— Tu aurais dû au moins lire sa lettre pour voir ce qu'il avait à dire. Je doute qu'il ait une bonne excuse hormis le fait que c'est un mec, mais tu aurais pu entendre sa version.

— Mais comment puis-je lui faire à nouveau confiance ?

— Pourquoi pas ? Il t'a dit le pire.

— Mais puisque c'est un mec, qui me dit qu'il ne recommencera pas ?

Jules éclate de rire.

— Il en aura peut-être envie, mais ce qui se passe, avec l'amour, c'est que c'est beaucoup plus que le sexe. Et la prochaine fois il y réfléchira sûrement avant.

— Qu'est-ce que ça veut dire ? Vous seriez prêt à avoir une autre liaison ?

— Non. Mais je ne regrette rien. J'y ai vu plus clair dans mes sentiments. Ça m'a fait également comprendre qu'une relation se construit sans cesse, on ne doit pas se reposer sur ses lauriers.

Je pose mon couteau et ma fourchette sur l'assiette. Je suis troublée.

— C'est simple. Est-ce que tu l'aimes ? demande Jules.

— Mais...

— Si tu l'aimes, alors tu dois accepter le fait qu'il est humain. Je suis désolé, Amy, mais on n'est pas au cinéma.

Quand je rentre chez moi, je déballe mes courses de chez Sainsbury et me blinde avant de regarder les photos de vacances. Jenny a donné la pellicule à développer à midi et la pochette m'a tentée tout l'après-midi. Je dois boire un verre de vin avant de trouver la force nécessaire pour les regarder. Je passe un pacte avec moi-même : je ne pleurerai pas comme un veau.

Mais à peine les ai-je sorties que je me sens toute chose. Je les passe en revue avec un sentiment d'irréalité. On voit Jack sur la mobylette, tout bronzé, moi sur la plage, assoupie. Je retiens mon souffle, bien décidée à continuer. Mais chaque photo est un nouveau coup porté à mon stoïcisme.

J'ai presque regardé toutes les photos et je suis sur le point de me féliciter quand je tombe sur celles où on est ensemble. Et c'est alors que ça me frappe. Parce que sur les photos nous sommes ensemble.

Vraiment ensemble.

Ensemble comme si c'était du définitif.

Nous sommes devant notre taverne préférée, Jack a une main posée sur ma taille et tient l'appareil de l'autre. Je ne pensais pas que ça donnerait quelque chose, mais si. Et tandis que j'examine les photos, mon cœur se tord, parce que Jack est là qui me regarde dans les yeux, et je peux voir mes sentiments suspendus dans l'espace entre nos visages. Il sourit, son nez touche le mien, et je ne peux plus regarder. Parce que je peux sentir son bras autour de moi et sentir sa peau. Et mon pacte est bel et bien brisé.

Les chutes du Niagara ont à nouveau envahi mon visage.

J'ai dû m'endormir parce qu'il est tard quand j'entends le téléphone sonner. Dans mon état confus, je pense immédiatement qu'il s'agit de Jack. Mais non. C'est Nathan. Il a l'air stoned.

Après m'avoir raconté comment il a largué l'Espagnole pour une héritière argentine joueuse de polo tout en entretenant une liaison parallèle avec une fille de Glasgow, il finit par se rendre compte que je ne dis rien. Il en déduit manifestement que je suis de mauvaise humeur et s'excuse platement de ne pas m'avoir invitée à dîner.

— Pas de problème, dis-je.

— Cool.

Nathan a l'air soulagé de s'en tirer à si bon compte. Je l'entends pomper sur sa cigarette.

— Et ces vacances avec ton galant ?

— On s'est séparés.

Il y a un silence.

— Oh, merde. C'est con.

Je ne dis rien. La nouvelle lui brise le cœur, c'est évident.

— Vois le bon côté des choses...

— Quel bon côté ?

— Ce n'était pas vraiment ton genre.

Je me dis que Nathan n'a aucune idée de mon genre d'hommes. Il n'aurait même jamais l'idée de m'interroger là-dessus. Il est parti longtemps, il a changé. Non, il est toujours le même, il a toujours été aussi arrogant. C'est moi qui ai changé. Et même si j'ai horreur de l'admettre, j'ai changé à cause de Jack.

— Comment le sais-tu ? Tu ne lui as même pas parlé.

— On n'avait rien à se dire, fait-il, sur la défensive.

— Et d'où tu sors ça ?

— Hé ! Te défoule pas sur moi. Je suis désolé, d'accord ?

424

— Comme tu veux.

— Je crois que je tombe mal. Je te rappellerai.

Il y a un long silence avant qu'il raccroche. Je suis contente qu'il le fasse le premier ; ça m'épargne l'effort.

— Connard, va ! je crie en raccrochant violemment.

Je suis furieuse.

Comment Nathan ose-t-il juger Jack ? Qu'est-ce qu'il sait ? Tout est de sa putain de faute, de toute façon. S'il n'avait pas été aussi grossier, Jack n'aurait pas été jaloux. Et si Jack n'avait pas été jaloux, il n'aurait pas été voir du côté de Sally.

Mais ce n'est pas non plus une excuse.

Les hommes !

Beuârk !

Quelle bande de néandertaliens. Ils n'ont absolument pas évolué. Ils ne pensent qu'à leur bite et à leur ego, non qu'il y ait la moindre différence entre les deux.

Je secoue la tête, tant ma stupidité me saute aux yeux. Même si je comprends ce qu'a pu ressentir Jack à l'égard de Nathan, ça n'absout pas une seconde Jack. Ils sont tous du même tonneau. Nathan, Jack... même Jules n'a pas pu tenir sa bite en laisse.

Quel espoir y a-t-il ?

Je m'empare de la bouteille de vin et m'enfile une bonne rasade. Je pose mes coudes sur mes genoux et enfouis ma tête dans mes mains. Sur le tapis se trouve la photo de Jack appuyé contre la mobylette.

Je la ramasse et la contemple.

Pas étonnant qu'il ait l'air si heureux. Cette salope de Sally n'était pas la seule à avoir la bouche pleine ; lui aussi s'en donnait à cœur joie.

« Depuis combien de temps tu préparais ton coup, Jack ? Depuis que tu la reluquais à poil en faisant croire que c'était pour l'amour de l'art ? Tu devais sûrement y penser en permanence, non ? »

Toujours le même sourire.

Je reprends un peu de vin.

« Alors que s'est-il passé, hein ? Dis-le-moi, ça m'intrigue. Tu l'as invitée chez toi, c'est ça, parce que tu savais que je sortais avec Nathan. Tu as fait quoi ? Tu lui as préparé à manger ? Vous avez papoté ? Tu l'as saoulée ? Tu as tenu ses mains par-dessus la table et plongé ton regard dans le sien ? Qu'est-ce que tu lui as dit ? Non, non, ne dis rien, je peux deviner. »

Encore un peu de vin.

« Tu es belle, tu es étonnante, tu as le plus beau sourire. C'est ça, hein ? Hein, Jack ? Tu lui as dit les mêmes choses qu'à moi parce que tu bandais ? C'est bien ça ? Tu voulais juste tirer ton coup, parce que tu es un mec et que tu dois te soulager ? C'est ça ? »

Toujours le même sourire.

« Et qu'est-ce qu'elle a fait ? Elle s'est pris les pieds dans le tapis et elle a atterri la bouche autour de ta bite ? »

La photo tremble dans ma main. Je fixe de très près les lèvres de Jack.

« C'était comment de l'embrasser ? Car je suppose que tu l'as embrassée, non ? Et tu as fait quoi ? Tu as gardé les mains attachées dans le dos ? Tu n'aurais pas par hasard brouté et léché les parties que tu as peintes ? Non, tu ne ferais jamais ça, Jack, parce que tu n'as jamais prétendu que faire jouir les femmes est aussi important que se faire jouir soi-même ! Et quel goût elle avait ? Comment était sa peau contre la tienne ? »

Mon cœur a l'air d'être remonté dans ma gorge et j'ai du mal à respirer. Je contemple la photo, écœurée.

« Tu nous as comparées, Jack ? Tu as pensé à elle en me prenant dans tes bras quelques heures plus tard ? Hein ? »

Mes yeux sont pleins de larmes et je les essuie rageusement. Je finis le vin en une gorgée et me lève. Je ne tiens pas vraiment sur mes jambes.

« Mais je ne devrais pas trop me prendre la tête avec ça, hein ? Parce que ça n'est pas vraiment de l'infidélité ? Tu n'as pas couché avec elle. Je suis bête d'en faire tout un plat. »

Toujours le même sourire.

« Espèce de salaud ! »

Je déchire la photo et la jette à l'autre bout de la pièce. Puis je froisse toutes les autres et les balance à la poubelle avant de shooter dedans.

Cette fois-ci, c'est bon. Je me fiche de ce que peut dire Jules. Jules avec toutes ces conneries psy sur la confiance. Je ne ferai plus jamais confiance à personne. Ça n'en vaut pas la peine. À partir de maintenant, je suis dans le camp de Jenny. Je vais me servir des hommes. Je vais les prendre et les jeter. Moi aussi j'aurai ma part du gâteau. Et le prochain qui se croit tout permis pourra aller se faire voir !

Le samedi matin, j'ai une gueule de bois carabinée, mais un sentiment de quiétude s'est emparé de moi. En fait, je me sens étrangement loin de la douleur que j'ai éprouvée. Elle n'a pas disparu, mais elle n'est plus aussi immédiate. Je pense que ma crise d'hier soir a marqué un tournant.

Parce que aujourd'hui, je repars de zéro.

Aujourd'hui je suis de nouveau Amy Crosbie. Fini l'héroïne de sitcom qui pleurniche. Fini la féministe coupeuse de couilles. Fini la tortionnaire mentale.

Juste moi.

Calme.

Tranquille.

Rassérénée.

Aujourd'hui, je vais réinvestir la case dans ma tête qui jusqu'alors était pleine de Jack. À partir de maintenant, elle ne sera remplie que de pensées me concernant.

MOI.

MOI.

MOI.

Je ressors ma cassette de chants de baleines que j'ai achetée au cours de ma brève période new-age en 90 et me fais couler un énorme bain. Je suis bien décidée à mettre de l'ordre dans ma tête.

Je souffle paresseusement sur la mousse, coince mon gros orteil dans le robinet et laisse vagabonder mes pensées. Dès que je pense à quelque chose qui a rapport à Jack même de loin, j'imite le bruit d'une sirène d'alarme et repars de zéro.

Au début, c'est vraiment difficile. Je tergiverse des plombes dans ma tête en prenant soin de ne pas ouvrir des portes qui donnent sur des banques de souvenirs interdites. Mais, au bout d'un moment, je découvre qu'il y a des tonnes de choses auxquelles on peut penser. Des choses intéressantes, comme l'intrigue de *Ally McBeale,* le concours de l'Eurovision, les frises décoratives que je pourrais peindre sur mes murs, le lèche-vitrines.

Le lèche-vitrines : idéal.

Après mon bain, je passe plusieurs heures à me dorloter en prévision d'un raid mastercard. Je m'épile les jambes, les sourcils, me fais un masque, lime et peins mes ongles, passe une heure à me sécher les cheveux. Quand j'ai fini, je me sens à nouveau un être humain.

Je ressemble de nouveau à un être humain.

Non, je suis superbe.

Ce doit être vrai, puisque les ouvriers qui effacent le graffiti sur la route me gratifient d'un sifflement quand je sors. Mais je m'en fiche. Ce sont des hommes. Ils ne comptent pas.

— Foutez-moi la paix ! je leur crie.

Je dois admettre que je ne suis pas une reine du shopping. Je fais souvent mes courses uniquement sous le coup de l'impulsion et occupe mes samedis après-midi de différentes façons. Je vais au pub ou je me promène avec mon ex-petit ami, par exemple. Mais aujourd'hui tout cela a changé. Cette journée m'appartient.

Je vais m'acheter des choses. Je suis en mission.

Cinq boutiques plus tard, j'ai creusé suffisamment mon découvert pour pouvoir m'allonger dedans, mais je m'en fiche pas mal. Je suis lancée.

Que ferais-je d'un homme, maintenant que j'ai les bras chargés de sacs ?

Je suis dans New Bond Street, abîmée dans un choix délicat concernant une robe particulièrement chère, quand soudain tout bascule. Je tiens la robe contre moi et me regarde dans le miroir lorsque je remarque un visage familier qui examine les cintres derrière moi.

Je me fige.

C'est Chloé.

Impossible de bouger sans qu'elle me voie. Je la fixe, sans oser ciller.

Mais, comme d'habitude, son sixième sens fonctionne à la perfection. Elle me repère tout de suite.

— Salut ! lance-t-elle en se dirigeant vers moi.

— Bonjour.

Mes mâchoires s'entrouvrent à peine.

Elle admire la robe.

— Whoua, ça te va super bien.

Je suis scotchée. Mes muscles ne répondent pas. Je tiens la robe contre moi comme une idiote, comme si elle pouvait me cacher, ou me faire disparaître, mais en vain.

— Elle est faite pour toi, ajoute-t-elle.

Il faut que je bouge. Je laisse tomber la robe par terre.

— Peut-être, je, hum...

430

Je me penche pour la ramasser. Mes mains sont toutes moites.

— Comment tu vas ? demande-t-elle alors que je me relève.

C'est une question qui pèse trois tonnes. Elle est au courant pour Jack. Elle sait et je sais qu'elle sait, et elle sait que je sais qu'elle sait.

— Très bien, dis-je. J'ai un nouveau boulot.

Elle acquiesce lentement en me dévisageant.

— Ça se passe bien ?

— Génial. Euh, oui, vraiment super. Et toi ?

— Ça va très bien.

Il y a un long silence. Nous nous regardons.

— Je suis au courant, dit-elle doucement. Je suis désolée.

Je hoche la tête, incapable de parler. Elle n'est pas désolée. Elle n'est absolument pas désolée. Je serre les lèvres et plie soigneusement la robe sur mon bras.

Elle connaît Jack. Elle détient toutes les réponses aux questions qui m'ont coûté une fortune pour que je les oublie. Et je serais prête à dépenser la même somme pour lui faire cracher le morceau, si nécessaire, pour qu'elle me raconte le moindre détail, mais mon orgueil a le dessus.

Il y a quelque chose dans son air soucieux qui me refroidit. Elle peut courir si elle croit que je vais lui laisser voir combien je suis bouleversée, ou combien Jack m'a fait de la peine. Et quand elle ira tout lui raconter, ce qu'elle fera, je n'en doute pas, elle sera incapable de lui dire autre chose sinon que j'avais l'air d'aller très bien. Que j'allais très bien. Que j'ai survécu. Que je suis au-dessus de tout ça.

Parce que c'est la vérité.

— Tu sais quoi, je crois que je vais l'acheter, dis-je en montrant la robe.

Chloé a l'air ébahie. Je l'ai prise de court. Je lui ai rivé le bec et elle le sait.

— C'est pour quelle occasion ? demande-t-elle en m'observant pendant que je rassemble mes sacs.

— Je sors ce soir, dis-je.

Prends ça, Jack. J'ai ma vie. Je sors en ville.

— Un endroit sympa ?

Impossible de deviner son expression.

— J'ai des invites pour l'inauguration d'un nouveau bar.

Amy super cool.

Celle que t'as perdue, connard.

— Où ça exactement ?

Ça veut dire quoi : « Où ça exactement ? » Ça ne la regarde pas.

— Le Zanzibar.

— Le Zanzibar dans Beak Street ?

— Mmm.

— Tu me diras comment c'était.

— Bien sûr.

— On devrait aller prendre un verre ensemble un de ces quatre, dit-elle.

Elle m'adresse un sourire interrogateur.

— Entendu.

Elle se penche et me fait la bise.

— On se rappelle, dit-elle avant de s'éloigner.

Cette rencontre m'a retournée. Je paie la robe et hèle un taxi.

Je me sens complètement déprimée quand je rentre chez moi. Mes emplettes ne servent à rien. Je regrette d'avoir fait ces achats. Je laisse tomber mes sacs dans l'entrée, ôte mes chaussures et m'effondre sur le lit. À cause de Chloé, j'ai désormais toute une série de questions qui me trottent dans la tête :

Va-t-elle dire à Jack qu'elle m'a vue ?

Que lui dira-t-elle ?

Et si elle ne lui dit rien ?

Et s'il n'a pas l'occasion de savoir que je vais super bien ?

Et si ça en reste là ?

Et si je ne revois jamais Jack ?

Et si j'ai brûlé mes ponts avec Chloé ?

Et si j'ai coupé le dernier lien ?

C'est trop. Mon karma est anéanti. Je suis condamnée à vivre dans la confusion et à me retrouver avec des questions sans réponse.

Ce n'est pas juste.

Quand H sonne, je suis en état catatonique devant la télé.

— On va s'éclater, chantonne-t-elle en brandissant une bouteille de vodka devant mes yeux. Qu'est-ce que tu as ?

Je me laisse tomber sur une chaise.

— J'ai vu Chloé.

H retrousse une lèvre et grogne :

— Qu'est-ce qu'elle t'a dit ?

— Rien.

— Rien ?

— Je ne lui ai pas laissé l'occasion de dire quoi que ce soit.

H fait la moue et pose les mains sur ses hanches. Je vois bien qu'elle se demande si elle doit continuer sur ce sujet. Je m'en fiche. Je l'ignore.

— Montre-moi ce que tu as acheté, dit-elle abruptement.

— Quoi ?

— Montre-moi ce que tu as acheté. J'ai envie de voir.

Je désigne les sacs d'un mouvement de tête.

— Que des conneries. J'ai claqué une fortune.

H passe la langue sur ses dents et s'empare des sacs. Elle les vide sur le tapis et émet un sifflement. Je l'ignore toujours. Elle examine les fringues, prend la robe et la met sur son épaule. Puis elle se dirige d'un pas assuré vers la cuisine.

Elle revient avec deux grands verres de vodka et en pose un devant moi.

— Bois.

Je gonfle les joues.

— Bois !

Je prends une gorgée.

— Tout.

Elle me regarde jusqu'à ce que j'aie fini mon verre. Je sens la vodka me réchauffer la gorge.

— Maintenant écoute-moi bien. On est samedi soir et je ne veux pas que tu fasses ton cinoche. C'est compris ? Hors de question. (Elle me lance la robe.) Tu as un quart d'heure.

Il y a foule au Zanzibar quand nous y arrivons. Je manque rebrousser chemin et prendre mes jambes à mon cou en voyant la foule, mais H me saisit le bras et m'entraîne à l'intérieur.

Nous prenons quelques verres et dansons un

peu, mais je ne suis pas dans l'ambiance. Je n'ai pas le cœur à faire la fête et j'ai l'impression d'avoir deux pieds gauche.

Environ une heure plus tard, après être allée aux toilettes, je reste près d'un pilier et cherche H. La piste de danse est bondée et je commence à paniquer à l'idée de l'avoir perdue. Je me sens horriblement vulnérable. Je ne peux parler à personne, je n'ai rien à dire.

— Amy ! Par ici !

J'aperçois H qui me fait un signe. Je lève une main, enfin soulagée.

— J'ai trouvé des mecs pour nous, dit-elle, le regard pétillant.

— H !

— Allez, viens, dit-elle. J'ai parlé à un type au bar. Il est super sympa. Et il a un copain qui est tout triste avec lui.

— Merci beaucoup !

— Ils sont à l'étage. Ils nous ont commandé à boire.

Elle me tire par le bras mais je me dégage.

— Si t'essaies de me caser avec un tocard, je te tue.

— Tu me prends pour qui ? Je ne l'ai même pas encore vu. C'est celui du bar que je veux te présenter. Il est top-classe.

— Non !

— Viens dire bonjour au moins. Pour me faire plaisir. Allez, ça ne te fera pas de mal. S'ils nous plaisent pas, on se cassera.

Je me mords la lèvre alors qu'elle me fait traverser la piste de danse et la suis en direction de l'escalier. Quand nous arrivons à l'étage, ma chaussure se tord sur une marche.

Je me détourne pour la remettre. H fait signe à quelqu'un.

— Ils sont là-bas.

Je me redresse et me dirige vers la table du fond.

— Ici ! lance-t-elle, satisfaite, quand je l'ai rattrapée. Voici Matt. (Elle le regarde.) Voici Amy.

?!?

J'ai le souffle coupé.

J'ai le souffle coupé, parce que ce n'est pas n'importe quel Matt, c'est le Matt de Jack.

Mais ce qui est bizarre, ce n'est pas tant qu'il soit là que le fait qu'il n'ait pas du tout l'air surpris de me voir.

Chloé.

C'est forcément elle. C'est la seule explication à sa présence ici.

Qu'est-ce qu'elle cherche à faire ? Me mettre dans l'embarras ? Se venger de tout à l'heure ?

Pourquoi ?

H ne se rend absolument pas compte de ce qui se passe. Elle se glisse sur le siège en face de Matt et tapote la place à côté d'elle. Elle tire sur mon bras et me fait les gros yeux, avant de m'obliger à m'asseoir. J'atterris avec un bruit mat.

Tout s'est arrêté.

Le temps s'est arrêté.

Parce que là où est Matt se trouve en général Jack.

Et c'est alors que je le vois.

Il était au bar et se dirige vers nous, quatre

verres à la main. Il les regarde en se concentrant.

— Et voici l'ami Rossy, déclare Matt en se frottant les mains.

Tout me crie « sauve-toi » mais je suis incapable de bouger.

Il est trop tard.

Jack arrive devant la table et pose les verres. Ce n'est qu'alors qu'il lève les yeux et me voit. Il se détourne rapidement et fusille Matt du regard.

— Qu'est-ce qui se passe ? demande-t-il.

Je vois à la façon dont le sang s'est retiré de son visage que le coup a été monté entre Chloé et Matt, et donc que H n'est pas la seule à n'y être pour rien.

Matt est l'innocence même.

— Rien, mon pote. C'est les filles dont je t'ai parlé.

— Salut, Rossy, couine gaiement H. Je m'appelle Helen.

Jack contemple sa main tendue, avant de finalement la serrer.

— Content de faire ta connaissance, marmonne-t-il.

— Et voici Amy, lance gaiement Matt. (Il attend que Jack parle, mais Jack ne dit rien.) Vous n'allez pas vous serrer la main ? Où sont passées tes bonnes manières ?

Jack s'assoit et, pour la première fois, me regarde.

Droit dans les yeux.

— Salut, Amy, dit-il.

Ses mains n'ont pas bougé.

H regarde Jack et lève son verre.

— Santé. Alors c'est toi le cœur brisé. (Elle me donne un coup dans les côtes.) Ou plutôt le briseur de cœur.

— Non, le cœur brisé, dit Jack.

— Amy en connaît en rayon en cœur brisé, n'est-ce pas, chérie ? dit H qui ne remarque pas l'expression impassible de Jack. Vous avez beaucoup de points communs.

Matt se jette sur sa bière, puis repose brutalement son verre sur la table, secoué par une quinte de toux. Jack lui assène une claque dans le dos, si fort que j'ai l'impression que ses dents vont tomber.

Super. Matt a envie de jouer ? Pas de problème.

— Et peut-on savoir ce qui t'a brisé le cœur ? je demande.

— Je me suis fait larguer, répond-il.

— Quel dommage. C'était une super nana, non ? fait Matt.

— Elle était incroyable. Je ne trouverai jamais personne comme elle.

H se moque :

— Ça alors, tu vaux pas mieux qu'Amy. Tu ne dois pas te laisser abattre, tu sais. Une de perdue, dix de retrouvées.

— Pas des comme elle, non, dit Jack.

Je détourne les yeux de son regard intense.

— Et pourquoi est-ce qu'elle t'a largué ? je lui demande.

— J'adore ce morceau. On va danser ? interrompt Matt en regardant H.

H fait non de la tête.

— On ne peut pas partir maintenant, ça commence juste à devenir intéressant.

438

— J'en doute, dit Matt. Connaissant ce type, il va parler toute la nuit. Viens, laissons-les se débrouiller.

H se lève pour suivre Matt. Elle se penche et murmure à mon oreille :

— Ça va aller, hein ? Viens me chercher s'il pète les plombs.

Et nous nous retrouvons seuls tous les deux.

— Alors ? demande-t-il.

— Je pense que tu me dois une réponse.

— Tu veux savoir pourquoi elle m'a largué ?

— Oui, pour commencer.

Jack prend une profonde inspiration.

— Parce que j'ai fait quelque chose de stupide. J'ai commis une erreur.

— Juste une erreur ?

— Non, c'était pirc que ça. Je l'ai déçue. J'ai commencé à lui expliquer ce qui s'était passé, mais elle a refusé de m'écouter.

— Tu lui en veux ?

— Bien sûr que non. Cela aurait tenu du miracle si elle était restée après ce que je lui ai dit.

— Et qu'as-tu fait ?

— Je l'ai appelée plein de fois. Puis je suis allé en bas de chez elle et je l'ai attendue, mais elle n'a pas voulu répondre. Alors je lui ai écrit une lettre pour lui expliquer ce qui s'était passé exactement, mais elle n'y a pas répondu.

Je sens les larmes me monter aux yeux.

— Peut-être qu'elle ne l'a pas lue. Peut-être qu'elle allait tellement mal et qu'elle était tellement furieuse qu'elle a laissé sa meilleure copine brûler la lettre dans une poêle.

Jack a l'air horrifié. Il se caresse les joues très lentement.

— Alors elle ne peut pas savoir ce que j'éprouvais ni ce qui s'est vraiment passé.

— Bon, qu'est-ce qui s'est passé ? Vraiment ?

Jack me regarde droit dans les yeux et dit :

— Je me suis endormi à côté d'une autre fille. Je n'aurais pas dû, mais j'étais saoul et j'étais furieux. Et quand je me suis réveillé, la fille en question m'avait pris dans sa bouche. J'ai paniqué. Je l'ai repoussée. Je l'ai virée de chez moi.

— Et tu espérais que ta petite amie allait te croire, c'est ça ?

— Ouais, c'est la vérité. (Il se tait mais nos regards ne se détournent pas.) Mais le pire c'est que je lui ai menti là-dessus. Et j'ai failli y laisser ma peau, parce que j'ai compris quelque chose.

— Et qu'est-ce que c'est ?

Jack touche mes doigts.

— Que j'étais amoureux d'elle. Que je le suis encore. Complètement. Que je veux être avec elle, plus que tout. Mais je ne pouvais pas lui dire tout ça tant que je ne lui avais pas dit la vérité, même si ça voulait dire la perdre.

Je repense à tout ce que j'ai pensé depuis une semaine. Je repense à tous les conseils qu'on m'a donnés et au fait que j'étais toujours aussi troublée. Et maintenant je comprends : c'était parce que je n'écoutais pas mon cœur. J'ai essayé d'arrêter de croire en Jack et ce n'était pas possible. Ce n'était pas possible parce que je l'aime. Et à présent qu'il m'a dit la vérité, tout fait sens. Mon cœur avait raison depuis le début.

Mais avant que je puisse dire quoi que ce soit, Matt et H sont de retour.

— Ça va ? demande H.

— Mieux que ça, dis-je en souriant et en prenant la main de Jack. On vient de m'inviter à danser.

Remerciements

Vifs remerciements à Vivienne Schuster et Johnny Geller, les meilleurs agents qui soient. Et à tous les membres de Curtis Brown, pour leur soutien inestimable.

À tous les gens de Random House, qui ont été fantastiques dès lc début. En particulier à l'« équipe » : Andy McKillop, notre éditeur, et Lynne Drew, notre éditrice, pour leur amitié et leurs conseils professionnels, mais surtout pour avoir rendu toute cette aventure amusante. Également à leurs assistants (Thomas et Jo). À Susan et Rachael, Mark et Grainne, Ron et l'équipe de représentants et Glenn. Et enfin, à Simon (tu te reconnaîtras !) pour avoir mis de l'ordre dans nos têtes et nous avoir aidés à vider le minibar...

Au scul et unique Dawn Fozard pour avoir été exceptionnel du début à la fin.

Nous aimerions également remercier tous nos amis pour leurs diverses confessions, anecdotes et impressions de lecture. En particulier : James & Helen, Paddy, Harriet & Matt, Lozza, Katy, Ruth, Lok, Tim & Danni, Mark & Char-

lie, Lucy, Emma, George, Daniel, « Barry »
C-G, Kirsti, Henny & Alan, Mands & Chas,
Anna, Phil, & et les Mollster, Kate, Carol,
Vicks, Ali, Jonny P., Lorna, Chris & Paula,
Rupert & Toni, Ray & Anna, Simon & Caro-
line, et Lizzie.

Merci, comme toujours, à nos familles, qui
n'ont jamais cessé de prêcher la bonne parole.
Surtout à nos parents merveilleux pour nous
avoir soutenus tout le temps.

Et à John Eminson et David Proudlock, pour
être les meilleurs enseignants d'anglais de tous
les temps.

Exercices de pitch

"Pitch" : à Hollywood, art qui consiste à convaincre un interlocuteur, en moins de dix minutes, qu'on est la fille la plus douée de sa génération et que le scénario que l'on vient d'écrire va rapporter à coup sûr plusieurs millions de dollars. Entre des producteurs trop entreprenants, des névrosés et des jaloux de toutes sortes, les errements d'une petite Française ambitieuse qui rêve de conquérir Hollywood… à coups de pitch !

Il y a toujours un Pocket à découvrir